Contes

CHARLES PERRAULT

Contes

INTRODUCTION, NOTICES ET NOTES
DE CATHERINE MAGNIEN

LE LIVRE DE POCHE
classique

Agrégée des Lettres, Catherine Magnien a publié *Jucquel Rougeart — Œuvres complètes 1578* (Genève, Droz, 1988) et des articles portant sur les XVIe et XVIIe siècles : elle a assuré également la révision du *Dictionnaire latin-français abrégé* de F. Gaffiot paru au Livre de Poche.

Introduction

Singulier destin littéraire que celui de Charles Perrault. Auteur, reconnu en son temps, de pièces mondaines, galantes ou précieuses, apologiste officiel de son roi et de son siècle, voire poète chrétien à l'âge de la retraite, il serait ignoré du grand public si, la soixantaine venue, il n'avait composé un petit recueil de contes, dont certains lui dénient d'ailleurs la paternité. On ne lit plus *Le Miroir ou la Métamorphose d'Orante* (1661), ni le *Dialogue de l'Amour et de l'Amitié* (1660), pas plus que les odes *Sur la paix* (1660), *Sur le mariage du Roy* (1660), *Au Roy* (1693) ou *A l'Académie française* (1693) ; seuls les spécialistes se penchent sur *Saint Paulin, évêque de Nole, avec une épître chrétienne sur la pénitence et une ode aux nouveaux convertis* (1686) ou sur *Adam, ou la création de l'homme, sa chute et sa réparation, poème chrétien* (1697), et les lycéens d'aujourd'hui ne connaissent *Le Siècle de Louis Le Grand* (1687) et les quatre tomes du *Parallèle des anciens et des modernes* (1688, 1690, 1692 et 1697) que par devoir scolaire. En revanche, qui de par le monde n'a jamais rencontré le Petit Poucet, Cendrillon, le Petit Chaperon rouge et son loup, ou la Barbe bleue ?

Mais l'œuvre, par son succès, n'a pas seulement éclipsé l'homme. Elle a fini par y perdre sa propre identité : sous son titre générique, les libraires d'antan et les spécialistes des publications enfantines ont longtemps proposé à leurs chalands tantôt un texte rajeuni ou altéré, tantôt des versions en prose des contes en vers — l'inverse parfois —, tantôt les œuvres d'autres conteurs, Mlle Lhéritier, Mme d'Aulnoy ou Mme Leprince de Beaumont. Ainsi les *Contes de Perrault* seraient un chef-d'œuvre mal connu d'un auteur méconnu. Qui fut donc Charles Perrault ?

*

Il vint au monde septième et dernier enfant[1] de Paquette Leclerc et de Pierre Perrault, avocat au Parlement de Paris, originaire, dit-on, de Tours. Voici comment il raconte à ses enfants les premières années de sa vie et ses années de collège :

Je suis né le douzième janvier 1628, et né jumeau. Celui qui vint au monde quelques heures avant moi fut nommé François, et mourut six mois après. Je fus nommé Charles par mon frère le receveur[2] général des finances, qui me tint sur les fonts avec Françoise Pépin, ma cousine.

Ma mère se donna la peine de m'apprendre à lire, après quoi on m'envoya au Collège de Beauvais[3], à l'âge de huit ans et demi. J'y ai fait toutes mes études,

---

1. Voir page 314.
2. Pierre, né en 1611, d'abord commis principal aux parties casuelles (droits perçus lors de la vente des charges), puis receveur général des finances.
3. Collège fondé à Paris en 1370 par le cardinal Jean de Dormans, et sis rue Jean-de-Beauvais, à côté de la Sorbonne.

ainsi que tous mes frères, sans que pas un de nous y ait jamais eu le fouet. Mon père prenait la peine de me faire répéter mes leçons le soir après souper, et m'obligeait de lui dire en latin la substance de ces leçons. Cette méthode est très bonne pour ouvrir l'esprit de ceux qui étudient et les faire entrer dans l'esprit des auteurs qu'ils apprennent par cœur. J'ai toujours été des premiers dans mes classes, hors dans les plus basses, parce que je fus mis en sixième que je ne savais pas encore bien lire. J'aimais mieux faire des vers que de la prose, et les faisais quelquefois si bons que mes régents me demandaient souvent qui les avait faits. J'ai remarqué que ceux de mes compagnons qui en faisaient bien ont continué d'en faire, tant il est vrai que ce talent est naturel et se déclare dès l'enfance.

Je réussis particulièrement en philosophie : il me suffisait souvent d'avoir attention à ce que le régent dictait pour le savoir et pour n'avoir pas besoin de le lire et de l'étudier ensuite. Je prenais tant de plaisir à disputer[1] *en classe que j'aimais autant les jours où on y allait que les jours de congé. La facilité que j'avais pour la dispute me faisait parler à mon régent avec une liberté extraordinaire et qu'aucun des autres écoliers n'osait prendre. Comme j'étais le plus jeune et un des plus forts de ma classe, il avait grande envie que je soutinsse une thèse à la fin des deux années ; mais mon père et ma mère ne le trouvèrent pas à propos, à cause de la dépense où engage cette cérémonie, dépense la plus inutile qu'on puisse faire. Le régent en eut tant de chagrin qu'il me fit taire lorsque je voulus disputer contre ceux qui devaient soutenir des thèses. J'eus la hardiesse de lui dire que mes arguments étaient meilleurs que*

1. *Discuter un point de philosophie.* Un *régent* est un professeur de collège.

ceux des Hibernois[1] *qu'il faisait venir, parce qu'ils étaient neufs et que les leurs étaient vieux et tout usés. J'ajoutais que je ne lui ferais point d'excuses de parler ainsi, parce que je ne savais que ce qu'il m'avait montré. Il m'ordonna une seconde fois de me taire, sur quoi je lui dis, en me levant, que — puisqu'il ne me faisait plus dire ma leçon (car en ce temps-là les philosophes disaient leur leçon tous les jours comme les autres écoliers, et c'est un grand abus de les en avoir dispensés), qu'on ne disputait plus contre moi, et qu'il m'était défendu de disputer contre les autres — je n'avais plus que faire de venir en classe. En disant cela, je lui fis la révérence et à tous les écoliers, et sortis de la classe. Un de mes amis, nommé Beaurain, qui m'aimait fort, et qui s'était en quelque sorte rangé auprès de moi parce que toute la classe s'était déchaînée contre lui sans savoir pourquoi, sortit aussi et me suivit. Nous allâmes de là au jardin du Luxembourg, où, ayant fait réflexion sur la démarche que nous venions de faire, nous résolûmes de ne plus retourner en classe, parce qu'il n'y avait plus à y profiter, tout le temps ne s'employant à autre chose qu'à exercer ceux qui devaient répondre, et de nous mettre à étudier ensemble.*

*Cette folie fut cause d'un bonheur : car, si nous eussions achevé nos études à l'ordinaire, nous nous serions mis apparemment, chacun de notre côté, à ne rien faire. Nous exécutâmes notre résolution, et pendant trois ou quatre années de suite M. Beaurain vint presque tous les jours deux fois au logis, le matin à huit heures jusqu'à onze, et l'après-dîner depuis trois jusqu'à cinq. Si je sais quelque chose je le dois particulièrement à ces trois ou quatre années d'études. Nous lûmes presque toute la Bible et presque tout Tertullien, l'*Histoire de France *de La Serre*

1. Écoliers irlandais venus faire leurs humanités à Paris.

et de Davila ; nous traduisîmes le traité de Tertullien, De l'habillement des femmes *; nous lûmes Virgile, Horace, Corneille, Tacite et la plupart des autres auteurs classiques, dont nous fîmes des extraits que j'ai encore. La manière dont nous faisions la plupart de ces extraits nous était fort utile. L'un de nous lisait un chapitre ou un certain nombre de lignes, et, après l'avoir lu, il en dictait le sommaire en français, que chacun de nous écrivait en y insérant les plus beaux passages dans leur propre langue. Après que l'un avait lu et dicté de la sorte, l'autre en faisait autant, cela nous accoutumait à traduire et à extraire en même temps. L'été, lorsque cinq heures étaient sonnées, nous allions nous promener au Luxembourg. Comme M. Beaurain était plus studieux que moi, il lisait encore étant retourné chez lui, et pendant la promenade, il me redisait ce qu'il avait lu*[1].

Ce texte, même faite la part de l'exagération inhérente au genre biographique, montre un adolescent indépendant d'esprit, curieux de nouveauté dans son éducation et dans ses activités, amoureux des lettres et de la poésie. Quant aux parents, loin de s'opposer aux coups de tête du jeune homme, ils le soutiennent et l'accompagnent dans ses projets. Ainsi quand Charles et Beaurain cèdent à la mode du burlesque et traduisent, vers 1650, le livre VI de l'*Énéide*, ou composent *Les Murs de Troye, ou de l'origine du burlesque*[2], Claude, médecin et plus tard architecte et traducteur, et Nicolas Perrault, théologien janséniste, passionné de mathématiques, viennent se divertir avec eux. La famille, soudée par l'affection fraternelle, des affinités de goûts

1. *Mémoires*, édition citée pp. 19-22.
2. Le premier chant de ce poème fut publié en 1653, à Paris.

(quatre sur cinq des frères se mêlaient d'écrire[1]) et la communauté des intérêts, se comporte comme un clan. Du frère aîné, Jean, l'avocat, on sait qu'il « valait beaucoup mais ne se faisait pas valoir » et que son insuccès détourna du barreau Charles qui avait pris ses licences de droit à Orléans en juillet 1651, mais ne plaida que deux fois. Quant à Pierre, son parrain, lorsqu'en 1654, il achète la charge de receveur général des finances de Paris[2], il prend son benjamin à ses côtés comme commis. La sinécure[3] donne à Charles le loisir d'aménager la maison familiale de Viry-sur-Orge, de recevoir et de fréquenter, avec son frère Pierre, toute une société de financiers, de beaux esprits et de gens de lettres. Il se remet à étudier, produit ses premiers vers galants : un *Portrait d'Iris*, attribué par le Tout-Paris à Quinault, en 1659, et le *Dialogue de l'Amour et de l'Amitié* qui, l'année suivante, « eut beaucoup de

1. Voir p. 314. Pierre s'intéressa à la physique (*De l'origine des fontaines*, Paris, 1674) et traduisit *La Secchia rapita*, poème héroï-comique d'Alexandre Tassoni (Paris, 1678) ; une des œuvres de Nicolas, *La Morale des Jésuites (...) par un docteur de Sorbonne* fut publiée par un ami, Alexandre Varet (Mons, 1667) ; la production de Claude, plus nombreuse, touche aux sciences naturelles (par exemple, *Nouvelle découverte touchant la vue*, Paris, 1668, ou *Description anatomique d'un caméléon, d'un castor, d'un dromadaire, d'un ours et d'une gazelle*, Paris, 1669), à la physique (*Essais de physique*, Paris, 1680-1688, 4 volumes) et à l'architecture (traduction des œuvres de l'architecte romain Vitruve, Paris, 1673, ou un traité sur les colonnes en 1663).

2. Charge qui consistait à percevoir les impôts royaux et à les verser dans les caisses du roi, souvent sous forme d'avances.

3. « Comme la commission de la recette générale ne m'occupait pas beaucoup, car il ne s'agissait que d'aller recevoir de l'argent et d'en donner soit à l'Épargne qui ne s'appelait pas encore le Trésor royal, soit à des particuliers assignés sur la recette générale, je me remis à étudier. Une bibliothèque fort belle que mon frère acheta des héritiers de l'abbé de Cerisy (Germain Habert, poète et académicien, 1614-1654) [...] en fut la principale occasion par le plaisir que j'eus de me voir au milieu de tant de bons livres. » (*Mémoires*, p. 32.)

vogue » et que « M. Fouquet, surintendant des finances (...) fit écrire sur du vélin avec de la dorure et de la peinture[1] ».

Cependant le jeune homme prépare son avenir, en célébrant trois événements officiels, la paix des Pyrénées en 1659, le mariage de Louis XIV en 1660 et la naissance du dauphin en 1661. Chapelain[2] le remarque et le recommande à Colbert en quête d'un secrétaire pour sa « petite Académie[3] ». Il obtient le poste, après avoir satisfait aux désirs du ministre qui souhaitait « voir de sa prose » : ce sera le *Discours sur l'acquisition de Dunkerque* (1663).

Perrault entame alors une carrière d'une vingtaine d'années de grand commis au service du roi et, surtout, d'un homme dont il sut gagner la confiance, Colbert. Ministre dès 1661, ce dernier siège au Conseil d'en haut[4], remplit les fonctions de surintendant des finances à la chute de Fouquet, devient surintendant des bâtiments en 1664, contrôleur des finances l'année suivante et secrétaire d'État de la Maison du Roi en 1669. Secrétaire dévoué, travailleur infatigable, Perrault, logé à côté du surintendant à Paris comme à Versailles, voit

---

1. *Mémoires*, pp. 32-33. Philippe Quinault (1635-1688), auteur habile et talentueux de comédies, de tragi-comédies, et qui collabora ensuite avec Lulli, connut dès ses dix-huit ans une éclatante réussite mondaine. La méprise flattait Perrault.

2. Jean Chapelain (1595-1674), poète et littérateur, fut un des membres fondateurs de l'Académie française. Il traça le plan d'un dictionnaire, d'une grammaire. Colbert le consultait pour dresser la liste des bénéficiaires des gratifications royales et ce fut lui qui eut l'idée de la « petite Académie », en 1662.

3. Créée par Colbert, elle compte en 1663 quatre membres (Chapelain, les abbés Amable de Bourzeis et Jacques Cassagne, et le secrétaire, Perrault) chargés de la rédaction de devises, de projets de médailles, de tapisseries, et de la correction des ouvrages à la gloire du roi. En 1701, cette institution deviendra l'Académie des Inscriptions et Belles-Lettres.

4. Création de Louis XIV, il réunissait les princes et les premiers personnages du royaume.

ses fonctions et ses émoluments s'accroître au fil du temps. En 1663, sa gratification annuelle atteint 1 500 livres ; commis en 1668, puis en 1672 contrôleur des bâtiments, il cumule pension et traitement : 7 625 livres à partir de 1672, 8 925 livres en 1675. La réussite sociale s'accompagne d'une réussite financière certaine. L'inventaire qu'il fit de son mobilier pour son contrat de mariage, en avril 1672, permet de reconstituer le cadre de vie de notre auteur, celui d'un riche bourgeois, cultivé, amateur et collectionneur de meubles précieux, de statues, de médaillons, de pendules, de dessins et de tableaux. D'autres actes le montrent propriétaire de plusieurs maisons à Paris, pratiquant la spéculation immobilière à Viry-sur-Orge. Ainsi, il semble bien que sa situation auprès de Colbert, lui ait permis d'accroître son patrimoine, modeste au départ. Et il conserve l'esprit de famille. Nicolas, le frère théologien, exclu de la Sorbonne pour jansénisme, est mort, et la cause de Pierre, le receveur disgracié et ruiné en 1664, est perdue à jamais. Reste Claude à qui son cadet fournit plus d'une occasion d'exercer ses talents. Ainsi, dans l'affaire de la colonnade du Louvre, on voit Charles Perrault œuvrer à l'éviction du Bernin et promouvoir son propre projet, élaboré par Claude que l'on retrouve architecte de l'Observatoire en 1667, d'un arc de triomphe à la gloire du roi en 1670, et au nombre des savants choisis pour composer la toute nouvelle Académie des Sciences en 1666. L'activité débordante du commis, puis contrôleur des bâtiments consiste à revoir les plans des architectes, à faire des appels d'offre, à traiter avec les entrepreneurs, à combattre certains projets (par exemple celui de Pierre-Paul de Riquet proposant de conduire à Versailles l'eau de la Loire), à dissuader Colbert de fermer le jardin des Tuileries aux badauds parisiens ou de murer les fenêtres des maisons donnant sur le Palais-Royal, voire à demander pour Lulli la salle de théâtre du Palais-Royal. Accessoirement, il contribue à l'aménagement du parc de Versailles, en imaginant la grotte de Thétys, aujourd'hui disparue.

A l'instigation de Colbert, Charles Perrault est élu à l'Académie française. Dès sa réception, le 23 novembre 1671, il innove, en prononçant une « harangue[1] » ; il suggère ensuite qu'à l'avenir tous les récipiendaires en fassent autant et que la séance de réception soit ouverte au public. Il réorganise les travaux des Académiciens par la création de jetons de présence, ouvre un registre pour le procès verbal des délibérations, fait réformer le mode de recrutement. La révision du *Dictionnaire*, auquel le pouvoir assure le monopole en France, entreprise en 1672, s'achève en 1694. Perrault en rédige, au nom de toute la compagnie, la dédicace au roi, véritable monument de courtisanerie[2].

Entre-temps, le futur conteur a renoncé au célibat. Le dimanche 1er mai 1672, à quarante-quatre ans, il a épousé en l'église Saint-Gervais de Paris Marie Guichon, âgée de dix-neuf ans seulement, qu'il n'a vue « qu'une fois depuis qu'elle est hors de religion, où elle a été mise dès l'âge de quatre ans[3] ». De

---

1. Cette harangue est à l'origine des discours de réception. Perrault raconte dans ses *Mémoires* comment Colbert fait installer au Louvre l'Académie, et fournit fauteuils, pendule, registre, écritoires, flambeaux et bois de chauffage. Perrault offre la machine à voter, et imagine les jetons qui portent *Louis le Grand* et *A l'immortalité. Protecteur de l'Académie française.*

2. « Comment exprimer cet air de grandeur marqué sur votre front, et répandu sur votre Personne, cette fermeté d'âme que rien n'est capable d'ébranler, cette tendresse pour le peuple, vertu si rare sur le trône, et ce qui doit toucher particulièrement les gens de lettres cette éloquence née avec vous, qui toujours soutenue d'expressions nobles et précises, vous rend Maître de tous ceux qui vous écoutent, et ne leur laisse d'autre volonté que la vôtre ? Mais où trouver des termes pour raconter les merveilles de votre règne ? » *(Au Roy, Préface du Dictionnaire de 1694).*

3. Perrault raconte dans ses *Mémoires* combien Colbert fut

cette union naissent quatre enfants : Charles-Samuel, le 25 mai 1675 ; Charles, le 20 octobre 1676 ; Pierre, le 21 mars 1678, et une fille. En octobre 1678, il se retrouve veuf avec quatre jeunes enfants ; les relations avec un Colbert vieillissant et qui pousse son fils Jules-Armand, marquis d'Ormoy et de Blainville, se tendent dès 1676. Lorsque disparaît le ministre, en 1683, Louvois prend la surintendance des bâtiments et traite Perrault « d'une manière assez étrange[1] ». On lui rembourse d'office sa charge au tiers de sa valeur (22 000 livres au lieu de 25 000 écus), pour gratifier avec le bénéfice de la revente le peintre Le Brun et l'architecte Le Nôtre. On l'exclut de la petite Académie, on suspend sa pension. « Libre et en repos (...), ayant travaillé avec une application continuelle pendant près de vingt années et ayant cinquante ans passé », il décide de « [s]e retrancher à prendre soin de l'éducation de [s]es enfants ». Il se loge près des collèges, en sa maison des fossés de l'Estrapade, prend un précepteur et surveille, comme son père l'avait fait pour ses frères et lui, l'éducation de sa progéniture.

Jamais, durant sa carrière d'agent de la politique culturelle du roi, Charles Perrault n'avait abandonné la plume : elle avait servi à conter les splendeurs du règne, la gloire du souverain, la naissance d'un prince, à promouvoir les idées officielles en matière d'arts et lettres[2]. « Pour se donner quelque

---

surpris de la modestie de la dot de Marie Guichon et du parti choisi par son protégé : le père était payeur des rentes, à Rosières, près de Troyes. Il fit valoir au ministre qu'il connaissait les parents et s'entendait à merveille avec eux, gage d'une bonne entente dans le futur couple.

1. *Cf. Mémoires*, pp. 133-136, pour le récit de ces « mortifications », selon Perrault.

2. *Courses de têtes et de bague, faites par le Roy et par les princes et seigneurs en l'année 1662*, Paris, 1670 ; *Poèmes à la louange du Roy* (en collaboration avec Quinault), Paris, 1674 ; *Le Banquet des dieux, pour la naissance de Mgr le duc de Bourgogne*,

occupation dans [s]a retraite », il compose le poème de *Saint Paulin*, publié en 1686, adresse *Aux nouveaux convertis* une ode où il approuve la révocation de l'édit de Nantes, et le 27 janvier 1687, fait donner, par son ami l'abbé de Lavau, lecture à l'Académie du « petit poème du *Siècle de Louis le Grand* ». Boileau, « après avoir grondé longtemps tout bas, s'éleva dans l'Académie, et dit que c'était une honte que l'on fît une telle lecture, qui blâmait les plus grands hommes de l'Antiquité[1] ». Ainsi se réveille la querelle, latente depuis 1670, des Anciens et des Modernes. Perrault s'entête et lance, en août 1687, une épître au roi « touchant l'avantage que Sa Majesté fait remporter à son siècle sur tous les siècles », puis, en juillet 1688, une pièce en vers *Le Génie*, assez agressive, et à la fin de 1688, le premier volume de son *Parallèle des Anciens et des Modernes*[2]. Les deux adversaires dialoguent : à l'*Ode sur la prise de Namur* de Boileau, répond une ode de Perrault, en 1693 ; à la *Satire X, Contre les femmes* du premier, le second riposte par son *Apologie des femmes*, l'année suivante. Grâce à Arnauld et Bossuet, et à la médiation de Racine, le 30 août 1694, Perrault et Boileau s'embrassent à l'Académie : la querelle est close, officiellement. Stimulé par le débat, Perrault s'adonne à des productions variées : des poèmes chrétiens, *La Création du monde* en

Paris, 1682 ; *La Peinture*, poème, Paris, 1668, et *La Critique de l'opéra*, Paris, 1674.

1. *Mémoires*, p. 137. Le parti des Anciens, c'étaient Racine, Boileau, Arnauld, Bossuet et « les gens de Versailles ». En face, formaient le parti des Modernes « les beaux esprits de Paris » : Quinault, Tallemant, Benserade, l'abbé de Lavau, Perrault et Fontenelle. L'opposition des deux camps portait, plus que sur la valeur des œuvres antiques, sur la réalité du progrès de l'intelligence, de la morale et des techniques.

2. Le deuxième volume, en 1690, le troisième surtout, en 1692, développent les thèses du parti moderne jusqu'à leurs extrêmes conséquences.

1693, *Adam* en 1697 ; des odes, *Sur la négociation de la paix* en 1698, *Au roy Philippe V allant en Espagne*, en 1701 ; des traductions, celle des *Fables de Faerne* en 1699 ; des comédies, restées longtemps inédites, *Les Fontanges* et *L'Oublieux* ; deux ouvrages de prestige illustrés, *Le Cabinet des Beaux-Arts*, résumé en gravures des productions artistiques du siècle, en 1691, et *Les Hommes illustres de ce siècle*, cent portraits, accompagnés d'un éloge par Perrault, publiés en 1696 et 1700.

C'est dans ce climat de polémique, au milieu de tous ces travaux sérieux et officiels, à côté de ces poèmes dévots, que de 1691 à 1697, l'académicien, mû par on ne sait quelle grâce, écrit ses contes.

*

La mode, en tout cas, joua un rôle déterminant. Les Français de la Renaissance s'étaient passionnés pour les *Amadis*[1], et bien après, les écoliers, « aussi âpres à dévorer les romans qu'à sucer des dragées », selon la formule de J.-P. Camus, lisaient les livrets de la *Bibliothèque bleue* et rêvaient de géants, de chevaliers errants et de princesses inaccessibles. Non sans réticence, les grands auteurs classiques reconnaissent avoir lu des romans. Ainsi Boileau, dans la préface de son *Dialogue des héros de roman*[2] concède des qualités à l'*Astrée* d'Honoré d'Urfé, dont La Rochefoucauld et ses amis prenaient volon-

1. Roman traduit de l'espagnol en 1540 par Nicolas Herberay des Essarts et qui connut un énorme succès : continuations, adaptations, remaniements se succéderont jusqu'en 1629. On peut supposer que les lecteurs étaient encore nombreux au Grand Siècle, en dépit du jugement défavorable des savants. Comment expliquer autrement le succès que connut durant un demi-siècle l'opéra *Amadis de Gaule* de Lulli et Quinault, dont la première eut lieu à Paris le 18 janvier 1684 ?

2. Le *Dialogue*, commencé vers 1664, parut d'abord en 1688.

tiers une page pour thème de leurs conversations. Quant à Mme de Sévigné, nourrie de ces lectures, lorsqu'elle désire caractériser d'un mot tel ou tel de ses contemporains elle le compare à la Galatée de l'*Astrée*, à l'Orondate du *Grand Cyrus*, à l'Artaban de *Cléopâtre*[1] ; elle n'hésite pas non plus à défendre sa petite-fille Pauline, trop amatrice aux yeux de sa mère inquiète, de ce type de littérature[2].

Au cours du XVIIe siècle, le roman a beaucoup évolué : d'abord sentimental et pastoral, puis roman d'aventures, roman héroïque, il a fini par perdre, en devenant historique et galant[3], ses vastes dimensions, par se cantonner au format modeste de la nouvelle et mettre en scène des héros à la morale plus rigoureuse. Deux choses n'ont pas changé, la méfiance des doctes et des moralistes à son endroit, et son public, raffiné et galant, délicat de sentiments, en majorité féminin, public amateur aussi de contes merveilleux. L'abbé de Villiers le sentait bien qui écrivait à propos des lecteurs de *La Princesse de Clèves*, dans ses *Entretiens sur les contes de fées* (1699), « pour servir de préservatif contre le mauvais goût du temps » : « Rien ne marque mieux qu'on a aimé les romans par esprit de bagatelle que de voir qu'on leur compare des contes à dormir debout. »

---

1. *L'Astrée*, roman pastoral de cinq volumes, fut publié de 1607 à 1627 ; les dix volumes du *Grand Cyrus* de Madeleine de Scudéry, de 1649 à 1653 ; La Calprenède donna *Cléopâtre* (douze volumes, vingt-quatre livres) de 1647 à 1657.

2. « Je ne veux rien dire sur les goûts de Pauline ; je les ai eus avec tant d'autres qui valent mieux que moi que je n'ai qu'à me taire. (...) Je trouvais (...) qu'une fille devenait honnête et sage en lisant *Cléopâtre* ». *A Mme de Grignan*, 16 novembre 1689.

3. Mme de La Fayette avait publié en 1662 *La Princesse de Montpensier* et, en 1678, *La Princesse de Clèves*, romans d'analyse psychologique dans un cadre historique. Mme de Villedieu écrivit des romans historiques et galants : *Cléonice ou le roman galant* (1669) ; *Les Désordres de l'amour* (1676) ou *Les Annales galantes de Grèce* (1687).

Car les contes ne couraient pas seulement les veillées des chaumières et les chambres d'enfants. Dans une lettre d'apparat, lettre de prose mêlée de vers en date du 30 octobre 1656, Mme de Sévigné narre à Mlle de Montpensier, nièce de Louis XIII, l'histoire de la cane de Montfort de Bretagne :

Je m'assure aussi que vous n'aurez jamais ouï parler de la cane de Montfort, laquelle tous les ans, au jour Saint-Nicolas, sort d'un étang avec ses canetons, passe au travers de la foule du peuple, en canetant, vient à l'église et y laisse de ses petits en offrande.

Cette cane jadis fut une demoiselle[1]
Qui n'allait point à la procession,
Qui jamais à ce saint ne porta de chandelle ;
[...] Et ce fut par punition
Qu'ils furent tous changés en canetons et canes [...].

Et si[2], *Mademoiselle, afin que vous le sachiez, ce n'est pas un conte de ma mère l'oie*[3]

---

1. Femme du peuple.
2. Et pourtant.
3. « Le vulgaire appelle *Conte du vieux loup ; conte de vieille ; conte de ma mère l'oye ; conte de la cigogne, à la cigogne ; conte de peau d'âne ; conte à dormir debout ; conte jaune, bleu, violet, conte borgne,* des fables ridicules telles que sont celles dont les vieilles gens entretiennent et amusent les enfants » (*Dictionnaire de l'Académie*, 1694). Le *Dictionnaire* de Furetière (1694) définit pour sa part le mot *conte* ainsi : « Histoire, récit plaisant. Les *contes* de d'Ouville, d'Eutrapel, de Bonaventure Des Periers, de la Reine de Navarre, sont agréables et divertissants (...). Se dit proverbialement en ces phrases : ce sont des *contes* de vieilles, dont on amuse les enfants, des *contes* à dormir debout, de peau d'âne, de la cigogne, de ma mère l'Oye. Un *conte* violet, un *conte* jaune, un *conte* bleu, etc. » On trouve enfin dans le *Dictionnaire* de Richelet (1680) ceci, sous la vedette *conte* : « Fable. Récit fabuleux. Aventure plaisamment imaginée et ingénieusement racontée ou écrite (Les Contes de La Fontaine sont plaisants). (...) Conte pour rire, conte à dormir debout, conte de ma mère

Mais de la cane de Montfort,
Qui ma foi lui ressemble fort.

Vingt ans plus tard, le plaisir de conter reste le même. Mme de Sévigné rapporte à sa fille comment se distraient les dames à la cour :

Mme de Coulanges (...) voulut bien nous faire part des contes avec quoi on amuse les dames de Versailles ; cela s'appelle les mitonner[1]. *Elle nous* mitonna *donc, et nous parla d'une île verte, où l'on élevait une princesse plus belle que le jour ; c'étaient les fées qui veillaient sur elle à tout moment. Le prince des délices était son amant. Ils arrivèrent tous deux dans une boule de cristal alors qu'on y pensait le moins. Ce fut un spectacle admirable. Chacun regardait en l'air, et chantait sans doute :*

Allons, allons, accourons tous,
Cybèle va descendre[2].

Ce conte dure une bonne heure. Je vous en épargne beaucoup en considération de ce que j'ai su que cette île verte est dans l'Océan ; vous n'êtes point obligée de savoir exactement ce qui s'y passe[3].

Divertissement pour grandes dames, amusement des salons où ils remplacent les épigrammes, énigmes et autres bouts-rimés, goûtés de Louis XIV et de Colbert[4], les contes quittent soudain l'oralité pour

l'oie, conte de la cigogne. »

Bref le *conte de ma mère l'oie* est le récit sans vraisemblance transmis par le vieillard du peuple à l'enfant crédule. Voir p. 33.

1. *Mitonner* signifie choyer, traiter avec faveur.

2. Vers d'*Atys*, opéra de Lulli, livret de Quinault, créé le 10 janvier 1676.

3. *A Mme de Grignan*, le 6 août 1677.

4. Selon le romancier Courtilz de Sandras, Colbert se faisait dire des contes. Pour les goûts du jeune Louis, voir p. 125. Sous son règne, Versailles eut sa conteuse, en la personne de Mme Le Camus, femme d'un conseiller d'État.

entrer en librairie. « Notre siècle est devenu bien enfant sur les livres, il lui faut des contes, des fables, des romans et des histoires [...]. Ce sont ceux-là qui enrichissent les libraires et qu'on réimprime en Hollande », note, désabusé, l'abbé Dubos dans une lettre familière à Pierre Bayle, le 1er mars 1697. Mme d'Aulnoy, la première, avait introduit en 1690, dans *L'Histoire d'Hypolite, comte de Duglas*, un conte de fées. Mlle Lhéritier et Catherine Bernard suivirent, la première avec les *Enchantements de l'éloquence* et *L'Adroite Princesse* dans ses *Œuvres mêlées* de 1696, la seconde avec *Le Prince Rosier* et son *Riquet à la houppe*, insérés dans un roman en 1696[1]. Ensuite déferla un raz de marée, avec les recueils de contes de Mlle de La Force (1697), Mme d'Aulnoy (1698), du chevalier de Mailly (1698), de François Nodot (1698), de Jean de Préchac (1698), de Mme d'Auneuil (1702). *Le Cabinet des fées* ou *Collection choisie des contes de fées et autres contes merveilleux*, publié à Paris de 1785 à 1789, consacrera un tiers de ses quarante et un volumes à rassembler la production des années 1695-1702.

Définir la part exacte prise par Perrault dans le lancement de cette vogue reste une entreprise bien hasardeuse. On peut toutefois constater qu'avec sa *Griselidis*, il fait, à la date de 1691, figure de précurseur. Résolument moderne, il ne reste pas insensible aux attraits, et aux pouvoirs, du conte. Pouvoir didactique d'abord : lui qui s'était intéressé à l'éducation de ses enfants, vit une époque que la question de l'éducation en général préoccupe[2]. Mme de Maintenon a créé la maison de Saint-Cyr

---

1. Voir p. 232 et p. 257.
2. Voir Charles Sorel, dans son *De la Connaissance des bons livres* (1671), préoccupé de l'influence des livres sur les jeunes personnes, les gens du monde : « On dit qu'il ne faut pas conter toutes sortes de fables aux enfants ; aussi ne faut-il pas conter toute sorte d'histoires au peuple. »

pour les jeunes filles nobles sans fortune en 1685. Fénelon, auteur d'un *De l'éducation des filles* en 1687, s'est vu confier en 1689 le préceptorat du duc de Bourgogne, aîné des petits-fils du roi, et pour mener sa tâche à bien, il compose son *Télémaque*, roman et somme pédagogique, mais aussi des histoires et des fables. Perrault se sentait fabuliste mais n'avait été, avec son *Labyrinthe de Versailles*[1] de 1675, qu'un poète mondain, comme il ne serait, avec ses *Fables de Faerne* de 1699, qu'un versificateur et pédagogue chrétien. Décidément, La Fontaine demeurerait pour l'apologue, genre mineur avant lui et dont il avait assuré l'illustration et la gloire, un modèle inaccessible. Cependant, alors même que Fontenelle présente en 1688, dans sa *Digression sur les Anciens et les Modernes*, le conte pour une nouveauté inventée par La Fontaine « auquel l'Antiquité n'a rien à opposer, et qu'apparemment la postérité ne surpassera pas », l'opinion évolue. Une sentence de police avait interdit en 1675 le débit des *Nouveaux Contes* de 1674 et leur auteur allait être conduit en février 1693 à abjurer ce « livre abominable ». La licence, les détails scabreux voilés de gaze, l'antiféminisme sont passés de mode. Les lecteurs, plus dévots, plus rigoureux, en conformité avec l'autorité royale, réclament des récits édifiants. La morale, voilà le premier terrain de compétition avec le fabuliste : « Je prétends même que mes Fables méritent mieux d'être racontées que la plupart des Contes anciens, et particulièrement celui de la Matrone d'Éphèse et celui de Psyché, si on les regarde du côté de la Morale,

1. Il supprima même de la troisième édition de ses œuvres (préparée en 1701, publiée posthume en 1729) cet ensemble de fables miniatures, composées en commentaire du labyrinthe par jeu, puisque c'était Benserade qui était chargé des quatrains, officiellement.

chose principale dans toute sorte de fable », proclame Perrault dans sa *Préface* de 1694. L'allusion transparente vise La Fontaine qui avait donné sa *Psyché* en 1669 et sa *Matrone d'Éphèse* en 1682. Il faut donc lire les *Contes en vers* comme autant d'essais pour rivaliser avec l'aîné. D'où le choix des sujets. L'Italie de la Renaissance avait été, avec l'Arioste, Boccace, Giovanni Fiorentino, le Pogge, Straparole, Machiavel, voire l'Arétin, la principale pourvoyeuse de La Fontaine ; *Griselidis* sera empruntée à Boccace, via la Bibliothèque bleue qui l'avait fait connaître « de tout le monde » et « un peu sali dans les mains du Peuple[1] ». La légende offre en outre l'occasion à son adaptateur de se poser en champion des femmes alors que dès 1665 La Fontaine avait dû se justifier de « faire tort aux femmes » et que Boileau finit sa *Satire X, Contre les femmes*, en chantier depuis deux décennies, souvent lue et commentée dans les salons avant sa publication, en 1694 seulement.

Mais Perrault reste un disciple. Ainsi il ne songe pas à remettre en cause l'emploi de la versification, question posée et résolue provisoirement par son devancier qui s'en expliquait dans son *Avertissement* des *Contes et Nouvelles en vers* de 1665 : « [l'auteur] a cru que les vers irréguliers ayant un air qui tient de la prose, cette manière pourrait sembler la plus naturelle et par conséquent la meilleure ». De même, les deux poètes emploient les termes de *nouvelle, conte* et *fable* comme de parfaits synonymes. Leurs contemporains appellent *nouvelle* un court roman comportant une intrigue : « une histoire agréable et intriguée ou un conte plaisant et un peu étendu, soit qu'elle soit feinte ou véritable » (*Dictionnaire* de Furetière, 1690). *Griselidis* porte certes le sous titre de *nouvelle*, c'est-à-dire, à en croire la *Préface*

1. Voir page 297, n. 5.

de 1694 de « Récit de choses qui peuvent être arrivées et qui n'ont rien qui blesse absolument la vraisemblance » ; le dernier paragraphe du texte rassemble pourtant les trois histoires en vers sous le terme de « Contes », mot préalablement défini comme « fiction toute pure ». Que tout ceci révèle-t-il ? Sans doute, en premier lieu, l'impossibilité de tenir un discours cohérent sur trois œuvres différentes par leur inspiration et leur genre. (*Griselidis* serait une nouvelle, *Les Souhaits ridicules*, une fable et *Peau d'Ane*, un conte), leur tonalité, leur public potentiel, leur longueur. Jamais d'ailleurs, dans les éditions parues du vivant de Perrault, ne les réunira le titre générique de *Contes en vers*, inventé par les éditeurs modernes, en pendant des *Histoires ou Contes du temps passé*. Ces hésitations du lexique traduisent ensuite les incertitudes de Perrault lui-même sur un genre à inventer. *A Monsieur *** en lui envoyant Griselidis* montre les réactions contradictoires d'un public tellement disparate qu'on ne saurait complaire aux uns qu'en déplaisant aux autres, voire en renonçant à soi-même[1]. En fait les reproches convergent : pourquoi toutes ces longueurs, ces descriptions, ces ornements, ces réflexions, ces épisodes superfétatoires[2] ? Et ils firent mouche.

Deux ans s'écoulent. Novembre 1693 : *Le Mercure galant* offre à ses lecteurs raffinés « l'histoire de la

---

1. Voir page 122.

2. Perrault, tout en se laissant aller à ses facilités naturelles, s'émancipait de La Fontaine qui avait professé l'inverse : « Comme les narrations en vers sont très malaisées, il se faut charger de circonstances le moins qu'on peut : par ce moyen vous vous soulagez vous-même, et vous soulagez aussi le lecteur. » Plus haut : « D'où vient que l'auteur retranche au lieu d'enchérir ? (...) Il le fait pour éviter la longueur et l'obscurité, deux défauts intolérables » (*Préface* de la *Deuxième partie des Contes et Nouvelles* en vers, 1666).

femme au nez de boudin », pour reprendre l'expression satirique de Boileau. Rien de commun avec la première manière. Perrault fait fi de la vraisemblance, d'une certaine préciosité. Pour ce « conte », nommé aussi « fable », il emprunte au genre de la fable la brièveté, la volonté probatoire, la construction, la moralité. Il emprunte également, sans s'en cacher, à La Fontaine des personnages et des situations avec une intention parodique annoncée au titre par l'adjectif *ridicules*. Le poème propose donc une transposition burlesque — entendons une certaine disconvenance entre ce qui est dit et les mots pour le dire — d'une histoire dont on connaît des analogues dans la littérature médiévale, les recueils narratifs du XVIe siècle ou des fables contemporaines. Quel accueil rencontrèrent *Les Souhaits ridicules* avec leur aune de boudin ? Sans doute Boileau et ses amis se gaussèrent-ils de voir leur ennemi s'égarer en une narration à la limite de l'obscène. D'autres, suivant la dédicataire de Perrault, purent apprécier cet avatar du talent du poète qui renouait ici avec l'inspiration de son adolescence.

« Il était une fois... » C'est en 1694, pour inaugurer son premier conte merveilleux que notre conteur, après un préambule à la fois dédicace et mode de lecture, écrit pour la deuxième fois[1] la formule magique. Elle ouvre l'histoire de *Peau d'Ane* ; elle servira ensuite pour sept des huit contes en prose. Ici, elle marque le cheminement qui conduit Perrault de *Griselidis* au *Petit Poucet*. Le carcan du vers, qui nuira au siècle suivant à la diffusion de l'histoire, pèse encore, mais tous les ingrédients du succès sont réunis. D'abord l'origine populaire de la narration à laquelle on ne trouve ni modèle littéraire ni de sources écrites, ne fait pas plus de doute

1. On la lit d'abord dans *Les Souhaits ridicules*, au vers 21.

que le discrédit où se trouvait *Peau d'Ane*, titre universellement cité, dans des expressions souvent dépréciatives, pour désigner un conte à dormir debout, et aussi, assez bizarrement, titre isolé de tout contenu précis[1]. D'autre part avec cet âne magique, la fée marraine, la cassette à circulation souterraine, Perrault intègre le merveilleux au conte. Les contemporains ne souffraient nul dépaysement. Les opéras de Lulli les avaient rendus familiers, sur des livrets de Quinault, de la magicienne Armide, d'Amadis que ses parents reconnaissent grâce à un anneau, ou des transformations de Protée en lion, en arbre, en monstre, en eau et en feu[2]. Un passage du tome III du *Parallèle* développe la parenté entre l'opéra, genre moderne par excellence, et le conte « de vieille » : « Dans un opéra tout doit être extraordinaire et au-dessus de la nature. Rien ne peut être trop fabuleux dans ce genre de poésie ; les contes de vieille comme celui de Psyché en fournissent les plus beaux sujets et donnent plus de plaisir que les intrigues les mieux conduites et les plus régulières (...). Ces sortes de fables (...) ont le don de plaire à toutes sortes d'esprits, aux grands génies de même qu'au menu peuple, aux vieillards comme aux enfants ; ces chimères bien maniées amusent et endorment la raison, quoique contraires à cette même raison, et la charment davantage que toute la vraisemblance imaginable. »

Enfin, Perrault sait trouver les mots qui plairont à son public. Avec la marquise de Lambert[3], dame de la haute aristocratie qui joua son rôle dans les élections académiques et rassemblait dans son salon les Modernes, il convie à l'écouter, ou à le lire, les gens de qualité capables de varier leurs loisirs, de

---

1. Voir page 125.
2. *Armide* date de 1689, *Amadis* de 1684 et *Phaéton* de 1683.
3. Voir page 298, n. 1.

se faire « mitonner ». Et pour ce public, il invente le langage qui lui gagnera tous les publics, cette pseudo-voix de nourrice qui séduit de son bégaiement petits et grands : « Elle alla donc bien loin, bien loin, encore plus loin » ; « Il en vint du rivage More,/Qui, plus noirs et plus laids encore,/Faisaient peur aux petits enfants »...

En revanche la dédicace n'épargne pas les Boileau et autres censeurs, « Les gens de qui l'esprit guindé/Sous un front jamais déridé,/Ne souffre, n'approuve et n'estime/Que le pompeux et le sublime ». La réponse ne tarde pas, en forme de *Parodie burlesque de la première ode de Pindare à la louange de M. P****[1] : « Mais, ô ma lyre fidèle,/Si du parfait ennuyeux/Tu veux trouver le modèle,/Ne cherche point dans les Cieux/D'astre au Soleil préférable ;/Ni dans la foule innombrable/De tant d'Écrivains divers,/Chez Coignard rongés des vers,/ Un poète comparable/A l'auteur inimitable/De *Peau d'Ane* mise en Vers. »

Oui, il l'avait mise en vers, sa *Peau d'Ane*. Mais la réflexion mûrissait. Qu'on en juge à ces lignes de 1692, extraites du tome III du *Parallèle* : « Comme les Comédies qui sont en prose ne sont pas moins des Poèmes dramatiques que les Comédies qui sont en vers, pourquoi les histoires fabuleuses que l'on raconte en prose ne seraient-elles pas des Poèmes aussi bien que celles que l'on raconte en vers [...] ? Les vers ne sont qu'un ornement de la Poésie, très grand à la vérité, mais ils ne sont point de son essence. »

Perrault pouvait désormais écrire la *Préface* de 1694, que tous les éditeurs modernes placent en tête de l'ensemble des *Contes*. Ce texte capital fait la charnière entre les essais de narration versifiée et le réussite des contes en prose. Sous la forme

1. Boileau, *Poésies diverses*, LIII.

d'un pastiche des discours préliminaires de La Fontaine[1], elle plaide pour la modernité des contes, leur moralité, leurs vertus pédagogiques et manifeste la dignité d'un genre, jusque-là mineur et déprécié. Enfin s'affiche, dans le madrigal, la complicité avec Mlle Lhéritier, avocate de la supériorité des imaginations du monde chrétien sur les créations du paganisme antique : « Contes pour contes, il me paraît que ceux de l'antiquité gauloise valent à peu près ceux de l'antiquité grecque ; et les fées ne sont pas moins en droit de faire des prodiges que les dieux de la Fable[2]. » Tout était prêt pour l'apparition de La Belle au bois dormant.

*

Février 1696 : *Le Mercure galant* offre à ses lecteurs une première version, anonyme, de *La Belle au bois dormant*, présentée par ces mots : « On doit cet ouvrage à la même personne qui a écrit l'*Histoire de la petite Marquise* dont je vous fis part il y a un an et qui fut si applaudie dans votre province. » Piste erronée à dessein, et qui mène soit à l'abbé de Choisy[3], soit à Mlle Lhéritier. Quand *Le Mercure galant* réimprime, dans sa livraison d'août-septembre 1696, *L'Histoire de la Marquise-Marquis de Banneville*, Donneau de Visé, ami de Perrault et auteur du précédent avis mensonger, introduit dans

1. Voir page 70.

2. Ce sont les trois dernières lignes des *Enchantements de l'éloquence*, publiés par la conteuse en 1695. G. Rouger donne le texte pp. 237-265 de son édition des *Contes* (*Fable* signifie *mythologie*).

3. Curieux personnage, abbé de cour qui se plaisait à s'habiller en dame et écrivit des ouvrages d'histoire, une relation de voyage au Siam et des histoires édifiantes à succès. Il vécut de 1644 à 1724.

un dialogue l'addition suivante à propos de *La Belle au bois dormant* : « Je l'ai lue quatre fois (...). Je n'ai encore rien vu de mieux narré ; un tour fin et délicat, des expressions toutes naïves ; mais je ne m'en suis point étonné quand on m'a dit le nom de l'auteur. Il est fils de Maître, et s'il n'avait pas bien de l'esprit, il faudrait qu'on l'eût changé en nourrice. » Que signifient tous ces mystères ? En janvier 1697, l'éditeur Barbin publie un petit volume in-12°, imprimé sans grand soin, orné d'un frontispice et de vignettes de style populaire, et intitulé *Histoire ou Contes du temps passé. Avec des Moralités.* La page de titre ne porte pas de nom d'auteur, mais le privilège a été accordé « au sieur P. Darmancour », le 28 octobre 1696, et la dédicace du recueil est signée « De Votre Altesse Royale, le très humble et très obéissant serviteur, P. Darmancour[1] ».

Ajoutons à ces indices le témoignage de Mlle Lhéritier, familière de la maison Perrault, dans sa dédicace de *Marmoisan* (conte publié dans ses *Œuvres mêlées* de 1695) à « Mademoiselle Perrault » sœur de Pierre Darmancour. Elle raconte qu'après avoir loué « la charmante nouvelle de *Griselidis*, le « merveilleux » de *Peau d'Ane* et le « naïf enjouement » des *Souhaits ridicules*, puis « leur illustre auteur », « une compagnie de personnes d'un mérite distingué » évoqua « la belle éducation qu'il donne à ses enfants ; on dit qu'ils marquent tous beaucoup d'esprit ; et enfin on tomba sur les contes naïfs qu'un de ses jeunes élèves a mis depuis peu sur le papier avec tant d'agrément ». Priée par la compagnie, la demoiselle lit son *Marmoisan* que tous lui conseillent de « communiquer à ce jeune conteur qui occupe si spirituellement les amusements de son enfance ». Elle termine : « J'espère que vous en

1. De même l'épître dédicatoire du manuscrit calligraphié de 1695 (voir page 59) est signée P.P.

ferez part à votre aimable frère, et que vous jugerez ensemble si cette fable est digne d'être placée dans son agréable recueil de contes. »

Ainsi toutes ces pièces et témoignages convergent : Pierre Perrault serait l'auteur des *Contes en prose*, et non Charles. La question, irritante, a longtemps divisé les éditeurs et les chercheurs, sensibles aux nombreuses « querelles de paternité artistique[1] » qui marquèrent l'itinéraire des Perrault, et les lecteurs émus par le romantisme de la « petite voix grêle d'un enfant », voire par d'obscures analogies entre le peuple, le primitif et l'enfant.

Voyons la suite du dossier. Pierre Darmancour a en 1695 dix-sept ans, dix-neuf en 1697. Il faut donc d'abord faire justice à la légende de l'enfant-écrivain[2]. Ensuite, curieusement, tout ce qui tend à prouver que l'on doit les contes au fils, est antérieur à janvier 1697, autrement dit à la sortie du livre. Il pourrait s'agir de ce qu'en d'autres temps on nommera une campagne de publicité, d'intoxication publicitaire, pourrait-on dire. Une fois le livre sorti, la faveur du public rendit inutiles des précautions qu'avait naturellement imposées la peur des censeurs. Trois lettres familières de l'abbé Dubos, ami de Perrault, à Pierre Bayle, réfugié en Hollande, militent en faveur de cette thèse. Un mois avant que ne soit pris le privilège de l'édition originale

---

1. Marc Soriano a mis ces querelles au centre de l'activité et de la vie de Charles Perrault : voir son *Dossier Perrault*.

2. Le mot fut plus élastique qu'il ne l'est aujourd'hui : Montaigne raconte qu'il assista à un procès « en [s]on enfance ». Calcul fait, il avait vingt-sept ans.

Quant à Pierre Perrault il se rend coupable en novembre 1697, d'un homicide, dans des conditions qui restent obscures. Perrault dédommage la mère de la victime. Mais l'avenir de Pierre est compromis. Devenu lieutenant au régiment Dauphin, il meurt en mai 1700. Sa dédicace à Charlotte-Élisabeth ne lui aura pas servi.

des *Contes*, le 23 septembre 1696, Dubos écrit : « Ce même libraire (Barbin) imprime aussi *Les Contes de ma Mère l'Oye* par monsieur Perrault. Ce sont bagatelles auxquelles il s'est amusé autrefois pour réjouir ses enfants. » Deux mois après la publication du livre, l'abbé associe Mme d'Aulnoy à Perrault : « Madame Daunoy ajoute un second volume aux *Contes de ma Mère l'Oye* de monsieur Perrault. » Et quelque temps plus tard, le 19 août 1697 : « Monsieur Perrault (...) dit que vous n'avez point raison, parce qu'il aura été assez bonhomme pour écrire des contes, de penser qu'il puisse croire votre compliment. » Aucune ambiguïté dans ce témoignage qu'on dirait pris sur le vif, avec l'expression même de Perrault, d'autant que l'épistolier ne songeait nullement à la publication. La gazette littéraire du temps vient corroborer la certitude. Au moment de la publication du quatrième tome du *Parallèle*, fin janvier 1697, *Le Mercure galant* en annonce la mise en vente, et passant à *La Belle au bois dormant*, ajoute : « Je ne doute point que vous n'appreniez avec plaisir que celui qui en est l'auteur vient de donner un recueil de contes qui en contient sept autres avec celui-là. » Or la rubrique nécrologique de notre conteur, dans *Le Mercure galant* de mai 1703, article de plus de vingt pages, ne s'étend pas trop sur les « bagatelles », mais mentionne au moins deux contes : *Griselidis* et « l'heureuse fiction où l'Aurore et le petit Jour sont si ingénieusement introduits, et qui (...) a fait naître tous les contes de fées qui ont paru depuis ce temps-là, plusieurs personnes d'esprits n'ayant pas cru ses sortes d'ouvrages indignes de leur réputation ». Ces notations bibliographiques, assez partielles, gagnent à la comparaison avec la nécrologie de Pierre Perrault donnée par le même périodique, sans mention de la moindre œuvre du défunt, mais avec ceci : « fils de M. Perrault, ancien contrôleur des Bâtiments du

Roi, l'un des quarante de l'Académie Française, dont nous avons quantité d'ouvrages de galanterie et d'érudition très estimés ».

Il faut trancher. Tous les contemporains, excepté le gazetier du *Mercure galant* de 1696 et une demoiselle de la famille, qu'on peut soupçonner tous deux de complicité, savaient et laissaient entendre que Charles Perrault était l'auteur des *Histoires ou Contes du temps passé*. Rien n'interdit d'imaginer que les histoires furent d'abord contées aux quatre enfants, que l'un d'entre eux, plus doué pour les lettres que les autres, s'amusa à les rédiger et que le père, à la suite des trois essais des contes en vers, reprit le travail où son fils l'avait laissé. L'abbé de Villiers reconstruit cette collaboration dans ses *Entretiens sur les contes de fées* (1699), où dialoguent un provincial et un Parisien : « Vous m'avouerez que les meilleurs contes que nous ayons, sont ceux qui imitent le plus le style et la simplicité des nourrices et c'est pour cette seule raison que je vous ai vu assez content de ceux que l'on attribue au fils d'un célèbre académicien. Cependant vous ne direz pas que les nourrices ne soient point ignorantes. Elles le sont, il est vrai, répond le Parisien ; mais il faut être habile pour bien imiter la simplicité de leur ignorance : cela n'est pas donné à tout le monde ; et quelque estime que j'aie pour le fils de l'académicien dont vous parlez, j'ai peine à croire que le père n'ait pas mis la main à son ouvrage. » Et quand en 1707 paraît chez la Veuve Barbin une édition en tous points semblable à l'originale, la page de titre est libellée *Contes de Monsieur Perrault*[1] *avec des Moralités*.

1. Les romans et les contes paraissaient toujours sous l'anonymat, un pseudonyme ou des initiales. Perrault, en se dissimulant, songeait aux réactions d'un Boileau qui ne l'épargna jamais.

*

La première édition collective regroupant *Contes en vers* et *Contes en prose* est publiée en 1781 par le libraire Lamy, sous le titre *Contes des fées* : initiative louable mais qui propose un texte altéré, des contes intervertis et *Peau d'Ane* en prose. C'est seulement dans la seconde moitié du XIXe siècle que des éditeurs philologues procureront un texte plus sûr, tout en rassemblant les onze contes sous le titre en usage aujourd'hui de *Contes de Perrault.* D'autres avant nous se sont demandé si une telle pratique éditoriale ne trahissait pas les volontés de l'auteur. On peut répondre que, d'une part, la *Préface* de 1694 qui conclut sur les premières productions et annonce les suivantes, d'autre part le goût que manifestait Charles Perrault pour la constitution de recueils à partir de pièces de genres et de prosodies divers, autorisent ce regroupement. Peut-être y eût-il procédé lui-même, s'il n'avait auparavant cédé par privilège l'exploitation des deux opuscules à deux libraires différents. En tout cas, on ne sent pas de solution de continuité entre le frontispice des *Histoires ou Contes de temps passé* qui nous introduit à la veillée, auprès d'une nourrice, une « mie », entourée de son jeune auditoire charmé, et ces vers : « Le *Conte de Peau d'Ane* est difficile à croire,/Mais tant que dans le Monde on aura des Enfants,/ des Mères et des Mères-grands/ On en gardera la mémoire. »

Il convient d'évoquer ici le problème des sources de Charles Perrault. Fut-il, à l'image des enquêteurs contemporains qui collectent avant leur disparition les récits de nos campagnes, un simple transcripteur d'un fonds immémorial, venu de nos ancêtres indo-européens ? La figure omniprésente de ma Mère l'Oie[1] tendrait à nous en persuader. Ce serait toutefois oublier que notre conteur n'a jamais eu un tel projet, que de toute manière on ne connaîtra jamais, si elles ont existé, les versions orales dont il se serait inspiré, qu'il était beaucoup trop écrivain pour s'en tenir à un modèle, et qu'en dernière analyse c'est lui qui a influencé et enrichi le folklore de ses créations, et non l'inverse.

Il faut renoncer à retrouver la nourrice de Touraine qui veilla sur le benjamin des Perrault vers 1633 et lui conta le *Petit Chaperon rouge*, ou celles qu'il fit venir de Rosières en Champagne pour l'enchantement de ses propres enfants. En revanche,

---

1. Aucune explication satisfaisante n'a été donnée de cette expression *Contes de ma Mère l'Oie.* Anatole France récapitule toutes les interprétations proposées dans un passage du *Livre de mon ami.* « Et qui donc apprit *Peau d'Ane* aux fillettes et aux garçonnets de France [...] C'est "Ma Mère l'Oie", répondent les savants de village, Ma Mère l'Oie qui filait sans cesse et sans cesse devisait. Et les savants de s'enquérir. Ils ont reconnu Ma Mère l'Oie dans cette reine Pédauque que les maîtres imagiers représentèrent sur le portail de Sainte-Marie de Nesles dans le diocèse de Troyes, sur le portail de Saint-Bénigne de Dijon [...]. Ils ont identifié Ma Mère l'Oie à la reine Bertrade, femme et commère du roi Robert ; à la reine Berthe au grand pied, mère de Charlemagne ; à la reine de Saba, qui, étant idolâtre, avait le pied fourchu ; à Freya au pied de cygne, la plus belle des déesses scandinaves ; à sainte Lucie dont le corps, comme le nom, était lumière. Mais c'est chercher bien loin et s'amuser à se perdre. Qu'est-ce que Ma Mère l'Oie, sinon notre aïeule à tous et les aïeules de nos aïeules, femmes au cœur simple, aux bras noueux, qui firent leur tâche quotidienne avec une humble grandeur et qui, desséchées par l'âge, n'ayant, comme les cigales, ni chair ni sang, devisaient encore au coin de l'âtre, sous la poutre enfumée, et tenaient à tous les marmots de la maisonnée ces longs discours qui leur faisait mille choses ? Et la poésie rustique (...) sortait fraîche des lèvres de la vieille édentée [...]. Sur le canevas des ancêtres, sur le vieux fonds indou, la Mère l'Oie brodait des images familières, le château et les grosses tours, la chaumière, le champ nourricier, la forêt mystérieuse et les belles Dames, les fées tant connues des villageois » (*Le Livre de mon ami*, Le Livre de Poche, n° 2718, pp. 227-228).

la critique a identifié les livres que notre conteur, homme de lettres et d'étude avant tout, consulta, feuilleta et qui ont laissé leur trace dans son œuvre narrative. On surprend ainsi Charles Perrault amateur du roman médiéval *Perceforest* — lecture recommandée par ses amis Daniel Huet et Jean Chapelain[1] — goûtant comme les bourgeois des générations précédentes de vieux recueils à succès, *La Nouvelle Fabrique des excellents traits de vérité* de Philippe Le Picard ou les continuations des *Nouvelles récréations et joyeux devis* de Bonaventure Des Périers. A l'instar de beaucoup de ses contemporains et de son frère Pierre, il semble avoir commercé avec des auteurs italiens : Straparole, dont les *Facétieuses Nuits* traduites au siècle précédent avaient fait les délices de plusieurs générations de lecteurs, et Giambattista Basile, qui écrivit en dialecte napolitain *Lo Cunto de li cunti*, nommé plus tard le *Pentamerone* et publié de 1634 à 1636[2]. Jamais Perrault n'imite sa source avec servilité, jamais il ne compile. Le chercheur doit se borner à constater des ressemblances, voire de simples analogies, à constater aussi que les matériaux mis en œuvre par notre conteur national n'ont rien de typiquement français et que le secret de sa réussite exceptionnelle ne réside donc pas dans la matière, mais dans la manière.

1. Chapelain (voir p. 11, n. 2) avait écrit *De la lecture des vieux romans* (1647) et Huet un *Traité de l'origine des romans* (1669). Tous deux prônaient un retour au vieux fonds national.

2. Pour ces « emprunts » aux conteurs italiens, voir les notices de *Peau d'Ane*, *La Belle au bois dormant*, *Le Maître chat*, *Les Fées*, *Cendrillon* et *Le Petit Poucet*. On peut remarquer aussi que Basile termine ses contes sur quelques vers à résonance morale : Perrault a-t-il pris là l'idée de ses moralités ? Les dix *Facétieuses Nuits* de Giovan Francesco Straparole avaient été traduites par Louveau et Larivey en 1560 et 1572. Ce fut un bon succès de librairie. En revanche, le *Pentamerone* n'était disponible à l'époque que dans son édition italienne de 1674.

Cette matière, pourtant, a suscité bien des questions : quelle est l'origine des contes merveilleux ? Comment ont-ils été transmis ? Ont-ils un sens, et lequel ? Les mythologistes n'ont vu partout que mythes solaires, aurore, jour, crépuscule, nuit et étoiles ; les comparatistes ont vite fait de reconduire La Belle au bois dormant chez tous les peuples d'Europe, avant de parvenir chez ses ancêtres des rives de l'Indus. Les ethnologues retrouvent en filigrane dans nos contes de vieux rites initiatiques ou saisonniers ; les folkloristes classent les contes en types qu'ils numérotent. Les structuralistes ont défini la morphologie du conte, des spécialistes ont psychanalysé les contes de fées, ou l'auteur des *Histoires ou Contes du temps passé*. Ces lectures plurielles font la preuve de la richesse de la matière et de l'état présent des certitudes et des ignorances, mais peu d'entre elles considèrent vraiment le statut littéraire des *Contes de Perrault*.

Car ces contes sont l'œuvre d'un écrivain, et d'un écrivain conscient des problèmes posés par un genre à réinventer, et qui, après les tâtonnements divergents des trois premiers récits en vers, a décidé d'emprunter d'autres voies. Les *Histoires ou Contes du temps passé* proclament leur cohérence dès leur titre, qui occulte tant l'image populaire de la nourrice ou de la vieille paysanne que la référence familière à la mère-grand, et qui tire — avec le terme *Histoires* — l'ensemble du côté d'un merveilleux tempéré, du vraisemblable presque. Pourtant, sous le titre unificateur[1], quelle diversité dans la longueur (de dix à quarante-sept pages dans l'originale), dans les protagonistes (du bûcheron au roi),

1. L'unité du genre est sensible dans la disposition matérielle aussi. Toutes *Les Histoires ou Contes du temps passé* commencent par une vignette, presque toutes par la même formule et toutes se concluent sur une ou deux moralités versifiées.

dans les dénouements (euphorique pour Cendrillon, mitigé pour la Belle au bois dormant, tragique pour le Petit Chaperon rouge), dans les tons (de la feinte naïveté, à la préciosité de l'épilogue du *Petit Poucet*)! Quant au « *temps passé* », il fait écho aux conceptions un peu confuses exprimées par Marie-Jeanne Lhéritier à propos des « antiquités gauloises » et semble donner des gages aux tenants de la renaissance des héros médiévaux. Mais, en dépit des imparfaits et des passés simples, le lecteur du XVIIe siècle, comme celui d'aujourd'hui, reconnaît dans les *Histoires ou Contes du temps passé* la France de Louis XIV.

A petites touches, l'ensemble de la société se dessine. Le charbonnier, dans sa hutte, mange son pain noir et son fromage. Hôtes aussi des forêts, avec les voleurs et les loups, les bûcherons, celui des *Souhaits ridicules*, « las de sa pénible vie », mais heureux, tout compte fait, de la jeunesse et de la joliesse de son épouse, et le père du Petit Poucet, qui crie famine alors que le seigneur du village, oublieux de ses dettes, lui doit dix écus. Dans la campagne de *La Belle au bois dormant*, un prince rencontre un vieux paysan détenteur de la tradition. Un roi aperçoit, par la portière de son carrosse, les troupes anonymes des faucheurs et des moissonneurs, facilement terrorisées, tandis que meurt un meunier dont l'héritage se réduit à un moulin, plus un âne et un chat. Cependant, souillons et cucendrons lavent les torchons, gavent les cochons, et, cachées sous leur crasse, s'adonnent aux plus viles occupations qu'interrompt seul le repos dominical. Autour des grands, se pressent la foule de leurs serviteurs, « l'insolente vermine » des valets qui houspille Peau d'Ane, les « cuisiniers, marmitons, galopins, gardes, suisses, pages, valets de pied [...], palefreniers » de la Belle au bois dormant. Sous les toits, dans son galetas, une vieille file ; le maître d'hôtel et son épouse logent dans une basse-cour.

Bourgeois aisés, les officiers royaux entourent les souverains des contes. On en voit d'autres, dans *Griselidis*, s'assembler en corporations et venir faire leur remontrance au roi. On entrevoit au début du *Chat botté* un notaire et un procureur, rapaces toujours prêts à fondre sur le menu peuple. La richissime Barbe bleue appartient à cette même classe sociale et on peut l'imaginer financier, voire fermier général. Quant aux nobles, on en compte peu : le père de Cendrillon, la mère et les frères de l'épouse de la Barbe bleue, qui, dragon et mousquetaire, deviennent par la grâce de la fortune de leur défunt beau-frère, capitaines, ou le « Seigneur de la Cour/Jeune, bien fait et plus beau que le jour » amoureux de la fille de Griselidis.

La mobilité sociale du XVIIe siècle se lit dans les destinées exemplaires du pseudo-marquis de Carabas, dans celle du Petit Poucet, ou celles qu'il assure à son père et ses frères par la seule grâce de l'argent, avec l'achat d'offices de nouvelle création.

Au faîte de la société féodale un prince, un roi, présent dans plus de la moitié des contes, jamais mauvais, jamais ridicule, seulement parfois un peu trop humain parce qu'il se laisse aller à l'euphorie de « cinq ou six coupes » de vin, comme dans *Le Chat botté*. Mais le souverain au service duquel se met le Petit Poucet, le père de Peau d'Ane lorsqu'il a enfin maîtrisé ses sentiments coupables, le prince époux de Griselidis, tous jeunes, vaillants, amoureux des Beaux-Arts et des vertus, constituent autant d'aimables frères ou de sosies de Louis XIV, vu ou idéalisé par un bon courtisan[1].

Alors, contes de fées que ces *Contes de Perrault* ? On y trouve pourtant bien douze fées, dont huit

1. Voir page 13, n. 2 et pages 87, 88.

marraines de la Belle au Bois dormant, deux autres marraines de Peau d'Ane et de Cendrillon, une autre qui assiste à la naissance de Riquet à la houppe et des deux princesses jumelles, une dernière, la justicière des *Fées*. Elles interviennent ainsi dans cinq contes sur onze. Qui sont-elles ?

L'auteur plaisante à leur sujet, lorsqu'il refuse, dans *Peau d'Ane*, de les définir : « Il n'est pas besoin qu'on vous die/Ce qu'était une Fée en ces bienheureux temps ;/Car je suis sûr que votre Mie/Vous l'aura dit dès vos plus jeunes ans. » Recourons au *Dictionnaire* de l'Académie (1694) : « Fée : c'était autrefois, selon l'opinion du peuple, une espèce de nymphe enchanteresse, qui avait le don de prédire l'avenir et de faire beaucoup de choses au-dessus de la nature. La fée Alcine. La fée Morgane. Les enfants aiment les contes qu'on leur fait des fées [...]. » Le *Dictionnaire* de Furetière (1690) propose cette définition : « Fée [...]. Terme qu'on trouve dans les vieux Romans, qui s'est dit de certaines femmes ayant le secret de faire des choses surprenantes : le peuple croyait qu'elles tenaient cette vertu par quelque communication avec des Divinités imaginaires. C'était en effet un nom honnête de sorcières ou enchanteresses. » Créatures d'un passé mal daté, elles donnent aux récits, même s'ils contiennent des éléments de la réalité contemporaine, le caractère de l'uchronie et de l'utopie, que sanctionne neuf fois sur onze la formule de départ : « Il était une fois... »

Douées de jeunesse, de beauté et de bonté, les fées peuvent aussi changer d'apparence *(Les Fées)*, voire porter les stigmates du temps : ainsi, dans *La Belle au bois dormant*, la « vieille fée qu'on n'avait point priée parce qu'il y avait plus de cinquante ans qu'elle n'était sortie d'une tour et qu'on la croyait morte ou enchantée », presque sorcière. Le pouvoir des fées consiste à diriger, infléchir ou redresser la destinée des hommes aux moments importants de leur vie : naissance ou baptême, et mariage. Après ou avant, elles veillent sans relâche, retirées on ne sait trop où (une grotte dans *Peau d'Ane*, mais dans *Cendrillon* ?), et prêtes à ressurgir en cas de besoin. Alors elles agissent sur le réel, plus que sur les êtres (la seule métamorphose apparaît dans les *Fées*). Elles transforment les objets, muent la mort en sommeil. Leur science ne va pas sans ignorance : la marraine de Peau d'Ane « était bien savante/Et cependant elle ignorait encor/Que l'amour violent pourvu qu'on le contente/Compte pour rien l'argent et l'or ». Enfin l'auteur, qui use bien discrètement de leur puissance, ne se permet-il pas de la remettre en cause ? Riquet à la houppe doit, sans doute, sa beauté plus à l'amour, grand sorcier, qu'aux pouvoirs des fées.

A l'opposé, l'ogre. Notre conteur n'abuse pas de cette figure qui provoque chez le lecteur un délicieux frisson d'horreur, et dont on connaît d'avance le destin fatal. On ne rencontre dans ces pages que trois spécimens de l'espèce, deux mâles et une femelle. Perrault a chargé le portrait de l'ogresse, belle-mère de la Belle au bois dormant. Cette femme, à l'abord normal, semble trop curieuse. Des rumeurs courent sur elle. Son fils même la redoute. Il suffit que sa rivalité de marâtre avec une bru trop belle, se trouve confortée par les pouvoirs de régente que lui donne l'absence du roi, pour que des inclinations contenues, ses instincts, se déchaînent. La « méchante reine » qui « voyant passer de petits enfants (...) avait toutes les peines du monde à se retenir de se jeter sur eux », cherche désormais à « assouvir son horrible envie », rôde comme un carnassier pour « halener quelque viande fraîche ». Comble de tout, sa perversion s'exerce à l'intérieur de sa famille ; elle désire, elle croit déguster les enfants et l'épouse de son propre enfant.

Perrault s'acharne moins sur les ogres qu'il évoquait ainsi en 1692, alors qu'il commentait la formule « autant les chevaux des dieux en franchissant d'un saut ». Cette figure, écrit-il dans le tome III du *Parallèle* « n'a été imitée que par ceux qui ont fait des contes de Peau d'Ane, où ils introduisent certains hommes cruels, qu'on appelle Ogres, qui sentent la chair fraîche et qui mangent les petits enfants. Ils leur donnent ordinairement des bottes de sept lieues pour courir après ceux qui s'enfuient. Il y a quelque esprit dans cette imagination, car les petits enfants conçoivent ces bottes de sept lieues comme de grandes échasses avec lesquelles ces Ogres sont, en moins de rien, partout où ils veulent ». Bien sûr, comme l'ogresse, les voilà riches, très riches. A croire que l'anthropophagie qui engraisse les corps et les accroît parfois jusqu'au gigantisme, s'accompagne nécessairement de la profusion de terres, d'or et d'argent, et de pouvoirs exceptionnels : régence, métamorphoses ou mobilité extrême. Pourtant les ogres mâles se laissent facilement berner, l'un par un chat, l'autre par un petit bout d'homme. Pourtant aussi, on les voit bons amis, se préparant à régaler leurs compagnons. Le dernier ogre du recueil, « fort bon mari », bon père de sept presque charmantes petites filles élevées en princesses, s'évanouit à la fin du *Petit Poucet*, non par le trépas, mais dans le sommeil, comme si ce monstre perdait tout pouvoir dès qu'on le dépouille des signes extérieurs de cette puissance, sa fortune et ses bottes magiques.

Le conteur — le lecteur attentif l'aura remarqué — n'abuse pas de ce type d'objets. L'inventaire des baguettes magiques se limite à trois, que l'on trouve dans *Peau d'Ane, La Belle au bois dormant* et *Cendrillon*, aux mains de fées marraines qui en usent au bénéfice exclusif de leurs filleules. La baguette ne modifie pas les êtres, mais contrevient aux lois fondamentales de la physique, de la biologie. Ainsi la cassette de Peau d'Ane circule-t-elle sous terre, la Belle au bois dormant entre-t-elle dans sa léthargie séculaire avec tous ses gens, protégée par une végétation spontanée autant qu'exubérante. Et pour Cendrillon, la citrouille devient carrosse, des animaux ses serviteurs, sans que la contravention à l'ordre du monde perdure plus que ces quelques heures de bal nécessaires à la conquête du prince. Le merveilleux reste discret. Un nain, serviteur de la fée qui protège la Belle au bois dormant, et l'ogre géant du *Petit Poucet* utilisent des bottes de sept lieues, « avec lesquelles on faisait sept lieues d'une seule enjambée » et qui « avaient le don de s'agrandir et de s'apetisser selon la jambe de celui qui les chaussait ». L'ambiguïté de ces chaussures provient de l'usage, tantôt bénéfique, tantôt pernicieux, qu'en font ses détenteurs. Quant à la clef fée de la Barbe bleue, pièce à conviction et véritable œil du maître, elle joue son rôle de seul objet néfaste du recueil, puis se fait oublier.

De même les dénouements éliminent de façon systématique, par la mort *(Les Fées)*, par l'omission ou par la métamorphose *(Riquet à la houppe)*, les laiderons dont la fonction se limite à valoriser leur double inverse. Car l'univers des *Contes de Perrault*, un moment déséquilibré par des péripéties ou des événements malheureux, retrouve toujours une stabilité, et l'euphorie souvent. En contradiction avec la pratique sociale du XVIIe siècle, le mariage, qui conclut huit contes sur onze, sanctionne, quelles que soient parfois les disparités de fortune, un amour réciproque. Dans son *Apologie des femmes*, en 1694, Perrault défendait son opinion : « Je ne doute point que plusieurs gens du bel air ne trouvent étrange que je fasse consister un si grand bonheur dans l'amitié conjugale, eux qui ne regardent ordinairement le mariage que comme une voie à leur établissement dans le monde, et qui croient que, s'il faut prendre une femme pour avoir des enfants, il faut choisir une maîtresse pour avoir du plaisir. Mais cette conduite vicieuse, quoique assez usitée, ne prévaudra jamais aux premières lois de la nature et de la raison, qui demandent une union parfaite entre ceux qui se marient, lois si sages, si commodes, si honnêtes. » Dans les *Contes*, cet amour naît de la vue, dans un coup de foudre : un prince s'éprend de Peau d'Ane aperçue par le trou de sa serrure, un jeune seigneur de la fille de Griselidis devinée derrière la grille du couvent ; Riquet parcourt la terre à la recherche d'une princesse dont il a vu le portrait, tandis qu'un autre prince découvre « le plus beau spectacle qu'il eût jamais vu : une princesse qui paraissait avoir quinze ou seize ans, et dont l'éclat resplendissant avait quelque chose de lumineux et de divin ». Le marquis de Carabas affole en « deux ou trois regards fort respectueux, et un peu tendres » la fille du roi ; et dans *Les Fées*, la pauvre enfant qui fuit sa mère, séduit de sa beauté, de ses larmes, de son histoire et de « cinq ou six perles » sorties de sa bouche, le fils du roi. On apprendra aussi par la lecture de *Riquet à la houppe* que Perrault fixe à sept ou huit années l'idéale différence d'âge entre deux époux ! Les héros, jusque dans l'épreuve et le dénuement, brillent de beauté, d'élégance, de blancheur, et les lieux, les vêtements, les miroirs, à leur ressemblance ne semblent là que pour confirmer leur excellence. L'harmonie règne — ou finit par régner — au sein des familles : pas de frères superflus pour disputer aux princes leur succession, mais des pères qui meurent à point, des sœurs surnuméraires qui disparaissent ou s'améliorent. Et les problèmes ne surviennent que dans les royaumes qui partent en quenouille ou dans les familles populaires où la difficulté d'exister se mesure au nombre d'enfants qu'on ne peut plus nourrir (sept dans *Le Petit Poucet*) ou établir (un ou deux dans *Le Chat botté*).

Notons enfin, dans ces contes qui s'adressent avant tout (ou aussi ?) à elle, la représentation nombreuse de la jeunesse. Princesses de quinze ou seize ans, princes en rapport d'âge, fillette nourrie au sein par Griselidis, sa reine de mère, petites ogresses, six jeunes garçons et leur frère le Petit Poucet, le petit Jour et Aurore, sa sœur, enfants de la Belle au bois dormant : ils sont là, croqués par un amateur, « avec un petit fleuret à la main dont il faisait des armes avec un gros singe », ou sautant, riant et demandant « du bonbon ». Si une reine veut « faire fouetter [son fils] à cause qu'il avait été méchant », l'aînée, du haut de ses quatre ans, s'interpose et implore le pardon pour lui. Comme dans la vie, les enfants des contes pleurent, parlent « presque toujours tous ensemble », se répètent : « Nous voilà, nous voilà » *(Le Petit Poucet)* ; et Cendrillon sanglote : « Je voudrais... Je voudrais... » L'auteur lui-même s'amuse à renvoyer à son public ces naïvetés, dès la première phrase du premier conte des *Histoires ou Contes du temps passé* : « Il était une fois un roi et une reine, qui étaient si fâchés de n'avoir point d'enfants, si fâchés qu'on ne saurait dire. »

Le roi, la reine, le prince... tous les héros ne restent pas dans cet anonymat qui les cantonne à leur fonction sociale et narrative. L'auteur en dote certains de prénoms, de patronymes ou de surnoms. Il s'est plu à prénommer Fanchon et Blaise le couple des bûcherons, encore jeunes mariés, des *Souhaits ridicules*, Guillaume et Pierrot, le père et l'aîné aux cheveux roux du Petit Poucet, Javotte, une demi-sœur de Cendrillon. Mais lorsqu'on dispose de deux versions d'un même conte, on s'aperçoit que tout l'effort de Perrault a visé à l'épure : le maître d'hôtel de la première *Belle au bois dormant* perd son prénom de Simon, et se trouve ramené à sa fonction opératoire. Pourtant, l'écrivain a su céder à la magie sonore des Royaume de Mataquin, des Empereur Cantalabutte et autres marquis de Carabas. Le plus souvent, les personnages tirent leur nom — ou surnom — d'une particularité physique (la Barbe bleue, le Petit Poucet, Riquet à la houppe, la Belle au bois dormant), d'un vêtement (Peau d'Ane, le Petit Chaperon rouge ou le Chat botté) ou de leur activité (Cendrillon-Cucendron).

Comme dans la fable et dans la vie, les animaux côtoient les hommes dont certains, par leur laideur physique ou morale, se situent à mi-chemin entre l'humanité et l'animalité : Riquet, « un si vilain marmot » *(singe)*, sa future belle-sœur, « guenon fort désagréable », et les ogres qui, tels des chiens ou des loups, partent « halener » leurs proies. A l'inverse, le chat, dont les bottes si humaines, signalent l'intelligence, et le fabuleux âne d'or que le père de Peau d'Ane sacrifie dans son amour incestueux. On aperçoit deux animaux de compagnie auprès des princes, la chienne Pouffe de la Belle au bois dormant, et le gros singe de Jour, son fils. Dans ce même conte, des chevaux voisinent dans l'écurie avec l'âne, et le mariage final attire des rois venus du bout du monde à dos d'éléphant. Les rats et les souris hantent les demeures, les lézards se cachent, dans le jardin, derrière l'arrosoir. La méchante belle-mère de la Belle au bois dormant sait composer le répugnant mélange « de crapauds, de vipères, de couleuvres et de serpents », « vilaines bêtes » qui lui infligeront une mort instantanée et méritée. L'ogre défié par le Chat botté se métamorphose en lion, puis par une association d'idées chère aux fabulistes — Ésope, Marot, La Fontaine — en rat. Non, le seul redoutable, jusque dans la seule évocation, reste le loup. Ainsi l'ogresse « se préparait à dire au roi, à son retour, que les loups enragés avaient mangé la Reine sa femme et ses deux enfants » ; quant au Petit Poucet et à ses frères, ils frissonnent de terreur, croient entendre « des hurlements de loups qui venaient à eux pour les manger » et préfèrent la maison de l'ogre à la forêt. Dans le recueil entier, un unique personnage négatif quitte la scène sans punition pour son forfait. On l'aura reconnu : il s'agit du loup qui dévore la mère-grand, puis le Petit Chaperon rouge.

L'univers particulier du conte se construit aussi sur des correspondances et des oppositions, des essais et des erreurs, des collections d'êtres ou d'objets, en nombre convenu par une arithmétique magique : deux, trois, sept et cent. Des naissances gémellaires — trois de suite si on calcule — accablent les parents du Petit Poucet, tandis que la reine voisine de Riquet à la houppe s'angoisse à comparer ses deux nourrissons ; *Les Fées* mettent en scène deux sœurs, *La Barbe bleue*, deux sœurs et, surgis *in extremis*, deux frères ; Cendrillon a deux demi-sœurs. Le meunier du *Chat botté* laisse trois fils et trois parts d'héritage, Peau d'Ane commande trois robes avant de revêtir la dépouille de la bête ; sa marraine offre à Cendrillon deux robes de bal, et une pour son mariage ; l'ogresse de *La Belle au bois dormant* exige trois victimes, trois dîners de chair humaine ; Fanchon et Blaise émettent trois souhaits et Anne répond trois fois à la question réitérée par sa sœur. Sept bonnes fées se penchent sur le berceau de la Belle au bois dormant. Le Petit Poucet, comme Charles Perrault, est arrivé septième dans sa famille et l'ogre perd ses sept filles et ses bottes de sept lieues. Quant à la Belle au bois dormant dont nous suivons la vie durant plus de cent vingt ans, elle se pique et s'endort vers quinze ou seize ans, en dort cent, d'où, en plein drame, la plaisanterie culinaire sur son âge physiologique : « la jeune reine avait vingt ans, sans compter les cent ans qu'elle avait dormi : sa peau était un peu dure, quoique belle et blanche. » Clin d'œil à l'adresse des seuls adultes, par-dessus la tête des enfants.

Là se trouve l'atout principal, et jusqu'à présent inaltérable, de la prose de Perrault, dans cette adéquation à deux publics : celui qui lit, et sans se faire prier, et celui qui écoute, sous le charme. Pour ce dernier d'abondants superlatifs (« le plus beau spectacle », « la plus jolie qu'on eût pu voir », « si laid et si mal fait »), une langue simple et naturelle qui ne redoute point la répétition ; pour lui encore, les formulettes (« Tire la chevillette, et la bobinette cherra », dans *Le Petit Chaperon rouge* ; « Anne, ma sœur Anne, ne vois-tu rien venir », et les réponses, dans *La Barbe bleue* ; « Bonnes gens [...], si vous ne dites au roi [...], vous serez tous hachés menu comme chair à pâté », dans *Le Chat botté*), et ces vieux mots qui fleurent le « temps passé », semés avec discrétion par l'académicien habitué des travaux du Dictionnaire, et dont le temps a fait croître le nombre sans qu'en souffre la compréhension. Les plaisirs du lecteur ne sont pas moindres : sous-entendus un peu coquins (*La Belle au bois dormant :* « Ils dormirent peu, la princesse n'en avait pas grand besoin ») ou égrillards (*Le Petit Chaperon rouge :* « elle fut bien étonnée de voir comment sa Mère-grand était faite en son déshabillé ») ; remarques satiriques à l'adresse des femmes (le bûcheron « était de l'humeur de beaucoup d'autres gens, qui aiment fort les femmes qui disent bien, mais qui trouvent très importunes celles qui ont toujours bien dit », ou « Il se trouvait quelques femmes qui le chargeaient de Lettres pour leurs maris, mais elles le payaient si mal, et cela allait à si peu de chose... », dans *Le Petit Poucet*). Quelle saveur ont aussi les intrusions de l'auteur dans son récit (*La Belle au bois dormant :* « Les fées n'étaient pas longues à leur besogne »), les ignorances feintes qui muent l'écrivain en simple secrétaire (*Le Petit Poucet :* « Il y a bien des gens qui ne demeurent pas d'accord de cette dernière circonstance, et qui prétendent que... »), et les proverbes trouvés au détour d'une phrase (*Les Souhaits ridicules :* « Quand on est couronnée,/On a toujours le nez bien fait » ; *La Belle au bois dormant :* « Un prince jeune et amoureux est toujours vaillant ! »)

Et les moralités ? Ceux qui lisent à des enfants les contes avec leurs appendices, sentent la discordance entre la prose, naïve et facile, et les vers dont la langue précieuse ou burlesque, le contenu même, ennuient le jeune auditoire ; le charme est rompu. Sainte-Beuve a reconnu, dans cette voix duelle, deux écrivains : le Moderne qui a signé ces pièces trop datées, et l'Ancien malgré lui, porté par la richesse de la tradition. Oui, il faut bien reconnaître que nous devons ces moralités au Perrault disciple de La Fontaine, fabuliste rentré et poète mondain[1]. On ne peut cependant, sous peine de contresens, négliger leur rôle dans l'économie du recueil. Avec elles, on quitte l'univers manichéen du merveilleux

1. « *La Belle au bois dormant, Le Petit Chaperon rouge, La Barbe bleue, Le Chat botté, Cendrillon, Riquet à la houppe, Le Petit Poucet,* qu'ajouter au seul titre de ces petits chefs-d'œuvre ? [...] Les petites moralités finales en vers sentent bien l'ami de Quinault et le contemporain gaulois de La Fontaine, mais elles ne tiennent que si l'on veut au récit ; elles en sont la date. Si j'osais revenir à propos de ces contes d'enfants à la grosse querelle des anciens et des modernes, je dirais que Perrault a fourni là un argument contre lui-même, car ce fonds d'imagination merveilleuse et enfantine appartient nécessairement à un âge ancien et très antérieur ; on n'inventerait plus aujourd'hui de ces choses, si elles n'avaient été imaginées dès longtemps ; elles n'auraient pas cours si elles n'avaient été accueillies et crues bien avant nous. Nous ne faisons plus que les habiller et les varier diversement. Il y a donc un âge pour certaines fictions et certaines crédulités heureuses, et si la science du genre humain s'accroît incessamment, son imagination ne fleurit pas de même » (Sainte-Beuve, *Nouveaux Lundis,* t. 1, 29 décembre 1861).

et les héros prédestinés, pour le monde du Grand Siècle, avec ses préoccupations sociales et amoureuses. La providence, dans la prose des *Contes*, récompense la vertu, châtie les vices ou les réforme[1] ; les *Moralités* confirment ce dogme, en l'adaptant à la société réelle. On y trouve des conseils, des avertissements et des constats, « semences [...] dont il ne manquera pas d'éclore de bonnes inclinations », et qui justifient les prétentions pédagogiques de la *Préface* de 1694. A petites touches ces poèmes brefs constituent une morale optimiste : l'honnêteté, l'éloquence, l'industrie, qualités développées ou acquises, peuvent contrebalancer ou améliorer les qualités comme les défauts physiques et intellectuels, la naissance, le social. Parfois affleure un doute amusé : « Je n'ai pas la force ni le cœur,/De lui prêcher cette morale » *(La Belle au bois dormant)* ; parfois aussi le sentiment moins béat que le bonheur dépendrait non de la valeur, de la volonté, de la force morale de l'individu mais des protections dont il pourra jouir : « Pour votre avancement, ce[2] seront choses vaines,/Si vous n'avez, pour les faire valoir,/Ou des parrains ou des marraines » *(Cendrillon)*.

Perrault n'a pas composé les *Moralités* sur la lyre chrétienne. Pourtant il clôt le septième récit inédit[3] des *Histoires ou Contes du temps passé*, et son recueil, d'une pièce de sept vers, consacrée à un « petit marmot », septième enfant de la famille, chétif et si peu aimé. C'est sur cette figure presque christique du faible qui « ne dit mot », méprisé,

1. « Partout la vertu y est récompensée, et partout le vice y est puni. Ils tendent tous à faire voir l'avantage qu'il y a d'être honnête, patient, avisé, laborieux, obéissant, et le mal qui arrive à ceux qui ne le sont pas » (*Préface* de 1694).

2. « L'esprit, le courage, la naissance, le bon sens. »

3. *Le Mercure galant* avait publié *La Belle au bois dormant* en 1696.

raillé et pillé, que le conteur prend congé de son lecteur. Et la béatitude de l'avenir terrestre promis aux Petits Poucets fait un écho laïc aux béatitudes prêchées, selon saint Matthieu, par le Christ : « Heureux les pauvres en esprit, car le Royaume des Cieux est à eux. Heureux les humbles, car ils posséderont la terre. »

*

Les Histoires ou Contes du temps passé rencontrèrent la faveur du public, si l'on en juge au second tirage donné par Barbin dans la même année 1697, au silence des ennemis de toujours, au nombre des contrefaçons hollandaises qui inondent le marché dès 1698 et surtout à la prolifération soudaine des recueils de récits féeriques[1], engouement si passionné que des réactions se manifestent immédiatement. Un mois après la sortie des *Contes de Perrault*, Charles Rivière-Dufresny donne aux Italiens une comédie satirique, *Les Fées ou les Contes de ma Mère l'Oye*, qui raille le genre, mais en constate la vogue. Deux ans plus tard, Dancourt fait jouer une pièce sur le même sujet, toujours d'actualité, *Les Fées*. Cependant les critiques, savants ou moralistes, souhaitent endiguer le flot du merveilleux. L'abbé de Villiers publie en 1699 un *Entretien sur les contes de fées*, l'abbé Faydit la *Télémacomanie* en 1700 ; l'abbé de Bellegarde aborde encore le sujet dans les *Lettres curieuses de littérature et de morale*, en 1702. Après les excès de la mode, vient le dégoût, et quand Perrault meurt, en 1703, les fées, discréditées, ont laissé place aux magies orientales. A partir de 1704, Antoine Galland va offrir au public sa traduction des *Mille et Une Nuits*. On s'entiche alors pour un cadre et un ton que les

1. Voir page 20.

philosophes du XVIIIe siècle détourneront dans leurs propres contes, pour dire sous ce déguisement leurs indignations et leurs rêves. Les grands auteurs de l'époque des Lumières ignorent à peu près le Perrault des *Contes*, en qui ils ne peuvent voir qu'un suppôt des superstitions dont le peuple s'abrutit. En 1735, Voltaire abandonne le père du Petit Poucet, en compagnie de La Motte et de Chapelain, à la porte de son *Temple du goût*, tandis que Langlet-Dufresnoy, dans sa *Bibliothèque des romans*, se plaint de la sécheresse des *Contes*. Lorsque d'Alembert consacre, en 1772, une notice de son *Histoire des membres de l'Académie française morts depuis 1700* (Paris, 1779-1787) à notre académicien, il ne mentionne pas l'opuscule de chez Barbin, auquel Sabatier de Castres reproche dans ses *Trois siècles de notre littérature* (1772) de manquer de délicatesse ! Et quand Diderot ou Rousseau viennent à mentionner tel ou tel conte, ils l'utilisent comme exemple de littérature puérile, de bagatelles étrangères aux préoccupations d'adultes sensés, et d'enfants bien éduqués[1]. C'est l'avis qu'exprime, en juin 1786, le poète André Chénier : « Le hasard m'a fait lire (...) les *Contes de Perrault*, qu'on fait lire, m'a-t-on dit, à tous les enfants et qu'on ne m'avait jamais fait lire. Il y en a en vers ; il y en a en prose ; il est bon d'avoir vu une fois en sa vie ces ouvrages et ceux de semblable démence pour reconnaître jusqu'où l'esprit humain peut aller quand il marche à

1. Diderot se demande dans le *Troisième entretien sur le Fils naturel* (1757) pourquoi l'héroïne de la *Barbe bleue* n'attendrit pas les adultes comme les petits enfants. Et Rousseau cite dans son *Mémoire à M. de Mably* la confusion qui règne dans l'esprit des enfants éduqués de façon classique : « Ils regardent [la religion] comme un conte de Vieille, mettent J.-C. et la Vierge au rang de Cendrillon et du Petit Poucet, et finissent par n'avoir dans l'esprit ni dans le cœur aucun principe de raison ni de conduite. »

quatre pattes[1]. » Quant à la Harpe, son *Cours de littérature* (1799-1807) n'évoque pas les *Contes de Perrault* ; en revanche, voici pour la concurrence : « On peut mettre de l'art et du goût jusque dans ces frivolités puériles. Madame d'Aulnoy est celle qui paraît y avoir le mieux réussi. »

Heureusement, ni le peuple, ni les lecteurs raffinés n'ont partagé le jugement, aussi sévère qu'unanime, des gens de lettres et d'esprit. Les imprimeurs de livres de colportage ont tout de suite mesuré quel filon représentaient pour eux ces *Contes* qu'ils impriment avec des scrupules d'éditeurs consciencieux pendant un demi-siècle. Ils se contentent d'édulcorer l'illustration et de déplacer des contes pour constituer des couples thématiques[2]. Avec la Veuve Béhourt, imprimeur de colportage travaillant à Rouen de 1759 à 1763, la pratique change. Les recueils commencent par présenter de discrètes transformations, puis des ajouts, des réécritures ; enfin on les scinde. Modernisé dans sa langue, segmenté par récit, amputé de ses moralités, le texte des *Histoires ou Contes du temps passé* court sa carrière sous forme de livrets adaptés à la clientèle populaire et enfantine : tel est encore aujourd'hui le statut plastique de ces *Contes* dans les éditions destinées au jeune public. Cependant, tout au long du XVIIIe siècle, les têtes blondes, les dames et les amateurs de la bonne société ont conservé leurs fournisseurs. Des libraires de Paris, d'Amsterdam, de La Haye ou de Genève, procurent

---

1. Texte des *Œuvres inédites* de Chénier, cité par G. Rouger dans son édition des *Contes*, pp. LI-LII.

2. On supprime la vignette représentant le loup au lit avec le Petit Chaperon rouge à ses côtés, la Barbe bleue est déjà morte et le marquis de Carabas marié. On associe *La Belle au bois dormant* et *La Barbe bleue, Les Fées* et *Cendrillon, Le Petit Chaperon rouge* et *Le Petit Poucet* d'après leurs thèmes : amour, mariage, enfance.

un texte qui, pour être parfois altéré, interverti et augmenté, leur permet de fréquenter Peau d'Ane et Cendrillon dans des livres au format commode, agrémentés d'illustrations soignées. Peu avant la Révolution française, le libraire parisien Lamy publie la première édition collective, regroupant récits en vers et en prose (1781), imité par *Le Cabinet des fées* qui paraît à Genève et Amsterdam en 1785, consacrant la vedette du premier de ses quarante et un volumes à Perrault.

Dès cette époque, où l'on parle français à la cour de Prusse ou à la cour de Russie, le succès des contes est international. La première traduction anglaise date de 1729 ; et les rééditions se bousculent en 1745, 1750, 1764, 1769, 1780, 1785. On traduit Perrault en allemand (1745), en hollandais (1747), en italien (1752), en russe (1768), à New York même, en 1794. Tant et si bien qu'il deviendra difficile pour les chercheurs en quête des traditions nationales de faire la part des contes folkloriques autochtones et de ceux qu'auront inspirés les *Histoires ou Contes du temps passé*.

En 1826, Collin de Plancy donne une édition des *Œuvres choisies de Charles Perrault, de l'Académie française*, avec des *Recherches sur les contes de fées*, où il nomme notre conteur « le La Fontaine des prosateurs ». Cette même année paraît une dissertation anonyme, les *Lettres sur les Contes de fées attribués à Perrault, et sur l'origine des fées.* L'auteur, le baron Walckenaer, place nos *Contes* au-dessus de tous les autres recueils contemporains, mais démontre que leur auteur ne fut qu'un transcripteur mieux inspiré que ses confrères. Le bibliophile P.L. Jacob se préoccupe, en 1842, « surtout de collationner le texte sur les éditions originales et de faire disparaître les incroyables altérations que ce malheureux texte avait subies depuis cent quarante ans, à travers d'innombrables réimpressions faites avec la plus étrange négligence pour l'usage exclusif des enfants en bas âge ». Désormais les éditions des *Contes* vont se succéder, se multiplier à l'infini, en ce XIXe siècle dont les exigences philologiques grandissent, qui quête amoureusement ses vieilles racines populaires, et accorde un regard neuf à l'enfant : pour lui ces *Contes de Fées en estampes*, ce *Magasin des Fées* et ce *Perrault des enfants, Contes des fées* illustré par Tony Joannot, Deveria, Thomas, Nanteuil, et l'édition Hetzel, avec les compositions de Gustave Doré[1] ; pour lui, ces curieuses *Étrennes (...) Contes de fées mis en vers, imités de Perrault et d'autres*[2]. Pour le bibliophile d'hier et d'aujourd'hui, l'édition procurée par MM. de la Bédollière chez Curmer en 1843, un des plus beaux livres romantiques. Pour l'amateur soucieux de lire un texte scrupuleusement établi, les éditions de Paul Lacroix, alias le bibliophile Jacob, à partir de 1842, de Charles Giraud à l'Imprimerie impériale en 1864[3], d'André Lefèvre chez Lemerre en 1875 et de Frédéric Dillaye chez le même éditeur en 1880.

Et les lecteurs se passionnent. Nodier, en 1830, ne modère pas son enthousiasme : « Je ne crains pas de l'affirmer, tant qu'il restera sur notre hémis-

1. Respectivement Paris, Caillot vers 1830 ; Paris, Astoin et Duperron, 1836 ; Paris, Lecou, 1851 repris en 1858 chez Pagnerre ; Paris, Hetzel (Stahl), 1862, rééditions en 1864, 1867, 1869 et 1910.

2. Par Creuzé de Lesser, Paris, Firmin-Didot frères, 1834. D'autres versifications de Perrault par H. de Beaumont (Meulan, 1884), Charles Des Granges (Paris, 1896), Eugène Grangé (E. de Surgès) (Cahors, 1906).

3. Ch. Giraud rapporte, dans sa préface, que « le petit volume, horriblement imprimé, des *Contes de ma Mère l'Oye*, publié par Barbin en 1697, et que Nodier, malgré son habile provocation, n'avait pu faire monter, il y a vingt ans, au-dessus de six napoléons, a été payé récemment mille francs à une vente célèbre et en avril dernier plus de quinze cents à une autre » (l'exemplaire alors acquis par Victor Cousin, appartient aujourd'hui à la Bibliothèque de la Sorbonne).

phère un peuple, une tribu, une bourgade, une tente où la civilisation trouve à se réfugier, il sera parlé, aux lueurs du foyer solitaire, de l'odyssée aventureuse du Petit Poucet, des vengeances conjugales de la Barbe bleue, des savantes manœuvres du Chat botté, et l'Ulysse, l'Othello et le Figaro des enfants vivront aussi longtemps que les autres. » Quinze ans plus tard Théophile Gautier tient *Le Petit Chaperon rouge* et *Le Chat botté* pour de « délicieux récits dont ne peut se lasser l'admiration naïve de l'enfant et l'admiration raisonnée de l'homme fait ». Il ose proclamer, dans sa haine de Boileau, des censeurs et de la discipline classique, *Peau d'Ane* « chef-d'œuvre de l'esprit humain, quelque chose d'aussi grand dans son genre que l'*Iliade* et l'*Énéide* ».

Et vers la fin de 1861, lorsque paraît l'édition Hetzel, Sainte-Beuve note dans son compte rendu du 29 décembre que Charles Perrault « entre tout ce qui défilait devant lui de ces contes de la Mère l'Oye (...) eut le bon goût de choisir et le talent de rédiger avec simplicité, ingénuité. Cela fait aujourd'hui sa gloire. Une fée à son tour l'a touché ; il a eu un don. Qu'on ne vienne plus tant parler de grandes œuvres, de productions solennelles : le bon Perrault, pour avoir pris la plume et écrit couramment sous la Dictée de tous, et comme s'il eût été son jeune fils, est devenu ce que Boileau aspirait le plus à être, — Immortel ! Était-ce donc la peine de se tant tourmenter et de se tant fâcher, monsieur Despréaux ! »

*

Le conteur Charles Perrault est entré dans le XXe siècle réhabilité, et de quelle manière. Les chercheurs ont continué de s'intéresser à lui. Paul Bonnefon a établi sa biographie, M.E. Storer étudié la mode des contes de fées, les folkloristes M.-L. Ténèze et P. Delarue publié leur *Catalogue raisonné du conte populaire français*. Gilbert Rouger a, en 1967, procuré sa magistrale édition critique, suivie de celles de Jean-Pierre Collinet, et de Roger Zuber, qui a redécouvert la mystérieuse troisième édition des *Contes en vers* de 1694, avec la *Préface*. Le lecteur moderne dispose désormais, avec l'édition de Marc Soriano de 1989, de nombreuses éditions de qualité, abondamment introduites et annotées.

Pourtant les *Contes de Perrault* continuent de vivre ailleurs leur vie propre. Ils ne viennent plus vers leur clientèle dans la hotte du colporteur. On les trouve aujourd'hui dans les rayons des supermarchés, contes isolés du recueil, avec leur texte altéré et des illustrations anachroniques, souvent peu respectueuses du goût des jeunes lecteurs. Mais, même sous ce piètre vêtement, l'enchantement renaît dès qu'on commence à lire. C'est que Perrault, lorsqu'il cessa d'imiter La Fontaine et renonça aux vers pour devenir lui-même, lorsqu'il emprunta aux nourrices leur voix, devint l'égal de La Fontaine. On pourrait conclure en constatant combien le portrait que Perrault a tracé du fabuliste La Fontaine ressemble à celui qu'on pourrait faire de Perrault, le conteur :

Non seulement il a inventé le genre (...) où il s'est appliqué, mais il l'a porté à la dernière perfection ; de sorte qu'il est le premier, et pour l'avoir inventé, et pour y avoir tellement excellé que personne ne pourra jamais avoir que la seconde place en ce genre d'écrire[1].

1. *Éloges des hommes illustres*, Paris, 1696-1700.

Bibliographie

La publication des contes

1. LES CONTES EN VERS

1691. — *Recueil de plusieurs pièces d'éloquence et de poésie présentées à l'Académie française pour les prix de l'année 1691. Avec plusieurs discours qui y ont été prononcés et plusieurs pièces de poésie qui y ont été lues en différentes occasions.* Paris, Jean-Baptiste Coignard.
Contient pp. 143-194, *La Marquise de Salusses ou la Patience de Griselidis. Nouvelle ; A Monsieur** en lui envoyant la Marquise de Salusses*, pp. 195-202.
— *La Marquise de Salusses ou la Patience de Griselidis. Nouvelle.* Paris, J.-B. Coignard.
Tiré à part du précédent recueil dont il reprend les pages 143 à 202. L'opuscule est anonyme et ne comporte pas d'illustration.

1693. — *Le Mercure galant* de novembre.
Contient pp. 39-50 *Les Souhaits ridicules, conte.*

1694. — *Griselidis, nouvelle. Avec le conte de Peau d'Ane, et celui des Souhaits ridicules.* Seconde édition, Paris, Veuve de J.-B. Coignard et J.-B. Coignard fils.

Édition originale de *Peau d'Ane* ; le texte de *Griselidis* et celui des *Souhaits ridicules* sont légèrement remaniés ; recueil sans préface, ni illustration.

— *Griselidis, nouvelle. Avec le conte de Peau d'Ane, et celui des Souhaits ridicules.* Troisième édition. Paris, J.-B. Coignard, 1694.

Même contenu et même pagination que la seconde édition, avec la *Préface* qui figure pour la première fois, mais sans illustration.

— *Recueil de pièces curieuses et nouvelles, tant en prose qu'en vers.* La Haye, Adrian Moetjens.

Le tome I contient les trois contes en vers et la lettre *A Monsieur***.

1695. — *Griselidis, nouvelle. Avec le conte de Peau d'Ane et celui des Souhaits ridicules.* Quatrième édition, Paris, J.-B. Coignard.

Même contenu, même pagination que la troisième édition.

2. Les contes en prose

1696. — *Le Mercure galant* de février.

Contient pp. 75-117 *La Belle au bois dormant. Conte.*

— *Recueil de pièces curieuses et nouvelles, tant en prose qu'en vers, La Haye, Adrian Moetjens.*

Le tome V, première partie, contient *La Belle au fois dormant*, pp. 130-149 (reprise du texte du *Mercure galant*).

1697. — *Histoires ou contes du temps passé. Avec des moralités.* Paris, Claude Barbin.

Édition originale de tous les contes en prose, *La Belle au bois dormant* exceptée dont le texte, déjà publié l'année précédente, est remanié. Le frontispice, signé Clouzier, montre une paysanne qui file au coin du feu en contant des histoires à une demoiselle et deux garçons. Derrière elle, sur une pancarte fixée à la porte, on lit *Contes de ma Mère l'Oye.* Chaque conte, ainsi que l'épître dédicatoire, est précédé d'une vignette.

Le privilège royal, accordé le 28 octobre 1696 « au sieur P. Darmancour », a été cédé au libraire, puis registré le 11 janvier 1697.

— Barbin donna dans le courant de l'année 1697 une seconde édition des *Contes du temps passé*, avec la même pagination, les mêmes caractères, les mêmes illustrations ; les « fautes à corriger » ont disparu : le texte présente quelques retouches et de nouvelles coquilles.

— *Recueil de pièces curieuses et nouvelles, tant en prose qu'en vers. La Haye, Adrian Moetjens.*

Le tome V, quatrième partie, contient le texte, sans nom d'auteur, du premier tirage de chez Barbin, sauf *La Belle au bois dormant*, donnée en 1696, dans la première partie du même tome.

169?. — *Contes de ma Mère Loye*, 1695.

Manuscrit conservé par la Pierpont Morgan Library à New York, relié aux armes de Mademoiselle, nièce de Louis XIV et dédicataire des contes en prose. Ce recueil contient l'épître à Mademoiselle, signée P.P., et les cinq premiers contes. Jacques Barchilon en a procuré une édition en fac-similé : *Perrault's Tales of Mother Goose*, New York, The Pierpont Morgan Library, 1956, 2 vol. Mais la provenance du document, inconnue, et certains détails posent le problème de l'autorité, et de la datation d'un manuscrit que G. Rouger juge « suspect ».

1707. — *Contes de Monsieur Perrault. Avec des Moralités.* Paris, Veuve Barbin.
Dernière édition de ce libraire avec le même contenu, la même pagination, les mêmes illustrations que l'originale de 1697. L'auteur est nommément désigné.

Éditions savantes

1. Réimpressions en fac-similé

1929. — *Réimpression en fac-similé des éditions de 1695 et 1697*, édition Pierre-Paul Plan, 2 vol., Paris, Firmin-Didot.

1980. — *Fac-similé de l'édition originale de 1695-1697*, édition Jacques Barchilon, Genève, Slatkine, 1980.
Contient une introduction aux contes et les variantes de *La Belle au bois dormant*.

2. Éditions critiques

1967. — *Contes de Perrault*, édition Gilbert Rouger. Paris, Garnier, 1967 et réédition revue, 1981.
Ouvrage fondamental qui comprend un relevé de variantes, une bibliographie, un glossaire, d'abondantes illustrations. Un riche « dossier de l'œuvre » offre au lecteur le *Dialogue de l'Amour et de l'amitié* (1660) de Charles Perrault, *Les Enchantements de l'éloquence* (1695) de Mlle Lhéritier, sa nièce, et le *Riquet à la houppe* (1696) de Catherine Bernard.

1981. — *Perrault. Contes*, édition Jean-Pierre Collinet. Paris, Gallimard (Folio), 1981.
Édition savante et très suggestive, qui offre, en plus d'une abondante annotation, des « annexes » : *Le Miroir ou la Métamorphose d'Orante* (1661), *La Peinture. Poème* (1668) et

Le Labyrinthe de Versailles (1675), textes de Perrault qui éclairent les contes.

1987. — *Charles Perrault. Contes*, édition Roger Zuber, avec des illustrations de Roland Topor. Paris, Imprimerie nationale.

Bel ouvrage de présentation et de contenu, où le lecteur trouve en introduction des pages éclairantes sur Huet et Perrault, sur la compétition entre ce dernier et La Fontaine et sur « l'esprit d'enfance ». Roger Zuber procure pour les contes en prose le texte de la troisième édition (1694), et en appendice *L'Adroite princesse* (1695) de Mlle Lhéritier, *La Belle au bois dormant*, dans la version du *Mercure galant* de 1696 et la version en prose de *Peau d'Ane*, parue pour la première fois chez Lamy, à Paris, en 1781. Un dossier iconographique donne enfin une idée de la variété des illustrations que suscitèrent au fil du temps les *Contes de Perrault*.

1989. — *Charles Perrault. Contes*, édition Marc Soriano. Paris, Flammarion.

Un abondant *Lexique général* rassemble alphabétiquement, à la fin, des notices, des remarques, des interprétations et des explications. Sous la vedette REVISITE (PERRAULT), on trouve un catalogue des œuvres lyriques et des partitions musicales inspirées par les *Contes de Perrault*, suivi de quelques repères filmographiques. Marc Soriano procure en outre divers textes de Perrault : extraits des deux œuvres burlesques de jeunesse, la *Critique de l'opéra* (1674), quelques traductions des *Fables de Faerne* (1699) et deux poèmes attribués, pour des raisons de « critique interne », à Perrault, *Les Amours de la règle et du compas* et *Les Jumelles ou la Métamorphose du cû d'Iris en astre*.

Études et documents

1878. — Charles Deulin, *Les Contes de ma Mère l'Oye avant Perrault.* Paris, Dentu. Réimpr. Genève, Slatkine, 1969.

1885. — Anatole France, *Le Livre de mon ami*, Paris : voir *Le Dialogue sur les contes de Fées*, pp. 208 et suivantes dans l'édition du *Livre de Poche*, n° 2718.

1904-1906. — Paul Bonnefon, « Charles Perrault, essai sur sa vie et ses ouvrages » ; « Charles Perrault, littérateur et académicien » ; « Les dernières années de Charles Perrault », *Revue d'Histoire littéraire de la France*, juillet-septembre 1904 ; octobre-décembre 1905 et octobre-décembre 1906.

1909. — Charles Perrault, *Mémoires de ma vie*, édition Paul Bonnefon, Paris (on trouve à la suite *Le Voyage à Bordeaux*, 1669, par Claude Perrault).

1923. — Pierre Saintyves, *Les Contes de Perrault et les Récits parallèles. Leurs origines : coutumes primitives et liturgies populaires*, Paris, Nourry. Réimpr. Paris, Laffont, 1987.

1926. — André Hallays, *Les Perrault*, Paris, Perrin, 1926.

1928. — Mary-Elizabeth Storer, *Un épisode littéraire de la fin du XVIIe siècle. La mode des contes de fées* (1685-1700), Paris, Champion.
Jeanne Roche-Mazon, « De qui est *Riquet à la houppe* ? », *Revue des Deux Mondes*, 15 juillet.

1932. — Jeanne Roche-Mazon, « Les Fées de Perrault et la véritable mère l'Oye », *Revue hebdomadaire*, décembre.

1951. — Paul Delarue, « Les contes merveilleux de Perrault et la tradition populaire », *Bulletin folklorique d'Ile de France.*

1954. — Paul Delarue, « Les contes merveilleux de

Perrault : faits et rapprochements nouveaux », *Arts et traditions populaires*, t. 2.

1957. — Marie-Louise Ténèze, « Si Peau d'Ane m'était contée : à propos de trois illustrations des *Contes de Perrault* », *Arts et traditions populaires*, t. 5.

1957-1976. — P. Delarue et M.-L. Ténèze, *Le Conte populaire français, catalogue raisonné des versions de France (...)*. Paris, Maisonneuve et Larose, 3 vol.

1959. — M.-L. Ténèze, « A propos du manuscrit de 1695 des Contes de Perrault », *Arts et traditions populaires*, t. 7.

1960. — Madeleine Jurgens et M.-A. Fleury, *Documents du Minutier central concernant l'histoire littéraire*. Paris, P.U.F. (analyse de documents concernant C. Perrault, pp. 304-311).

1968. — Marc Soriano, *Les Contes de Perrault, culture savante et traditions populaires*. Paris, Gallimard. Rééditions 1977 et 1987.
Jeanne Roche-Mazon, *Autour des Contes de fées*, Paris, Didier.

1970. — Henri Fromage, « Un conte mythologique peu exploité : *Peau d'Ane* », *Bulletin de la Société de Mythologie française*, n° 76, 1970, pp. 24-35.

1971. — Louis Marin, « Essai d'analyse structurale (...) *Les Fées* », *Études sémiologiques*, Paris, pp. 297-318.

1972. — Marc Soriano, *Le Dossier Charles Perrault*, Paris, Hachette.

1975. — Jacques Barchilon, *Le Conte merveilleux français de 1690 à 1790*, Paris, Champion.
Teresa Di Scanno, *Les Contes de fées à l'époque classique (1680-1715)*. Naples, Liguori.

1976. — Bruno Bettelheim, *Psychanalyse des contes de fées*, Paris, Laffont.

1978. — Louis Marin, « A la conquête du pouvoir »,

dans *Le récit est un piège*, Paris, Éditions de Minuit, pp. 117-143.

1980. — Yvonne Verdier, « Le petit Chaperon rouge dans la tradition orale », *Le Débat*, Gallimard, n° 3, pp. 31-61.

1981. — Jacques Barchilon et Peter Flinders, *Charles Perrault*. Boston, Twayne.
Georges Jacques, « Au siècle de Propp, Soriano, Bettelheim : *Les Contes de Perrault*, encore et toujours de la littérature », dans *Recherches sur le conte merveilleux*, Louvain-la-Neuve, pp. 7-55.

1982. — Marc Fumaroli, « Les enchantements de l'éloquence : *Les Fées* (...) ou de la littérature », dans *Le Statut de la littérature, Mélanges offerts à Paul Bénichou*, Genève, Droz, pp. 153-186.

1985. — François Rigolot, « Les songes du savoir : de la "belle endormie" à la Belle au bois dormant », *Littérature*, n° 58, pp. 91-106.

1986. — Denise Escarpit, *Histoire d'un conte. Le Chat botté en France et en Angleterre*, Lille-Paris, Didier, 2 vol.
Jacques Chupeau, « Sur l'équivoque enjouée au grand siècle : l'exemple du Petit Chaperon rouge de Charles Perrault », *XVIIe siècle*, n° 150, janvier-mars, pp. 35-42.

1987. — Catherine Velay-Vallantin, « Le miroir des contes. Perrault dans les Bibliothèques bleues », dans Roger Chartier, *Les Usages de l'imprimé*, Paris, Fayard, pp. 129-185.

1991. — Numéro spécial de la revue *Europe*, en mars, consacré à Charles Perrault.

Principes de cette édition

Ce volume réunit sous le titre de *Contes de Perrault* deux recueils dont les originales furent publiées séparément, à des dates et chez des libraires différents : d'une part les trois contes en vers avec leur préface, d'autre part les huit contes en prose — *Les Histoires ou Contes du temps passé* — précédés de la dédicace à Mademoiselle.

Nous reproduisons pour la *Préface, Griselidis, Peau d'Ane* et *Les Souhaits ridicules* le texte de l'édition dite quatrième donnée par le libraire-imprimeur Jean-Baptiste Coignard à Paris en 1695. Pour les *Histoires ou Contes du temps passé*, nous donnons le texte du deuxième tirage, sorti des presses de Claude Barbin en 1697, corrigé des quelques coquilles coutumières à cette maison où l'on travaillait souvent trop vite.

L'orthographe a été modernisée, des guillemets et des tirets introduits dans les dialogues. Nous avons respecté la disposition originale des strophes et des alinéas, ainsi que l'emploi du romain, de l'italique et des majuscules.

Pour les définitions, équivalences ou éclaircissements lexicaux donnés en bas de page, nous avons recouru au *Dictionnaire de l'Académie française* de 1694, au *Dictionnaire universel* d'Antoine Furetière de 1690 et au *Dictionnaire français* de Pierre Richelet de 1680.

CONTES EN VERS

NOTICE

de la préface des *Contes en vers*

Cette préface apparaît pour la première fois dans la troisième édition des Contes en vers, *donnée par J.-B. Coignard en 1694. On devine que Perrault la rédigea pour répondre aux critiques — il avait déjà procédé ainsi pour défendre* Griselidis *(voir p. 119)* *— et pour exposer sa poétique du conte, à un moment où sa pratique évoluait, sans qu'il en dise rien ici, vers d'autres formes.*

L'allusion ironique du premier paragraphe à « quelques personnes qui affectent de paraître graves » vise Boileau, l'ennemi du moment et ses partisans. Ce Boileau que l'on tentait de réconcilier avec son adversaire et qui écrivait à Antoine Arnauld, en juin 1694 : « Pour ce qui regarde l'estime que [Perrault] *veut que je fasse de ses écrits, mes hôtes d'Auteuil* [les jansénistes] *m'indiqueront peut-être quelque auteur grave qui me fournira des moyens pour dire (...) que j'estime ce que je n'estime point. Et afin, Monsieur, que vous examiniez vous-même ce que je puis faire là-dessus, voici une liste des principaux ouvrages qu'on veut que j'admire. Je suis fort trompé si vous en avez jamais lu aucun :* Le Conte de Peau d'Ane et l'Histoire de la Femme au nez de boudin, mis en vers par M. Perrault, de l'Académie française. »

Suit une liste de titres d'œuvres de Perrault présentés de façon comique. Boileau conclut : « Je ris, Monsieur, en vous écrivant cette liste, et je crois que vous aurez de la peine à vous empêcher aussi de rire en la lisant. »

Harcelé, notre conteur croit devoir justifier « ces bagatelles ». Lui, le champion des Modernes, il commence par se remparer derrière Ésope, Lucien, Apulée, Aristide de Milet et Pétrone, qui — il le reconnaît — pèsent davantage dans la polémique : « J'ai affaire à bien des gens (...) qui ne peuvent être touchés que par l'autorité et par l'exemple des Anciens. » Second argument, longuement développé par cette préface, l'utilité morale de la tradition et de la littérature narratives, leur efficacité pédagogique dans la formation des « âmes innocentes » : « Ce sont des semences qu'on jette (...) dont il ne manque guère d'éclore de bonnes inclinations. » On reconnaît l'antienne de La Fontaine dans les textes liminaires de ses livres de fables. Par exemple, ceci : A Monseigneur le Dauphin *: « L'apparence en est puérile, je le confesse ; mais ces puérilités servent d'enveloppe à des vérités importantes » (dédicace de 1668) ; ou ceci : « Ces badineries ne sont telles qu'en apparence ; car dans le fond, elles portent un sens très solide. (...) Par les raisonnements et conséquences que l'on peut tirer de ces fables, on se forme le jugement et les mœurs, on se rend capable de grandes choses » (*Préface *de 1668).*

Tout en reprenant le discours moral du fabuliste, jusque dans les termes parfois, Perrault marque cependant ses distances avec les revendications du conteur La Fontaine, égratigné dans le dernier paragraphe sous le masque du pronom indéfini (que nous soulignons) : « J'aurais pu rendre mes contes plus agréables en y mêlant certaines choses un peu libres dont on *a accoutumé de les égayer. » Près d'un quart de siècle auparavant, La Fontaine avait pu écrire : « Ce n'est pas une faute de jugement que d'entretenir les gens d'aujourd'hui de contes un peu libres. Je ne pèche pas non plus en cela contre la morale » (*Préface *des* Contes et Nouvelles en vers *de 1665). Les temps ont changé et le champion des Modernes ne doute pas de la supériorité morale de son époque, et de ses propres contes : « Je prétends même que mes Fables méritent mieux d'être racontées que la plupart des Contes anciens. »*

Perrault, quoi qu'il prétende, doit encore beaucoup, pour ses Contes en vers, *à son aîné. Où a-t-il, en effet, trouvé le sujet des* Souhaits ridicules ? *Dans trois fables de La Fontaine. Et n'est-ce pas une manière de lui faire pièce, que d'aller chercher dans le fonds de la Bibliothèque bleue une héroïne, de Boccace certes, mais si pieuse et si vertueuse ? Le choix de la versification, enfin, signale une lecture attentive et docile des préfaces de La Fontaine à ses* Contes *et ses* Fables. *En 1668, le fabuliste justifiait l'usage de la langue poétique par la seule tradition, en dépit des conseils amicaux de l'avocat Patru qui avait plaidé pour la simplicité, la liberté et la concision de la prose. Perrault versifie, sans commentaire.*

En fait, cette Préface *de 1694, que tous les éditeurs modernes donnent en tête du recueil des onze* Contes de Perrault, *a des allures de postface. Rédigée après les trois premiers contes, elle laisse percevoir la métamorphose de l'auteur qui y signale avoir déjà rédigé ses* Fées *(voir p. 76) et laisse le mot de la fin à sa complice de nièce, Mlle Lhéritier. Et que dit-elle ? Elle chante l'excellence de la dernière-née des productions,* Peau d'Ane : *ridiculisé par Boileau, mais goûté par La Fontaine, ce conte l'emporte sur les deux autres parce que, dans son vêtement de vers, il allie son origine populaire, la langue naïve des nourrices, à des qualités plus subtiles qui ravissent les connaisseurs. Bref, on ne pouvait mieux suggérer que* Peau d'Ane, *où paraît la première fée de Perrault, sort du moule d'où sortiront* Les Histoires ou Contes du temps passé.

Préface

La manière dont le Public a reçu les Pièces de ce Recueil, à mesure qu'elles lui ont été données séparément[1], est une espèce d'assurance qu'elles ne lui déplairont pas en paraissant toutes ensemble. Il est vrai que quelques personnes qui affectent de paraître graves, et qui ont assez d'esprit pour voir que ce sont des Contes faits à plaisir, et que la matière n'en est pas fort importante, les ont regardées avec mépris ; mais on a eu la satisfaction de voir que les gens de bon goût n'en ont pas jugé de la sorte.

Ils ont été bien aises de remarquer que ces bagatelles n'étaient pas de pures bagatelles, qu'elles renfermaient une morale utile, et que le récit enjoué dont elles étaient enveloppées n'avait été choisi que pour les faire entrer plus agréablement dans l'esprit et d'une manière qui instruisît et divertît tout ensemble[2]. Cela devrait me suffire pour ne pas craindre le reproche de m'être amusé[a] à des choses frivoles. Mais comme j'ai affaire à bien des gens qui ne se payent pas de raisons et qui ne peuvent être touchés que par l'autorité et par l'exemple des

---

a : d'avoir perdu mon temps.

Anciens, je vais les satisfaire là-dessus. Les Fables Milésiennes[3] si célèbres parmi les Grecs, et qui ont fait les délices d'Athènes et de Rome, n'étaient pas d'une autre espèce que les Fables de ce Recueil. L'Histoire de la Matrone d'Éphèse[4] est de la même nature que celle de Griselidis : ce sont l'une et l'autre des Nouvelles, c'est-à-dire des Récits de choses qui peuvent être arrivées, et qui n'ont rien qui blesse absolument la vraisemblance. La Fable de Psyché[5] écrite par Lucien et par Apulée est une fiction toute pure et un conte de Vieille comme celui de Peau d'Ane. Aussi voyons-nous qu'Apulée le fait raconter par une vieille femme à une jeune fille que des voleurs avaient enlevée, de même que celui de Peau d'Ane est conté tous les jours à des Enfants par leurs Gouvernantes, et par leurs Grand-mères. La Fable du Laboureur[6] qui obtint de Jupiter le pouvoir de faire comme il lui plairait la pluie et le beau temps, et qui en usa de telle sorte qu'il ne recueillit que de la paille sans aucuns grains[a], parce qu'il n'avait jamais demandé ni vent, ni froid, ni neige, ni aucun temps semblable — chose nécessaire cependant pour faire fructifier les plantes — cette Fable, dis-je, est de même genre que le Conte des Souhaits Ridicules, si ce n'est que l'un est sérieux et l'autre comique ; mais tous les deux vont à dire que les hommes ne connaissent pas ce qu'il leur convient, et sont plus heureux d'être conduits par la Providence[b], que si toutes choses leur succédaient[c] selon qu'ils le désirent. Je ne crois pas qu'ayant devant[d] moi de si beaux modèles dans la plus sage et la plus docte Antiquité, on soit en droit de me faire aucun reproche. Je prétends même que

a : aucun grain.
b : Dieu.
c : réussissaient.
d : avant.

mes Fables méritent mieux d'être racontées que la plupart des Contes anciens, et particulièrement celui de la Matrone d'Éphèse et celui de Psyché, si l'on les regarde du côté de la Morale, chose principale dans toute sorte de Fables, et pour laquelle elles doivent avoir été faites. Toute la moralité qu'on peut tirer de la Matrone d'Éphèse est que souvent les femmes qui semblent les plus vertueuses le sont le moins, et qu'ainsi il n'y en a presque point qui le soient véritablement.

Qui ne voit que cette Morale est très mauvaise, et qu'elle ne va qu'à corrompre les femmes par le mauvais exemple, et à leur faire croire qu'en manquant à leur devoir elles ne font que suivre la voie[7] commune. Il n'en est pas de même de la Morale de Griselidis, qui tend à porter les femmes à souffrir de leurs maris, et à faire voir qu'il n'y en a point de si brutal[a] ni de si bizarre, dont la patience d'une honnête femme ne puisse venir à bout. A l'égard de la Morale cachée dans la Fable de Psyché, Fable en elle-même très agréable et très ingénieuse, je la comparerai avec celle de Peau d'Ane quand je la saurai, mais jusques ici je n'ai pu la deviner. Je sais bien que Psyché signifie l'Ame ; mais je ne comprends point ce qu'il faut entendre par l'Amour qui est amoureux de Psyché, c'est-à-dire de l'Ame, et encore moins ce qu'on ajoute, que Psyché devait être heureuse, tant qu'elle ne connaîtrait point celui dont elle était aimée, qui était l'Amour, mais qu'elle serait très malheureuse dès le moment qu'elle viendrait à le connaître : voilà pour moi une énigme impénétrable. Tout ce qu'on peut dire, c'est que cette Fable de même que la plupart de celles qui nous restent des Anciens n'ont été faites que pour plaire sans égard aux bonnes mœurs qu'ils négligeaient beaucoup. Il n'en est pas de même des

a : grossier, impoli.

contes que nos aïeux ont inventés pour leurs Enfants. Ils ne les ont pas contés avec l'élégance et les agréments dont les Grecs et les Romains ont orné leurs Fables ; mais ils ont toujours eu un très grand soin que leurs contes renfermassent une moralité louable et instructive. Partout la vertu y est récompensée, et partout le vice y est puni. Ils tendent tous à faire voir l'avantage qu'il y a d'être honnête, patient, avisé, laborieux, obéissant, et le mal qui arrive à ceux qui ne le sont pas. Tantôt ce sont des Fées qui donnent pour don à une jeune fille qui leur aura répondu avec civilité[a], qu'à chaque parole qu'elle dira, il lui sortira de la bouche un diamant ou une perle ; et à une autre fille qui leur aura répondu brutalement[b], qu'à chaque parole il lui sortira de la bouche une grenouille ou un crapaud. Tantôt ce sont des enfants qui pour avoir bien obéi à leur père ou à leur mère deviennent grands Seigneurs, ou d'autres, qui ayant été vicieux et désobéissants, sont tombés dans des malheurs épouvantables[8]. Quelque frivoles et bizarres que soient toutes ces Fables dans leurs aventures, il est certain qu'elles excitent dans les Enfants le désir de ressembler à ceux qu'ils voient devenir heureux, et en même temps la crainte des malheurs où les méchants sont tombés par leur méchanceté. N'est-il pas louable à des Pères et à des Mères, lorsque leurs Enfants ne sont pas encore capables de goûter les vérités solides et dénuées de tous agréments, de les leur faire aimer, et si cela se peut dire, les leur faire avaler, en les enveloppant dans des récits agréables et proportionnés à la faiblesse de leur âge. Il n'est pas croyable avec quelle avidité ces âmes innocentes, et dont rien n'a encore corrompu la droiture naturelle, reçoivent ces instructions cachées ; on

a : courtoisie, politesse.
b : mal, impoliment.

les voit dans la tristesse et dans l'abattement, tant que le Héros ou l'Héroïne de Conte sont dans le malheur, et s'écrier de joie quand le temps de leur bonheur arrive ; de même qu'après avoir souffert impatiemment[a] la prospérité du méchant ou de la méchante, ils sont ravis de les voir enfin punis comme ils le méritent. Ce sont des semences qu'on jette qui ne produisent d'abord que des mouvements de joie et de tristesse, mais dont il ne manque guère d'éclore de bonnes inclinations.

J'aurais pu rendre mes Contes plus agréables en y mêlant certaines choses un peu libres dont on a accoutumé de les égayer[9] ; mais le désir de plaire ne m'a jamais assez tenté pour violer une loi que je me suis imposée de ne rien écrire qui pût blesser ou la pudeur ou la bienséance. Voici un Madrigal[b] qu'une jeune Demoiselle[10] de beaucoup d'esprit a composé sur ce sujet, et qu'elle a écrit au-dessous du Conte de Peau d'Ane que je lui avais envoyé.

Le Conte de Peau d'Ane est ici raconté
Avec tant de naïveté,
Qu'il ne m'a pas moins divertie,
Que quand auprès du feu ma Nourrice ou ma Mie[c]
Tenaient en le faisant mon esprit enchanté.
On y voit par endroits quelques traits de Satire,
Mais qui sans fiel et sans malignité,
A tous également font du plaisir à lire :
Ce qui me plaît encor dans sa simple douceur,
C'est qu'il divertit et fait rire,
Sans que Mère, Époux, Confesseur,
Y puissent trouver à redire.

---

a : avec chagrin.
b : pièce de poésie renfermant, en un petit nombre de vers, une pensée ingénieuse et galante.
c : mamie, la gouvernante, responsable, dans une famille noble ou aisée, de l'éducation d'une fille.

Griselidis

Nouvelle

NOTICE

La Marquise de Salusses ou la Patience de Griselidis, nouvelle, *fut d'abord lue à l'Académie française, le samedi 25 août 1691, jour de la Saint-Louis, par l'abbé de Lavau, garde des livres du cabinet du roi, académicien protégé de Colbert et ami de Perrault.* Le Mercure galant *de septembre 1691 rapporte que « les vives descriptions dont ce poème est plein lui attirèrent beaucoup d'applaudissements ». Elle parut ensuite dans le* Recueil de plusieurs pièces d'éloquence et de poésie présentées à l'Académie française pour les prix de l'année 1691. Avec plusieurs discours qui y ont été prononcés et plusieurs pièces de poésie qui y ont été lues en différentes occasions, *suivie de la lettre* A Monsieur***.

Rééditée trois fois en 1694, à Paris et La Haye, puis une fois en 1695, elle disparut des librairies jusqu'en 1781, date de la redécouverte des Contes en vers.

On connaît la source du poème de Perrault, qu'il désigne lui-même un « Conte tout sec et tout uni », trouvé « dans son papier bleu où il est depuis tant d'années ». Traduisons, un de ces récits répandus dans toute la France par les colporteurs ; en l'espèce un récit maintes fois remanié, dont nous citons le titre dans sa version lyonnaise de 1546 : Mirouer des femmes vertueuses. Ensemble la patience de Griselidis par laquelle est démontrée l'obédience des femmes vertueuses, *où il est joint à* L'Histoire admirable de Jehane la Pucelle, native de Vaucouleur (...) *Ce classique de la Bibliothèque bleue (voir p. 297, n. 3) imprimé à Troyes, Orléans et plus tard Montbéliard, illustre le cas typique d'un texte d'origine littéraire tombé aux mains du peuple. « Pour la patience de Griselidis, c'est la dernière des cent nouvelles de Boccace. Ayant été traduite et imprimée toute seule il y a plus de cent ans, elle est devenue plus commune que les autres, de telle sorte que les gens de village la lisent, et les vieilles la content aux enfants, encore qu'elles n'aient jamais ouï parler du* Décaméron *ni de son auteur. » Ainsi Charles Sorel éclaire-t-il, en 1628, la vogue de ce texte tellement édifiant qu'il figura parmi les ouvrages didactiques ou de morale chrétienne.*

Il faut en tout cas renoncer à identifier Gautier, marquis de Saluces, et sa rustique épouse avec des personnages historiques réels, tentation qui saisit Perrault, et intoxiquait à ce point la critique historique encore au XIXe siècle que le Grand Dictionnaire universel *de Pierre Larousse consacre un article sous la vedette* Griselidis, Grisla ou Griselda *à la biographie controuvée de cette « fille d'un laboureur piémontais ». Le rédacteur conclut néanmoins avec prudence : « Depuis, une multitude de conteurs et de poètes l'enrichirent de circonstances nouvelles écloses dans leur imagination ; le vieux récit traversa les siècles, exploité par toutes les littératures de l'Europe, et fournit encore à Perrault la matière d'un de ses contes. »*

Inutile de remonter à l'épopée indienne du Mahâbhârata *où l'on a pu apercevoir le premier germe de* la légende (le sage Çântanu supporte tout de sa nymphe d'épouse) et d'alléguer le *Lai du frêne* de Marie de France (dans ce texte du XIIe siècle, l'héroïne prépare tout pour le mariage qui doit la chasser du château), le texte fondateur de la tradition est bien la dernière nouvelle (X, 10) du *Décaméron* de Boccace (1352). Le marquis de Saluzzo, contraint par ses gens à prendre femme, choisit la fille d'un paysan. Il en a deux enfants qu'il feint de supprimer, puis il prétend la répudier pour se remarier. Mais, enfin convaincu par la longue patience de Griselda, il lui rend sa fille et son fils et confesse qu'il n'a agi que pour l'éprouver. Ni Boccace ni le personnage qui conte l'histoire ne justifient Gautier de Saluces. Ils taxent son comportement de « méchanceté folle », ne conseilleraient à personne de suivre son exemple, et jugent cruelle et peu admissible l'épreuve à laquelle il soumet durant une dizaine d'années son épouse. Le succès du *Décaméron* fut immense : on salua ce livre comme un chef-d'œuvre et la preuve en fut la traduction latine que donna Pétrarque de l'histoire de Griselda, en 1374, communiquant ainsi sa gloire à Boccace et à Griselidis.

De la dizaine de pages de prose qu'occupe son modèle dans une édition moderne, Perrault a fait cette nouvelle, « récit de choses qui peuvent être arrivées et qui n'ont rien qui blesse absolument la vraisemblance », et surtout, selon la formule qu'il prête à un interlocuteur imaginaire, « un véritable poème ». Sans doute les Académiciens, confrères de notre conteur, et les gens de son monde et de son goût furent-ils sensibles d'abord au thème, la vertu exemplaire, jamais démentie, d'une épouse parfaite. En pleine querelle des femmes, alors que l'on savait Boileau attelé à sa dixième satire, dirigée contre elles, depuis près de vingt ans, qu'il en proposait des extraits à ses amis dans les salons, que paraissaient, en 1672, *L'Égalité des deux sexes* et, en 1675, *l'ironique* Excellence des hommes *de Poulain de la Barre, Perrault prenait la position qu'il théoriserait dans son* Apologie des femmes *de 1694. Pourtant à y regarder de près, Griselidis sort grandie du récit, mais point ses contemporaines décrites par le héros misogyne, ou passionnées par la mode.*

En fait, selon l'inventaire de J.-P. Collinet dans son édition, sur plus de neuf cent trente vers, sept cents représentent des additions au texte de Boccace. Ce sont d'abord des descriptions qui actualisent la matière : symptômes de la mélancolie du prince décrits par le menu, portrait du marquis en son pays à l'image d'un Louis XIV de propagande, réunions des États généraux et remontrance au roi, allusion aux modes pour le vêtement ou l'allaitement. Il s'agit ensuite pour Perrault dans ce coup d'essai, au-delà de l'éloge du temps présent et de ses préoccupations d'écrivain chrétien, d'inventer après La Fontaine un style nouveau d'écriture, plein d'alacrité, mais dépourvu de « certaines choses un peu libres dont on a accoutumé de les [les contes] égayer ».

On a pu faire le procès des longueurs de Griselidis *: il convient de lire le conte à la lumière de la lettre qui le suit et où Perrault, par l'artifice d'une petite mise en scène, entreprend de justifier ses choix d'écrivain. Rien cependant n'indique mieux le parti auquel il se rangea que sa pratique de conteur par la suite. Il n'écrivit que deux autres contes en vers, plus courts, renonça à la description ornementale au profit de la narration, et bientôt aux vers pour la prose. Pouvait-il se montrer plus explicite ?*

A MADEMOISELLE**[1]

En vous offrant, jeune et sage Beauté,
Ce modèle de Patience,
Je ne me suis jamais flatté
Que par vous de tout point il serait imité,
C'en serait trop en conscience.

Mais Paris où l'homme est poli[a],
Où le beau sexe né pour plaire
Trouve son bonheur accompli,
De tous côtés est si rempli
D'exemples du vice contraire,
Qu'on ne peut en toute saison,
Pour s'en garder ou s'en défaire,
Avoir trop de contrepoison.

Une Dame aussi patiente
Que celle dont ici je relève le prix[b],
Serait partout une chose étonnante,
Mais ce serait un prodige à Paris.

---

a : distingué, raffiné.
b : je fais valoir, je loue les qualités.

Les femmes y sont souveraines,
Tout s'y règle selon leurs vœux :
Enfin c'est un climat heureux
Qui n'est habité que de Reines.

Ainsi je vois que de toutes façons,
Griselidis y sera peu prisée,
Et qu'elle y donnera matière de risée,
Par ses trop antiques leçons[a].

Ce n'est pas que la Patience
Ne soit une vertu des Dames de Paris[2],
Mais par un long usage elles ont la science
De la faire exercer par leurs propres maris.

a : exemples de bonne conduite.

GRISELIDIS

Au pied des célèbres montagnes
Où le Pô s'échappant de dessous ses roseaux,
Va dans le sein des prochaines[a] campagnes
Promener ses naissantes eaux,
Vivait un jeune et vaillant Prince,
Les délices de sa Province :
Le Ciel, en le formant, sur lui tout à la fois
Versa ce qu'il a de plus rare,
Ce qu'entre ses amis d'ordinaire il sépare[b],
Et qu'il ne donne qu'aux grands Rois.

Comblé de tous les dons et du corps et de l'âme,
Il fut robuste, adroit, propre au métier de Mars,
Et par l'instinct secret d'une divine flamme,
Avec ardeur il aima les beaux Arts.
Il aima les combats, il aima la victoire,
Les grands projets, les actes valeureux,
Et tout ce qui fait vivre un beau nom dans l'histoire ;
Mais son cœur tendre et généreux
Fut encor plus sensible à la solide gloire
De rendre ses Peuples heureux.

---

a : proches.
b : partage, divise.

Ce tempérament héroïque
Fut obscurci d'une sombre vapeur[3]
Qui, chagrine et mélancolique[a],
Lui faisait voir dans le fond de son cœur
Tout le beau sexe infidèle et trompeur :
Dans la femme où brillait le plus rare mérite,
Il voyait une âme hypocrite,
Un esprit d'orgueil enivré,
Un cruel ennemi qui sans cesse n'aspire
Qu'à prendre un souverain empire
Sur l'homme malheureux qui lui sera livré.

Le fréquent usage du monde,
Où l'on ne voit qu'Époux subjugués ou trahis,
Joint à l'air jaloux du Pays[4],
Accrut encor cette haine profonde.
Il jura donc plus d'une fois
Que quand même le Ciel pour lui plein de [tendresse
Formerait une autre Lucrèce[5],
Jamais de l'hyménée[b] il ne suivrait les lois.

Ainsi, quand le matin, qu'il donnait aux affaires,
Il avait réglé sagement
Toutes les choses nécessaires
Au bonheur du gouvernement,
Que du faible orphelin, de la veuve oppressée[c],
Il avait conservé les droits,
Ou banni quelque impôt qu'une guerre forcée
Avait introduit autrefois,
L'autre moitié de la journée
A la chasse était destinée,
Où les Sangliers et les Ours,
Malgré leur fureur et leurs armes
Lui donnaient encor moins d'alarmes

a : *vapeur mélancolique* : bile noire.
b : mariage.
c : opprimée.

Que le sexe charmant qu'il évitait toujours.

Cependant ses sujets que leur intérêt presse
De s'assurer d'un successeur
Qui les gouverne un jour avec même douceur,
A leur donner un fils le conviaient sans cesse.

Un jour dans le Palais ils vinrent tous en corps[a]
Pour faire leurs derniers efforts ;
Un Orateur d'une grave apparence,
Et le meilleur qui fût alors,
Dit tout ce qu'on peut dire en pareille occurrence.
Il marqua leur désir pressant
De voir sortir du Prince une heureuse lignée
Qui rendît à jamais leur État florissant ;
Il lui dit même en finissant
Qu'il voyait un Astre naissant
Issu de son chaste hyménée[b]
Qui faisait pâlir le Croissant[6].

D'un ton plus simple et d'une voix moins forte,
Le Prince à ses sujets répondit de la sorte :

« Le zèle ardent, dont je vois qu'en ce jour
Vous me portez aux nœuds du mariage,
Me fait plaisir, et m'est de votre amour
Un agréable témoignage ;
J'en suis sensiblement touché,
Et voudrais dès demain pouvoir vous satisfaire :
Mais à mon sens l'hymen[b] est une affaire
Où plus l'homme est prudent[c], plus il est empêché.

Observez bien toutes les jeunes filles ;
Tant qu'elles sont au sein de leurs familles,

---

a : corps de métier, corporation.
b : mariage.
c : sage, prévoyant.

Ce n'est que vertu, que bonté,
Que pudeur, que sincérité,
Mais sitôt que le mariage
Au déguisement a mis fin,
Et qu'ayant fixé leur destin
Il n'importe plus d'être sage,
Elles quittent leur personnage[a],
Non sans avoir beaucoup pâti,
Et chacune dans son ménage
Selon son gré prend son parti.

L'une d'humeur chagrine, et que rien ne récrée,
Devient une Dévote outrée,
Qui crie et gronde à tous moments ;
L'autre se façonne en Coquette,
Qui sans cesse écoute ou caquette,
Et n'a jamais assez d'Amants ;
Celle-ci des beaux Arts follement curieuse[b],
De tout décide avec hauteur,
Et critiquant le plus habile Auteur,
Prend la forme de Précieuse ;
Cette autre s'érige en Joueuse,
Perd tout, argent, bijoux, bagues[c], meubles de prix,
Et même jusqu'à ses habits[7].

Dans la diversité des routes qu'elles tiennent,
Il n'est qu'une chose où je voi
Qu'enfin toutes elles conviennent,
C'est de vouloir donner la loi.
Or je suis convaincu que dans le mariage
On ne peut jamais vivre heureux,
Quand on y commande tous deux ;
Si donc vous souhaitez qu'à l'hymen je m'engage,

---

a : rôle d'acteur, masque.
b : passionnée.
c : non seulement ce que nous nommons bagues, mais aussi tous les joyaux, de l'argent et des meubles précieux.

Cherchez une jeune Beauté
Sans orgueil et sans vanité,
D'une obéissance achevée,
D'une patience éprouvée,
Et qui n'ait point de volonté,
Je la prendrai quand vous l'aurez trouvée[8]. »

Le Prince ayant mis fin à ce discours moral,
Monte brusquement à cheval,
Et court joindre[a] à perte d'haleine
Sa meute qui l'attend au milieu de la plaine.

Après avoir passé des prés et des guérets,
Il trouve ses Chasseurs couchés sur l'herbe verte ;
Tous se lèvent et tous alerte[b],
Font trembler de leurs cors les hôtes des forêts.
Des chiens courants l'aboyante famille,
Deçà, delà, parmi le chaume brille,
Et les Limiers à l'œil ardent
Qui du fort[c] de la Bête à leur poste reviennent,
Entraînent en les regardant
Les forts valets qui les retiennent.

S'étant instruit par un des siens
Si tout est prêt, si l'on est sur la trace,
Il ordonne aussitôt qu'on commence la chasse,
Et fait donner le Cerf aux chiens.
Le son des cors qui retentissent,
Le bruit des chevaux qui hennissent
Et des chiens animés les pénétrants abois,
Remplissent la forêt de tumulte et de trouble,
Et pendant que l'écho sans cesse les redouble,
S'enfoncent avec eux dans les plus creux du bois.

---

a : rejoindre.
b : sur leurs gardes, avec vigilance (adverbe).
c : terme de chasse désignant l'endroit le plus épais du bois ou du buisson où se retirent les bêtes sauvages.

Le Prince, par hasard ou par sa destinée,
Prit une route détournée
Où nul des Chasseurs ne le suit ;
Plus il court, plus il s'en sépare :
Enfin à tel point il s'égare
Que des chiens et des cors il n'entend plus le bruit.

L'endroit où le mena sa bizarre aventure,
Clair de ruisseaux et sombre de verdure,
Saisissait les esprits d'une secrète horreur ;
La simple et naïve[a] Nature
S'y faisait voir et si belle et si pure,
Que mille fois il bénit son erreur.

Rempli des douces rêveries
Qu'inspirent les grands bois, les eaux et les prairies,
Il sent soudain frapper et son cœur et ses yeux
Par l'objet[b] le plus agréable,
Le plus doux et le plus aimable
Qu'il eût jamais vu sous les Cieux.

C'était une jeune Bergère
Qui filait aux bords d'un ruisseau,
Et qui, conduisant son troupeau,
D'une main sage et ménagère[c]
Tournait son agile fuseau.

Elle aurait pu dompter les cœurs les plus sauvages ;
Des lys, son teint a la blancheur,
Et sa naturelle fraîcheur
S'était toujours sauvée[d] à l'ombre des bocages :
Sa bouche, de l'enfance avait tout l'agrément,

---

a : naturelle, que l'homme n'a pas modifiée.
b : jeune fille, ou femme, aimable, dans le langage précieux de l'époque.
c : soucieuse d'économie, de rentabilité.
d : préservée.

Et ses yeux qu'adoucit une brune paupière,
Plus bleus que n'est le firmament,
Avaient aussi plus de lumière.

Le Prince, avec transport, dans le bois se glissant,
Contemple les beautés dont son âme est émue,
Mais le bruit qu'il fait en passant
De la Belle sur lui fit détourner la vue ;
Dès qu'elle se vit aperçue,
D'un brillant incarnat la prompte et vive ardeur
De son beau teint redoubla la splendeur,
Et sur son visage épandue,
Y fit triompher la pudeur.

Sous le voile innocent de cette honte aimable,
Le Prince découvrit une simplicité,
Une douceur, une sincérité,
Dont il croyait le beau sexe incapable,
Et qu'il voit là dans toute leur beauté.

Saisi d'une frayeur pour lui toute nouvelle,
Il s'approche interdit, et plus timide qu'elle,
Lui dit d'une tremblante voix,
Que de tous ses Veneurs[a] il a perdu la trace,
Et lui demande si la chasse
N'a point passé quelque part dans le bois.

« Rien n'a paru, Seigneur, dans cette solitude,
Dit-elle, et nul ici que vous seul n'est venu ;
Mais n'ayez point d'inquiétude,
Je remettrai vos pas sur un chemin connu.
— De mon heureuse destinée
Je ne puis, lui dit-il, trop rendre grâce aux Dieux ;
Depuis longtemps je fréquente ces lieux,
Mais j'avais ignoré jusqu'à cette journée
Ce qu'ils ont de plus précieux. »

---

a : hommes chargés de faire chasser les chiens courants.

Dans ce temps elle voit que le Prince se baisse
Sur le moite bord du ruisseau,
Pour étancher dans le cours de son eau
La soif ardente qui le presse.
« Seigneur, attendez un moment »,
Dit-elle, et courant promptement
Vers sa cabane, elle y prend une tasse
Qu'avec joie et de bonne grâce,
Elle présente à ce nouvel Amant.

Les vases précieux de cristal et d'agate
Où l'or en mille endroits éclate,
Et qu'un Art curieux[a] avec soin façonna,
N'eurent jamais pour lui, dans leur pompe inutile,
Tant de beauté que le vase d'argile
Que la Bergère lui donna.

Cependant pour trouver une route facile
Qui mène le Prince à la Ville,
Ils traversent des bois, des rochers escarpés
Et de torrents entrecoupés ;
Le Prince n'entre point dans de route nouvelle
Sans en bien observer tous les lieux d'alentour,
Et son ingénieux Amour
Qui songeait au retour,
En fit une carte fidèle.

Dans un bocage sombre et frais
Enfin la Bergère le mène,
Où de dessous ses branchages épais
Il voit au loin dans le sein de la plaine
Les toits dorés de son riche Palais.

S'étant séparé de la Belle,
Touché d'une vive douleur,
A pas lents il s'éloigne d'Elle,

---

a : travail minutieux de l'artisan.

Chargé du trait qui lui perce le cœur ;
Le souvenir de sa tendre aventure
Avec plaisir le conduisit chez lui.
Mais dès le lendemain il sentit sa blessure,
Et se vit accablé de tristesse et d'ennui[a].

Dès qu'il le peut il retourne à la chasse,
Où de sa suite adroitement
Il s'échappe et se débarrasse
Pour s'égarer heureusement.
Des arbres et des monts les cimes élevées,
Qu'avec grand soin il avait observées,
Et les avis secrets de son fidèle amour,
Le guidèrent si bien que malgré les traverses[b]
De cent routes diverses,
De sa jeune Bergère il trouva le séjour.

Il sut qu'elle n'a plus que son Père avec elle,
Que Griselidis on l'appelle,
Qu'ils vivent doucement du lait de leurs brebis,
Et que de leur toison qu'elle seule elle file,
Sans avoir recours à la Ville,
Ils font eux-mêmes leurs habits.

Plus il la voit, plus il s'enflamme
Des vives beautés de son âme ;
Il connaît[c], en voyant tant de dons précieux,
Que si la Bergère est si belle,
C'est qu'une légère étincelle
De l'esprit qui l'anime a passé dans ses yeux.

Il ressent une joie extrême

---

a : tourment de l'âme, désespoir causé par la perte ou l'absence d'êtres aimés.

b : chemin que l'on fait d'un lieu à un autre. Ici : bien que l'itinéraire fût constitué de cent routes diverses.

c : se rend compte.

D'avoir si bien placé ses premières amours ;
Ainsi sans plus tarder, il fit dès le jour même
Assembler son Conseil et lui tint ce discours :

« Enfin aux Lois de l'Hyménée[a]
Suivant vos vœux je me vais engager ;
Je ne prends point ma femme en Pays étranger,
Je la prends parmi vous, belle, sage, bien née,
Ainsi que mes aïeux ont fait plus d'une fois,
Mais j'attendrai cette grande journée
A vous informer de mon choix. »

Dès que la nouvelle fut sue,
Partout elle fut répandue.
On ne peut dire avec combien d'ardeur
L'allégresse publique
De tous côtés s'explique[b] ;
Le plus content fut l'Orateur,
Qui par son discours pathétique
Croyait d'un si grand bien être l'unique Auteur.
Qu'il se trouvait homme de conséquence[c] !
« Rien ne peut résister à la grande éloquence »,
Disait-il sans cesse en son cœur.

Le plaisir fut de voir le travail inutile
Des Belles de toute la Ville
Pour s'attirer et mériter le choix
Du Prince leur Seigneur, qu'un air chaste et modeste
Charmait uniquement et plus que tout le reste,
Ainsi qu'il l'avait dit cent fois.

D'habit et de maintien toutes elles changèrent,
D'un ton dévot elles toussèrent,
Elles radoucirent leurs voix,

---

a : mariage.
b : se développe, se déploie.
c : d'importance, influent.

De demi-pied les coiffures baissèrent,
La gorge se couvrit, les manches s'allongèrent,
A peine on leur voyait le petit bout des doigts[9].

Dans la Ville avec diligence,
Pour l'Hymen dont le jour s'avance,
On voit travailler tous les Arts :
Ici se font de magnifiques chars
D'une forme toute nouvelle,
Si beaux et si bien inventés,
Que l'or qui partout étincelle
En fait la moindre des beautés.

Là, pour voir aisément et sans aucun obstacle
Toute la pompe du spectacle,
On dresse de longs échafauds[a],
Ici de grands Arcs triomphaux[10]
Où du Prince guerrier se célèbre la gloire,
Et de l'Amour sur lui l'éclatante victoire.

Là, sont forgés d'un art industrieux,
Ces feux qui par les coups d'un innocent tonnerre,
En effrayant la Terre,
De mille astres nouveaux embellissent les Cieux[11].
Là d'un ballet ingénieux
Se concerte avec soin l'agréable folie,
Et là d'un Opéra peuplé de mille Dieux,
Le plus beau que jamais ait produit l'Italie,
On entend répéter les airs mélodieux[12].

Enfin, du fameux Hyménée,
Arriva la grande journée.

Sur le fond d'un Ciel vif et pur,
A peine l'Aurore vermeille

a : estrades, tribunes dressées occasionnellement pour voir un cortège, une cérémonie.

Confondait l'or avec l'azur,
Que partout en sursaut le beau sexe s'éveille ;
Le Peuple curieux s'épand de tous côtés,
En différents endroits des Gardes sont postés
Pour contenir la Populace,
Et la contraindre à faire place.
Tout le Palais retentit de clairons,
De flûtes, de hautbois, de rustiques musettes,
Et l'on n'entend aux environs
Que des tambours et des trompettes.

Enfin le Prince sort entouré de sa Cour.
Il s'élève un long cri de joie,
Mais on est bien surpris quand au premier
[détour,
De la Forêt prochaine on voit qu'il prend la
[voie,
Ainsi qu'il faisait chaque jour.
« Voilà, dit-on, son penchant qui l'emporte,
Et de ses passions, en dépit de l'Amour,
La Chasse est toujours la plus forte. »

Il traverse rapidement
Les guérets de la plaine et gagnant la montagne,
Il entre dans le bois au grand étonnement
De la Troupe qui l'accompagne.

Après avoir passé par différents détours,
Que son cœur amoureux se plaît à reconnaître,
Il trouve enfin la cabane champêtre,
Où logent ses tendres amours.

Griselidis de l'Hymen informée,
Par la voix de la Renommée,
En avait pris son bel habillement ;
Et pour en aller voir la pompe magnifique,

De dessous sa case[a] rustique
Sortait en ce même moment.

« Où courez-vous si prompte et si légère ?
Lui dit le Prince en l'abordant
Et tendrement la regardant ;
Cessez de vous hâter, trop aimable Bergère :
La noce où vous allez, et dont je suis l'Époux,
Ne saurait se faire sans vous.

Oui, je vous aime, et je vous ai choisie
Entre mille jeunes beautés,
Pour passer avec vous le reste de ma vie,
Si toutefois mes vœux ne sont pas rejetés.

— Ah ! dit-elle, Seigneur, je n'ai garde de croire
Que je sois destinée à ce comble de gloire,
Vous cherchez à vous divertir.
— Non, non, dit-il, je suis sincère,
J'ai déjà pour moi votre Père
(Le Prince avait eu soin de l'en faire avertir).
Daignez, Bergère, y consentir,
C'est là tout ce qui reste à faire.
Mais afin qu'entre nous une solide paix
Éternellement se maintienne,
Il faudrait me jurer que vous n'aurez jamais
D'autre volonté que la mienne.

— Je le jure, dit-elle, et je vous le promets ;
Si j'avais épousé le moindre du Village,
J'obéirais, son joug me serait doux ;
Hélas ! combien donc davantage,
Si je viens à trouver en vous
Et mon Seigneur et mon Époux. »

---

a : maison petite et pauvre, du latin *casa*, chaumière, baraque au toit de paille.

Ainsi le Prince se déclare,
Et pendant que la Cour applaudit à son choix,
Il porte la Bergère à souffrir qu'on la pare
Des ornements qu'on donne aux Épouses des Rois.
Celles qu'à cet emploi leur devoir intéresse[a]
Entrent dans la cabane, et là diligemment
Mettent tout leur savoir et toute leur adresse
A donner de la grâce à chaque ajustement.

Dans cette Hutte où l'on se presse
Les Dames admirent sans cesse
Avec quel art la Pauvreté
S'y cache sous la Propreté[b] ;
Et cette rustique Cabane,
Que couvre et rafraîchit un spacieux Platane[13],
Leur semble un séjour enchanté.

Enfin, de ce Réduit[c] sort pompeuse et brillante
La Bergère charmante ;
Ce ne sont qu'applaudissements
Sur sa beauté, sur ses habillements ;
Mais sous cette pompe étrangère
Déjà plus d'une fois le Prince a regretté
Des ornements de la Bergère
L'innocente simplicité.

Sur un grand char d'or et d'ivoire,
La Bergère s'assied pleine de majesté ;
Le Prince y monte avec fierté,
Et ne trouve pas moins de gloire
A se voir comme Amant assis à son côté
Qu'à marcher en triomphe après une victoire ;
La Cour les suit et tous gardent le rang

---

a : les femmes de chambre (dont l'emploi consiste à habiller, coiffer, parer leur maîtresse).
b : ameublement, arrangement convenable.
c : petit logement où l'on est retiré du monde.

Que leur donne leur charge ou l'éclat de leur sang.

La Ville dans les champs presque toute sortie
Couvrait les plaines d'alentour,
Et du choix du Prince avertie,
Avec impatience attendait son retour.
Il paraît, on le joint. Parmi l'épaisse foule
Du Peuple qui se fend le char à peine[a] roule ;
Par les longs cris de joie à tout coup redoublés
Les chevaux émus et troublés
Se cabrent, trépignent, s'élancent,
Et reculent plus qu'ils n'avancent.

Dans le Temple on arrive enfin,
Et là par la chaîne éternelle
D'une promesse solennelle,
Les deux Époux unissent leur destin ;
Ensuite au Palais ils se rendent,
Où mille plaisirs les attendent,
Où la Danse, les Jeux, les Courses[14], les Tournois,
Répandent l'allégresse en différents endroits ;
Sur le soir le blond Hyménée[b]
De ses chastes douceurs couronna la journée.

Le lendemain, les différents États[c]
De toute la Province
Accourent haranguer la Princesse et le Prince
Par la voix de leurs Magistrats[15].

De ses Dames environnée,
Griselidis, sans paraître étonnée,
En Princesse les entendit,
En Princesse leur répondit.

---

a : avec peine.
b : mariage.
c : les différents ordres du royaume (noblesse, clergé, tiers état) qui siègent aux Parlements, leurs représentants.

Elle fit toute chose avec tant de prudence[a],
Qu'il sembla que le Ciel eût versé ses trésors
Avec encor plus d'abondance
Sur son âme que sur son corps.
Par son esprit, par ses vives lumières,
Du grand monde aussitôt elle prit les manières,
Et même dès le premier jour
Des talents, de l'humeur[b] des Dames de sa Cour,
Elle se fit si bien instruire,
Que son bon sens jamais embarrassé
Eut moins de peine à les conduire
Que ses brebis du temps passé.

Avant la fin de l'an, des fruits de l'Hyménée
Le Ciel bénit leur couche fortunée ;
Ce ne fut pas un Prince, on l'eût bien souhaité ;
Mais la jeune Princesse avait tant de beauté
Que l'on ne songea plus qu'à conserver sa vie ;
Le Père qui lui trouve un air doux et charmant
La venait voir de moment en moment,
Et la Mère encor plus ravie
La regardait incessamment[c].

Elle voulut la nourrir elle-même[16] :
« Ah ! dit-elle, comment m'exempter de l'emploi
Que ses cris demandent de moi
Sans une ingratitude extrême ?
Par un motif de Nature ennemi
Pourrais-je bien vouloir de mon Enfant que j'aime
N'être la Mère qu'à demi ? »

---

a : sagesse.
b : le caractère tel que le définit la prédominance d'une *humeur*, voir p. 294, n. 3.
c : sans cesse.

Soit que le Prince eût l'âme un peu moins
[enflammée
Qu'aux premiers jours de son ardeur,
Soit que de sa maligne[a] humeur[b]
La masse se fût rallumée,
Et de son épaisse fumée
Eût obscurci ses sens et corrompu son cœur,
Dans tout ce que fait la Princesse,
Il s'imagine voir peu de sincérité.
Sa trop grande vertu le blesse,
C'est un piège qu'on tend à sa crédulité ;
Son esprit inquiet et de trouble agité
Croit tous les soupçons qu'il écoute,
Et prend plaisir à révoquer en doute
L'excès de sa félicité.

Pour guérir les chagrins dont son âme est atteinte,
Il la suit, il l'observe, il aime à la troubler
Par les ennuis de la contrainte,
Par les alarmes de la crainte,
Par tout ce qui peut démêler
La vérité d'avec la feinte.
« C'est trop, dit-il, me laisser endormir ;
Si ses vertus sont véritables,
Les traitements les plus insupportables
Ne feront que les affermir. »

Dans son Palais il la tient resserrée,
Loin de tous les plaisirs qui naissent à la Cour,
Et dans sa chambre, où seule elle vit retirée,
A peine il laisse entrer le jour.
Persuadé que la Parure
Et le superbe Ajustement
Du sexe que pour plaire a formé la Nature,
Est le plus doux enchantement,

---

a : nuisible pour la santé, dangereuse pour la vie.
b : voir p. 294, n. 3.

Il lui demande avec rudesse
Les perles, les rubis, les bagues, les bijoux
Qu'il lui donna pour marque de tendresse,
Lorsque de son Amant il devint son Époux.

Elle dont la vie est sans tache,
Et qui n'a jamais eu d'attache[a]
Qu'à s'acquitter de son devoir,
Les lui donne sans s'émouvoir,
Et même, le voyant se plaire à les reprendre,
N'a pas moins de joie à les rendre
Qu'elle en eut à les recevoir.

« Pour m'éprouver mon Époux me tourmente,
Dit-elle, et je vois bien qu'il ne me fait souffrir
Qu'afin de réveiller ma vertu languissante,
Qu'un doux et long repos pourrait faire périr.
S'il n'a pas ce dessein, du moins suis-je assurée
Que telle est du Seigneur[17] la conduite sur moi
Et que de tant de maux l'ennuyeuse durée
N'est que pour exercer ma constance et ma foi.

Pendant que tant de malheureuses
Errent au gré de leurs désirs
Par mille routes dangereuses,
Après de faux et vains plaisirs ;
Pendant que le Seigneur dans sa lente justice
Les laisse aller aux bords du précipice
Sans prendre part à leur danger,
Par un pur mouvement de sa bonté suprême,
Il me choisit comme un enfant qu'il aime,
Et s'applique à me corriger.

Aimons donc sa rigueur utilement cruelle,
On n'est heureux qu'autant qu'on a souffert,
Aimons sa bonté paternelle

---

a : application, goût, zèle.

Et la main dont elle se sert. »

Le Prince a beau la voir obéir sans contrainte
A tous ses ordres absolus :
« Je vois le fondement de cette vertu feinte,
Dit-il, et ce qui rend tous mes coups superflus,
C'est qu'ils n'ont porté leur atteinte
Qu'à des endroits où son amour n'est plus.

Dans son Enfant, dans la jeune Princesse,
Elle a mis toute sa tendresse ;
A l'éprouver si je veux réussir,
C'est là qu'il faut que je m'adresse,
C'est là que je puis m'éclaircir. »

Elle venait de donner la mamelle
Au tendre objet de son amour ardent,
Qui couché sur son sein se jouait avec elle,
Et riait en la regardant :
« Je vois que vous l'aimez, lui dit-il, cependant
Il faut que je vous l'ôte en cet âge encor tendre,
Pour lui former les mœurs et pour la préserver
De certains mauvais airs qu'avec vous l'on peut
[prendre[18] ;
Mon heureux sort m'a fait trouver
Une Dame d'esprit qui saura l'élever
Dans toutes les vertus et dans la politesse[a]
Que doit avoir une Princesse.
Disposez-vous à la quitter :
On va venir pour l'emporter. »

Il la laisse à ces mots, n'ayant pas le courage,
Ni les yeux assez inhumains,
Pour voir arracher de ses mains
De leur amour l'unique gage ;
Elle de mille pleurs se baigne le visage,

---

a : raffinement, distinction.

Et dans un morne accablement
Attend de son malheur le funeste moment.

Dès que d'une action si triste et si cruelle
Le ministre[a] odieux à ses yeux se montra,
« Il faut obéir », lui dit-elle ;
Puis prenant son Enfant qu'elle considéra,
Qu'elle baisa d'une ardeur maternelle,
Qui de ses petits bras tendrement la serra,
Toute en pleurs elle le livra.
Ah ! que sa douleur fut amère !
Arracher l'enfant ou le cœur
Du sein d'une si tendre Mère,
C'est la même douleur.

Près de la Ville était un Monastère,
Fameux par son antiquité,
Où des Vierges vivaient dans une règle austère,
Sous les yeux d'une Abbesse illustre en piété.
Ce fut là que dans le silence,
Et sans déclarer[b] sa naissance,
On déposa l'Enfant, et des bagues[c] de prix,
Sous l'espoir d'une récompense
Digne des soins que l'on en aurait pris.

Le Prince qui tâchait d'éloigner par la chasse
Le vif remords qui l'embarrasse
Sur l'excès de sa cruauté,
Craignait de revoir la Princesse,
Comme on craint de revoir une fière Tigresse
A qui son faon[d] vient d'être ôté ;
Cependant il en fut traité

---

a : agent, celui qui exécute.
b : éclaircir, exposer clairement.
c : voir p. 90, c.
d : le petit de n'importe quel animal.

Avec douceur, avec caresse[a],
Et même avec cette tendresse
Qu'elle eut aux plus beaux jours de sa prospérité.

Par cette complaisance et si grande et si prompte,
Il fut touché de regret et de honte ;
Mais son chagrin[b] demeura le plus fort :
Ainsi, deux jours après, avec des larmes feintes,
Pour lui porter encor de plus vives atteintes,
Il lui vint dire que la Mort
De leur aimable Enfant avait fini le sort.

Ce coup inopiné mortellement la blesse ;
Cependant malgré sa tristesse,
Ayant vu son Époux qui changeait de couleur,
Elle parut oublier son malheur,
Et n'avoir même de tendresse
Que pour le consoler de sa fausse douleur.

Cette bonté, cette ardeur sans égale
D'amitié conjugale,
Du Prince tout à coup désarmant la rigueur,
Le touche, le pénètre et lui change le cœur,
Jusques-là qu'il lui prend envie
De déclarer que leur Enfant
Jouit encore de la vie ;
Mais sa bile[c] s'élève et fière lui défend
De rien découvrir du mystère
Qu'il peut être utile de taire.

Dès ce bienheureux jour telle des deux Époux
Fut la mutuelle tendresse,
Qu'elle n'est point plus vive aux moments les plus
Entre l'Amant et la Maîtresse. [doux

---

a : compliment, démonstration d'amitié, de bienveillance.
b : humeur inquiète et tourmentée.
c : bile noire dont l'afflux provoque la mélancolie (voir p. 294).

Quinze fois le Soleil, pour former les saisons,
Habita tour à tour dans ses douze maisons[a],
Sans rien voir qui les désunisse ;
Que si quelquefois par caprice
Il prend plaisir à la fâcher,
C'est seulement pour empêcher
Que l'amour ne se ralentisse,
Tel que le Forgeron qui pressant son labeur,
Répand un peu d'eau sur la braise
De sa languissante fournaise
Pour en redoubler la chaleur.

Cependant la jeune Princesse
Croissait en esprit, en sagesse ;
A la douceur, à la naïveté[b]
Qu'elle tenait de son aimable Mère,
Elle joignit de son illustre Père
L'agréable et noble fierté ;
L'amas[c] de ce qui plaît dans chaque caractère
Fit une parfaite beauté.

Partout comme un Astre elle brille ;
Et par hasard un Seigneur de la Cour,
Jeune, bien fait et plus beau que le jour,
L'ayant vue paraître à la grille[d],
Conçut pour elle un violent amour.
Par l'instinct qu'au beau sexe a donné la Nature
Et que toutes les Beautés ont
De voir l'invisible blessure
Que font leurs yeux, au moment qu'ils la font,

---

a : terme d'astrologie. Les maisons du ciel, ou maisons du soleil, constituent les douze divisions du ciel en astrologie. A chacune correspondent des propriétés et un signe du zodiaque.
b : simplicité naturelle et gracieuse.
c : addition, assemblage.
d : barrière en petits carreaux fort serrés qui sépare en deux le parloir d'un couvent.

La Princesse fut informée
Qu'elle était tendrement aimée.

Après avoir quelque temps résisté
Comme on le doit avant que de se rendre,
D'un amour également tendre
Elle l'aima de son côté.

Dans cet Amant, rien n'était à reprendre,
Il était beau, vaillant, né d'illustres aïeux
Et dès longtemps[a] pour en faire son Gendre
Sur lui le Prince avait jeté les yeux.
Ainsi donc avec joie il apprit la nouvelle
De l'ardeur tendre et mutuelle
Dont brûlaient ces jeunes Amants ;
Mais il lui prit une bizarre envie
De leur faire acheter par de cruels tourments
Le plus grand bonheur de leur vie.

« Je me plairai, dit-il, à les rendre contents ;
Mais il faut que l'Inquiétude[b],
Par tout ce qu'elle a de plus rude,
Rende encor leurs feux plus constants ;
De mon Épouse en même temps
J'exercerai la patience,
Non point, comme jusqu'à ce jour,
Pour assurer ma folle défiance,
Je ne dois plus douter de son amour ;
Mais pour faire éclater aux yeux de tout le Monde
Sa Bonté, sa Douceur, sa Sagesse profonde,
Afin que de ces dons si grands, si précieux,
La Terre se voyant parée,
En soit de respect pénétrée,
Et par reconnaissance en rende grâce aux Cieux. »

---

a : depuis longtemps.
b : agitation pénible et douloureuse causée par la crainte.

Il déclare en public que manquant de lignée,
En qui l'État un jour retrouve son Seigneur,
Que la fille qu'il eut de son fol hyménée[a],
Étant morte aussitôt née,
Il doit ailleurs chercher plus de bonheur ;
Que l'Épouse qu'il prend est d'illustre naissance,
Qu'en un Convent[b] on l'a jusqu'à ce jour
Fait élever dans l'innocence,
Et qu'il va par l'hymen couronner son amour.

On peut juger à quel point fut cruelle
Aux deux jeunes Amants cette affreuse nouvelle ;
Ensuite, sans marquer ni chagrin, ni douleur,
Il avertit son Épouse fidèle
Qu'il faut qu'il se sépare d'elle
Pour éviter un extrême malheur ;
Que le Peuple indigné de sa basse naissance
Le force à prendre ailleurs une digne alliance.

« Il faut, dit-il, vous retirer
Sous votre toit de chaume et de fougère
Après avoir repris vos habits de Bergère
Que je vous ai fait préparer. »

Avec une tranquille et muette constance,
La Princesse entendit prononcer sa sentence ;
Sous les dehors d'un visage serein
Elle dévorait son chagrin,
Et sans que la douleur diminuât ses charmes,
De ses beaux yeux tombaient de grosses larmes,
Ainsi que quelquefois au retour du Printemps,
Il fait Soleil et pleut en même temps.

---

a : mariage.
b : couvent.

« Vous êtes mon Époux, mon Seigneur, et mon
[Maître[19]
(Dit-elle en soupirant, prête à s'évanouir),
Et quelque affreux que soit ce que je viens d'ouïr,
Je saurai vous faire connaître[a]
Que rien ne m'est si cher que de vous obéir. »

Dans sa chambre aussitôt seule elle se retire,
Et là se dépouillant de ses riches habits,
Elle reprend paisible et sans rien dire,
Pendant que son cœur en soupire,
Ceux qu'elle avait en gardant ses brebis.

En cet humble et simple équipage[b],
Elle aborde le Prince et lui tient ce langage :

« Je ne puis m'éloigner de vous
Sans le pardon d'avoir su vous déplaire ;
Je puis souffrir le poids de ma misère,
Mais je ne puis, Seigneur, souffrir votre courroux ;
Accordez cette grâce à mon regret sincère,
Et je vivrai contente en mon triste séjour,
Sans que jamais le Temps altère
Ni mon humble respect, ni mon fidèle amour. »

Tant de soumission et tant de grandeur d'âme
Sous un si vil habillement,
Qui dans le cœur du Prince en ce même moment
Réveilla tous les traits[c] de sa première flamme,
Allaient casser l'arrêt de son bannissement.
Ému par de si puissants charmes,
Et prêt à répandre des larmes,
Il commençait à s'avancer

---

a : comprendre.
b : manière dont une personne est vêtue.
c : tout ce qui, se mouvant rapidement, est comparé à une arme lancée.

Pour l'embrasser,
Quand tout à coup l'impérieuse gloire
D'être ferme en son sentiment
Sur son amour remporta la victoire,
Et le fit en ces mots répondre durement :

« De tout le temps passé j'ai perdu la mémoire,
Je suis content de votre repentir,
Allez, il est temps de partir. »

Elle part aussitôt, et regardant son Père
Qu'on avait revêtu de son rustique habit,
Et qui, le cœur percé d'une douleur amère,
Pleurait un changement si prompt et si subit :
« Retournons, lui dit-elle, en nos sombres bocages,
Retournons habiter nos demeures sauvages,
Et quittons sans regret la pompe des Palais ;
Nos cabanes n'ont pas tant de magnificence,
Mais on y trouve avec plus d'innocence,
Un plus ferme repos, une plus douce paix. »

Dans son désert[a] à grand-peine arrivée,
Elle reprend et quenouille et fuseaux,
Et va filer au bord des mêmes eaux
Où le Prince l'avait trouvée.
Là son cœur tranquille et sans fiel
Cent fois le jour demande au Ciel
Qu'il comble son Époux de gloire, de richesses,
Et qu'à tous ses désirs il ne refuse rien ;
Un Amour nourri de caresses
N'est pas plus ardent que le sien.

Ce cher Époux qu'elle regrette
Voulant encore l'éprouver,
Lui fait dire dans sa retraite
Qu'elle ait à le venir trouver.

---

a : solitude, retraite, endroit isolé, à l'écart du monde.

« Griselidis, dit-il, dès qu'elle se présente,
Il faut que la Princesse à qui je dois demain
Dans le Temple donner la main[a],
De vous et de moi soit contente.
Je vous demande ici tous vos soins, et je veux
Que vous m'aidiez à plaire à l'objet de mes vœux ;
Vous savez de quel air il faut que l'on me serve,
Point d'épargne, point de réserve ;
Que tout sente le Prince, et le Prince amoureux.

Employez toute votre adresse
A parer son appartement,
Que l'abondance, la richesse,
La propreté[b], la politesse[c]
S'y fasse voir également ;
Enfin songez incessamment[d]
Que c'est une jeune Princesse
Que j'aime tendrement.

Pour vous faire entrer davantage
Dans les soins de votre devoir,
Je veux ici vous faire voir
Celle qu'à bien servir mon ordre vous engage. »

Telle qu'aux Portes du Levant
Se montre la naissante Aurore,
Telle parut en arrivant
La Princesse plus belle encore.
Griselidis à son abord
Dans le fond de son cœur sentit un doux transport
De la tendresse maternelle ;
Du temps passé, de ses jours bienheureux,
Le souvenir en son cœur se rappelle :

---

a : me marier.
b : élégance, bon goût de l'ameublement.
c : raffinement, distinction.
d : sans cesse.

« Hélas ! ma fille, en soi-même dit-elle,
Si le Ciel favorable eût écouté mes vœux,
Serait presque aussi grande, et peut-être aussi belle. »

Pour la jeune Princesse en ce même moment
Elle prit un amour si vif, si véhément,
Qu'aussitôt qu'elle fut absente,
En cette sorte au Prince elle parla,
Suivant, sans le savoir, l'instinct qui s'en mêla :

« Souffrez, Seigneur, que je vous représente
Que cette Princesse charmante,
Dont vous allez être l'Époux,
Dans l'aise, dans l'éclat, dans la pourpre nourrie,
Ne pourra supporter, sans en perdre la vie,
Les mêmes traitements que j'ai reçus de vous.

Le besoin, ma naissance obscure,
M'avaient endurcie aux travaux.
Et je pouvais souffrir toutes sortes de maux
Sans peine et même sans murmure ;
Mais elle qui jamais n'a connu la douleur,
Elle mourra dès la moindre rigueur,
Dès la moindre parole un peu sèche, un peu dure.
Hélas ! Seigneur, je vous conjure
De la traiter avec douceur.

— Songez, lui dit le Prince avec un ton sévère,
A me servir selon votre pouvoir,
Il ne faut pas qu'une simple Bergère
Fasse des leçons, et s'ingère
De m'avertir de mon devoir. »
Griselidis, à ces mots, sans rien dire,
Baisse les yeux et se retire.

Cependant pour l'Hymen les Seigneurs invités,
Arrivèrent de tous côtés ;
Dans une magnifique salle

Où le Prince les assembla
Avant que d'allumer la torche nuptiale,
En cette sorte il leur parla :

« Rien au monde, après l'Espérance,
N'est plus trompeur que l'Apparence ;
Ici l'on en peut voir un exemple éclatant.
Qui ne croirait que ma jeune Maîtresse,
Que l'Hymen va rendre Princesse,
Ne soit heureuse et n'ait le cœur content ?
Il n'en est rien pourtant.

Qui pourrait s'empêcher de croire
Que ce jeune Guerrier amoureux de la gloire
N'aime à voir cet Hymen, lui qui dans les Tournois
Va sur tous ses Rivaux remporter la victoire ?
Cela n'est pas vrai toutefois.

Qui ne croirait encor qu'en sa juste colère,
Griselidis ne pleure et ne se désespère ?
Elle ne se plaint point, elle consent à tout,
Et rien n'a pu pousser sa patience à bout.

Qui ne croirait enfin que de ma destinée,
Rien ne peut égaler la course fortunée,
En voyant les appas de l'objet de mes vœux ?
Cependant si l'Hymen me liait de ses nœuds,
J'en concevrais une douleur profonde,
Et de tous les Princes du Monde
Je serais le plus malheureux.

L'Énigme vous paraît difficile à comprendre ;
Deux mots vont vous la faire entendre[a],
Et ces deux mots feront évanouir
Tous les malheurs que vous venez d'ouïr.

---

a : comprendre.

Sachez, poursuivit-il, que l'aimable Personne
Que vous croyez m'avoir blessé le cœur,
Est ma Fille, et que je la donne
Pour Femme à ce jeune Seigneur
Qui l'aime d'un amour extrême,
Et dont il est aimé de même.

Sachez encor, que touché vivement
De la patience et du zèle
De l'Épouse sage et fidèle
Que j'ai chassée indignement,
Je la reprends, afin que je répare,
Par tout ce que l'amour peut avoir de plus doux,
Le traitement dur et barbare
Qu'elle a reçu de mon esprit jaloux.

Plus grande sera mon étude[a]
A prévenir tous ses désirs,
Qu'elle ne fut dans mon inquiétude[b]
A l'accabler de déplaisirs[c] ;
Et si dans tous les temps doit vivre la mémoire
Des ennuis[d] dont son cœur ne fut point abattu,
Je veux que plus encore on parle de la gloire
Dont j'aurai couronné sa suprême vertu. »

Comme quand un épais nuage
A le jour obscurci,
Et que le Ciel de toutes parts noirci,
Menace d'un affreux orage ;
Si de ce voile obscur par les vents écarté
Un brillant rayon de clarté
Se répand sur le paysage,
Tout rit et reprend sa beauté ;

---

a : zèle, application.
b : période d'agitation pénible et douloureuse.
c : douleurs.
d : tourments.

Telle, dans tous les yeux où régnait la tristesse,
Éclate tout à coup une vive allégresse.

Par ce prompt éclaircissement,
La jeune Princesse ravie
D'apprendre que du Prince elle a reçu la vie
Se jette à ses genoux qu'elle embrasse[a] ardemment.
Son père qu'attendrit une fille si chère,
La relève, la baise, et la mène à sa mère,
A qui trop de plaisir en un même moment
Otait presque tout sentiment.
Son cœur, qui tant de fois en proie
Aux plus cuisants traits du malheur,
Supporta si bien la douleur,
Succombe au doux poids de la joie ;
A peine de ses bras pouvait-elle serrer
L'aimable Enfant que le Ciel lui renvoie,
Elle ne pouvait que pleurer.

« Assez dans d'autres temps vous pourrez satisfaire,
Lui dit le Prince, aux tendresses du sang ;
Reprenez les habits qu'exige votre rang,
Nous avons des noces à faire. »

Au Temple on conduisit les deux jeunes Amants,
Où la mutuelle promesse
De se chérir avec tendresse
Affermit pour jamais leurs doux engagements.
Ce ne sont que Plaisirs, que Tournois magnifiques,
Que Jeux, que Danses, que Musiques,
Et que Festins délicieux,
Où sur Griselidis se tournent tous les yeux,
Où sa patience éprouvée
Jusques au Ciel est élevée
Par mille éloges glorieux :
Des Peuples réjouis la complaisance est telle

---

a : entoure de ses bras.

Pour leur Prince capricieux,
Qu'ils vont jusqu'à louer son épreuve cruelle,
A qui d'une vertu si belle,
Si séante au beau sexe, et si rare en tous lieux,
On doit un si parfait modèle.

A MONSIEUR ***[1]
EN LUI ENVOYANT
GRISELIDIS

Si je m'étais rendu à tous les différents avis qui m'ont été donnés sur l'Ouvrage que je vous envoie, il n'y serait rien demeuré[2] que le Conte tout sec et tout uni[a], et en ce cas j'aurais mieux fait de n'y pas toucher et de le laisser dans son papier bleu[3] où il est depuis tant d'années. Je le lus d'abord à deux de mes Amis. « Pourquoi, dit l'un, s'étendre si fort sur le caractère de votre Héros ? Qu'a-t-on à faire de savoir ce qu'il faisait le matin dans son Conseil, et moins encore à quoi il se divertissait l'après-dînée ? Tout cela est bon à retrancher. — Otez-moi, je vous prie, dit l'autre, la réponse enjouée qu'il fait aux Députés de son Peuple qui le pressent de se marier ; elle ne convient point à un Prince grave et sérieux. Vous voulez bien encore, poursuivit-il, que je vous conseille de supprimer la longue description de votre chasse : qu'importe tout cela au fond de votre histoire ? Croyez-moi, ce sont de vains et ambitieux ornements, qui appauvrissent votre Poème

a : sans aucun ornement.

au lieu de l'enrichir. Il en est de même, ajouta-t-il, des préparatifs qu'on fait pour le mariage du Prince, tout cela est oiseux et inutile. Pour vos Dames qui rabaissent leurs coiffures, qui couvrent leurs gorges, et qui allongent leurs manches, froide plaisanterie, aussi bien que celle de l'Orateur qui s'applaudit de son éloquence. — Je demande encore, reprit celui qui avait parlé le premier, que vous ôtiez les réflexions Chrétiennes de Griselidis, qui dit que c'est Dieu qui veut l'éprouver ; c'est un sermon hors de sa place. Je ne saurais encore souffrir les inhumanités de votre Prince ; elles me mettent en colère, je les supprimerais. Il est vrai qu'elles sont de l'Histoire, mais il n'importe. J'ôterais encore l'Épisode du jeune Seigneur qui n'est là que pour épouser la jeune Princesse, cela allonge trop votre conte. — Mais, lui dis-je, le conte finirait mal sans cela. — Je ne saurais que vous dire, répondit-il, je ne laisserais pas que de l'ôter[a]. » A quelques jours de là, je fis la même lecture à deux autres de mes Amis, qui ne me dirent pas un seul mot sur les endroits dont je viens de parler, mais qui en reprirent quantité d'autres. « Bien loin de me plaindre de la rigueur de votre critique, leur dis-je, je me plains de ce qu'elle n'est pas assez sévère : vous m'avez passé une infinité d'endroits que l'on trouve très dignes de censure. — Comme quoi ? dirent-ils. — On trouve, leur dis-je, que le caractère du Prince est trop étendu, et qu'on n'a que faire de savoir ce qu'il faisait le matin et encore moins l'après-dînée. — On se moque de vous, dirent-ils tous deux ensemble, quand on vous fait de semblables critiques. — On blâme, poursuivis-je, la réponse que fait le Prince à ceux qui le pressent de se marier, comme trop enjouée et indigne d'un Prince grave et sérieux. — Bon, reprit l'un d'eux ; et où est

a : je l'ôterais.

l'inconvénient qu'un jeune Prince d'Italie, pays où l'on est accoutumé à voir les hommes les plus graves et les plus élevés en dignité dire des plaisanteries, et qui d'ailleurs fait profession de mal parler et des femmes et du mariage, matières si sujettes à la raillerie, se soit un peu réjoui sur cet article ? Quoi qu'il en soit, je vous demande grâce pour cet endroit comme pour celui de l'Orateur qui croyait avoir converti le Prince, et pour le rabaissement des coiffures ; car ceux qui n'ont pas aimé la réponse enjouée du Prince, ont bien la mine d'avoir fait main basse sur ces deux endroits-là. — Vous l'avez deviné, lui dis-je. Mais d'un autre côté, ceux qui n'aiment que les choses plaisantes n'ont pu souffrir les réflexions Chrétiennes de la Princesse, qui dit que c'est Dieu qui la veut éprouver. Ils prétendent que c'est un sermon hors de propos. — Hors de propos, reprit l'autre ? Non seulement ces réflexions conviennent au sujet, mais elles y sont absolument nécessaires. Vous aviez besoin de rendre croyable la Patience de votre Héroïne ; et quel autre moyen aviez-vous que de lui faire regarder les mauvais traitements de son Époux comme venants de la main de Dieu ? Sans cela, on la prendrait pour la plus stupide de toutes les femmes, ce qui ne ferait pas assurément un bon effet. — On blâme encore, leur dis-je, l'Épisode du jeune Seigneur qui épouse la jeune Princesse. — On a tort, reprit-il ; comme votre Ouvrage est un véritable Poème, quoique vous lui donniez le titre de Nouvelle, il faut qu'il n'y ait rien à désirer quand il finit. Cependant si la jeune Princesse s'en retournait dans son Convent[a] sans être mariée après s'y être attendue, elle ne serait point contente ni ceux qui liraient

a : couvent.

la Nouvelle[4]. » Ensuite de[a] cette conférence[b], j'ai pris le parti de laisser mon Ouvrage tel à peu près qu'il a été lu dans l'Académie. En un mot, j'ai eu soin de corriger les choses qu'on m'a fait voir être mauvaises en elles-mêmes ; mais à l'égard de celles que j'ai trouvées n'avoir point d'autre défaut que de n'être pas au goût de quelques personnes peut-être un peu trop délicates, j'ai cru n'y devoir pas toucher.

> Est-ce une raison décisive
> D'ôter un bon mets d'un repas,
> Parce qu'il s'y trouve un Convive
> Qui par malheur ne l'aime pas ?
> Il faut que tout le monde vive,
> Et que les mets, pour plaire à tous,
> Soient différents comme les goûts.

Quoi qu'il en soit, j'ai cru devoir m'en remettre au Public qui juge toujours bien. J'apprendrai de lui ce que j'en dois croire, et je suivrai exactement tous ses avis, s'il m'arrive jamais de faire une seconde édition de cet Ouvrage[5].

---

a : après.
b : entretien sur un sujet quelconque entre deux ou plusieurs personnes.

Peau d'Ane

Conte

NOTICE

La Porte, premier valet de chambre de Louis XIV, relate dans ses Mémoires *qu'en 1645, quand son maître sortit des mains des femmes, « ce qui lui fit le plus de peine était qu'on ne lui pouvait fournir des contes de Peau d'Ane, avec lesquels les femmes avaient coutume de l'endormir ». Prototype même du conte, peut-être titre sans contenu,* Peau d'Ane *désignait sans autre précision toutes ces histoires de transmission orale, donc sujettes à variations, narrées par les vieilles à la veillée et objet du mépris des doctes. « Qu'aurait-on dit de Virgile, bon Dieu ! si à la descente d'Enée dans l'Italie, il lui avait fait conter par un hôtelier* L'Histoire de Peau d'Ane, *ou* Les Contes de ma Mère l'Oye *? » Telle est selon Boileau, dans sa* Dissertation sur Joconde *de 1669, la définition du burlesque, définition qui assigne à la tradition populaire la dernière place dans l'échelle de la création littéraire.*

En 1547, le conteur rennais Noël Du Fail décrit dans ses Propos rustiques *une veillée où le bonhomme Robin Chevet narre « un beau conte du temps où les bêtes parlaient » et « les contes de la corneille qui en chantant perdit son fromage, de Mélusine, du loup-garou, de Cuir d'Anette et des fées ». Le secrétaire interprète du roi, Antoine Oudin, donne dans ses* Curiosités françaises *de 1640, ces expressions synonymes : « Contes de Peau d'ânon, Contes au vieux loup ou Contes de ma commère l'Oye ». La petite Louison du* Malade imaginaire *propose à son père Argan, en 1673, « le conte de Peau d'Ane, ou bien la* Fable du Corbeau et du Renard *qu'on [lui] a apprise depuis peu » (II, 8). Et La Fontaine confesse, en 1678, dans* Le Pouvoir des fables, *l'irrésistible attirance de tous les publics pour les contes : « Si peau d'Ane m'était conté/J'y prendrais un plaisir extrême./Le monde est vieux, dit-on : je le crois ; cependant/Il le faut amuser encor comme un enfant » (*Fables, *VIII, 4).*

La version en vers de Perrault du conte de Peau d'Ane *fut publiée pour la première fois en 1694 chez les Coignard à Paris, avec* Griselidis *et* Les Souhaits ridicules *qui en étaient respectivement à leur troisième et seconde éditions. Rééditée deux fois à Paris, en 1694 et 1695, et à La Haye en 1694, elle disparaît des fonds des libraires jusqu'en 1776, où elle reparaît dans la Bibliothèque universelle des romans. A partir de 1781, une version en prose anonyme a fréquemment remplacé celle de notre auteur dans des volumes intitulés* Contes de Perrault.

Flaubert, ainsi, écrit à Louise Colet, le 16 décembre 1852 : « J'ai lu ces jours-ci les contes de fées de Perrault ; c'est charmant, charmant. Que dis-tu de cette phrase : La chambre était si petite que la queue de cette belle robe ne pouvait s'étendre. *Est-ce énorme d'effet, hein ? (...) Et dire que, tant que les Français vivront, Boileau passera pour être un plus grand poète que cet homme-là. » Eh bien, il se délecte de la version apocryphe, celle que Hetzel demanda à Gustave Doré d'illustrer. De là proviennent ces gravures, étranges pour l'amateur de Perrault, de la consultation d'un druide, avec chêne et gui, ou de cette infante en cabriolet tiré par un mouton. L'auteur de l'article « Peau d'Ane » du* Grand Dictionnaire universel *de Pierre Larousse (1865) ne connaît curieusement que cette version, qu'il date — sans dire sur quels critères — de 1715 mais qu'il n'attribue pas à notre auteur et dont il ne semble pas goûter le style fleuri et le bavardage.*

Quelles sont les versions de ce conte si populaire que Perrault aura pu lire ? Vers 1570, la quatrième édition des Nouvelles récréations et joyeux devis *de Bonaventure des Periers s'était augmentée d'une trentaine de contes parmi lesquels l'aventure de Pernette dont le père voulut qu'elle « ne vêtît autre habit qu'une peau d'âne qu'il lui acheta, pensant par ce moyen la mettre au désespoir et en dégoûter son ami ». Cependant cette jeune fille, aidée par des fourmis pleines de compassion, a peu à voir avec notre Peau d'Ane. Straparole (*Facétieuses nuits, *I, 4) propose l'histoire tragique de* « Thibaud, prince de Salerne, *[qui]* veut épouser sa fille Doralice, laquelle, étant sollicitée du père, arriva en Angleterre, où Génèse l'épouse, et a deux enfants d'elle, qui furent mis à mort par Thibaud *[ce]* dont Génèse se vengea depuis ». *Doralice ne revêt pas de peau de bête et ne reçoit l'aide que de sa nourrice ; pourtant c'est l'anneau de sa mère défunte qu'elle essaie par jeu et qui lui convient, qui excite chez le père la coupable passion.* L'Histoire de la belle Heleine de Constantinople, mère de saint Martin de Tours et de saint Brice son frère, *diffusée au XVII*[e] *siècle par les colporteurs, assemble des fragments de diverses traditions : amours incestueuses du père, fuite de la fille en Angleterre, mariage avec le roi, jalousie de la belle-mère, mise à mort des deux enfants... Quant à* La Fleur des Vies des Saints *du jésuite Pierre Ribadeneira, publiée à Madrid en 1616 et plusieurs fois traduite en français, elle conte que Dipne, fille chrétienne d'un roi païen d'Irlande qui veut l'épou-*

ser, demande quarante jours de délai et se recommande à Dieu. Tous les jours, son père lui offre robes et bijoux pour les noces. Le délai près d'expirer, elle fuit avec le prêtre Gerbern, et débarque à Anvers. Son père les y rejoint, fait égorger le prêtre, décapiter sa fille et va se pendre. Pretiosa, dans le Pentamerone *de Basile (*L'Ourse, *II, 6) échappe à son père grâce à l'aide d'une vieille fée : un bâtonnet magique, placé dans sa bouche, permet sa métamorphose en ourse. Capturée par un prince, qui l'a aperçue sous sa forme de jeune fille, l'ourse fait la conquête de la reine et tout finit par un mariage heureux.*

Allerleirauh (Peau de toutes bêtes) *des frères Grimm (*Contes des enfants et du foyer, *n° 65) revêt le manteau de mille fourrures qu'elle avait demandé à son père et se noircit de suie pour lui échapper. A quelques détails près, son histoire démarque celle de notre Peau d'Ane.*

Les interprètes n'ont pas manqué pour ce récit qui combine l'amour incestueux, la dissimulation sous une peau de bête et la reconnaissance finale grâce à un anneau. L'interprétation mythologique prétend y reconnaître le soleil dévorant ses enfants ; les ritualistes identifient Peau d'Ane à la reine du carnaval puisqu'elle fait la galette et y introduit en guise de fève un anneau. On souligne enfin les rapports étroits qui unissent ce conte avec le cycle de Cendrillon (les trois robes de Peau d'Ane et son anneau correspondraient aux robes de bal et aux pantoufles de Cendrillon).

PEAU D'ANE

A Madame la Marquise de L***[1]

Il est des gens de qui l'esprit guindé,
Sous un front jamais déridé,
Ne souffre, n'approuve et n'estime
Que le pompeux et le sublime.
Pour moi, j'ose poser en fait
Qu'en de certains moments l'esprit le plus parfait
Peut aimer sans rougir jusqu'aux Marionnettes[2] ;
Et qu'il est des temps et des lieux
Où le grave et le sérieux
Ne valent pas d'agréables sornettes.
Pourquoi faut-il s'émerveiller
Que la Raison la mieux sensée,
Lasse souvent de trop veiller,
Par des contes d'Ogre et de Fée
Ingénieusement bercée,
Prenne plaisir à sommeiller ?

Sans craindre donc qu'on me condamne
De mal employer mon loisir,
Je vais, pour contenter votre juste désir,
Vous conter tout au long l'histoire de Peau d'Ane[3].

*

Il était une fois un Roi,
Le plus grand qui fût sur la Terre,
Aimable en Paix, terrible en Guerre,
Seul enfin comparable à soi.
Ses voisins le craignaient, ses États étaient calmes,
Et l'on voyait de toutes parts
Fleurir, à l'ombre de ses palmes[a],
Et les Vertus et les beaux Arts[4].
Son aimable Moitié, sa Compagne fidèle,
Était si charmante et si belle,
Avait l'esprit si commode et si doux
Qu'il était encor avec elle
Moins heureux Roi qu'heureux époux.
De leur tendre et chaste Hyménée[b]
Plein de douceur et d'agrément,
Avec tant de vertus une fille était née
Qu'ils se consolaient aisément
De n'avoir pas de plus ample lignée.

Dans son vaste et riche Palais
Ce n'était que magnificence ;
Partout y fourmillait une vive abondance
De Courtisans et de Valets ;
Il avait dans son Écurie
Grands et petits chevaux de toutes les façons,
Couverts de beaux caparaçons,
Roides d'or et de broderie ;
Mais ce qui surprenait tout le monde en entrant,
C'est qu'au lieu le plus apparent[c],
Un maître Ane étalait ses deux grandes oreilles.
Cette injustice vous surprend,

---

a : symbole du triomphe, de la victoire.
b : mariage.
c : remarquable, de premier rang.

Mais lorsque vous saurez ses vertus nonpareilles,
Vous ne trouverez pas que l'honneur fût trop grand.
Tel et si net[a] le forma la Nature
Qu'il ne faisait jamais d'ordure,
Mais bien beaux Écus au soleil[5]
Et Louis de toute manière,
Qu'on allait recueillir sur la blonde litière
Tous les matins à son réveil.

Or le Ciel qui parfois se lasse
De rendre les hommes contents,
Qui toujours à ses biens mêle quelque disgrâce,
Ainsi que la pluie au beau temps,
Permit qu'une âpre maladie
Tout à coup de la Reine attaquât les beaux jours.
Partout on cherche du secours ;
Mais ni la Faculté qui le Grec[6] étudie,
Ni les Charlatans[7] ayant cours,
Ne purent tous ensemble arrêter l'incendie
Que la fièvre allumait en s'augmentant toujours.

Arrivée à sa dernière heure
Elle dit au Roi son Époux :
« Trouvez bon qu'avant que je meure
J'exige une chose de vous ;
C'est que s'il vous prenait envie
De vous remarier quand je n'y serai plus...
— Ah ! dit le Roi, ces soins[b] sont superflus,
Je n'y songerai de ma vie,
Soyez en repos là-dessus.
— Je le crois bien, reprit la Reine,
Si j'en prends à témoin votre amour véhément ;
Mais pour m'en rendre plus certaine,
Je veux avoir votre serment,

---

a : propre.
b : soucis, préoccupations.

Adouci toutefois par ce tempérament[a]
Que si vous rencontrez une femme plus belle,
Mieux faite et plus sage que moi,
Vous pourrez franchement[b] lui donner votre foi
Et vous marier avec elle. »
Sa confiance en ses attraits
Lui faisait regarder une telle promesse
Comme un serment, surpris avec adresse,
De ne se marier jamais.

Le Prince jura donc, les yeux baignés de larmes,
Tout ce que la Reine voulut ;
La Reine entre ses bras mourut,
Et jamais un Mari ne fit tant de vacarmes.
A l'ouïr sangloter et les nuits et les jours,
On jugea que son deuil ne lui durerait guère,
Et qu'il pleurait ses défuntes Amours
Comme un homme pressé qui veut sortir d'affaire.

On ne se trompa point. Au bout de quelques mois
Il voulut procéder à faire un nouveau choix ;
Mais ce n'était pas chose aisée,
Il fallait garder son serment
Et que la nouvelle Épousée
Eût plus d'attraits et d'agrément
Que celle qu'on venait de mettre au monument[c].

Ni la Cour en beautés fertile,
Ni la Campagne, ni la Ville,
Ni les Royaumes d'alentour
Dont on alla faire le tour,
N'en purent fournir une telle ;
L'Infante seule était plus belle
Et possédait certains tendres appas

---

a : adoucissement, atténuation.
b : en toute liberté.
c : tombeau.

Que la défunte n'avait pas.
Le Roi le remarqua lui-même
Et brûlant d'un amour extrême,
Alla follement s'aviser
Que par cette raison il devait l'épouser.
Il trouva même un Casuiste[8]
Qui jugea que le cas se pouvait proposer[a].
Mais la jeune Princesse triste
D'ouïr parler d'un tel amour,
Se lamentait et pleurait nuit et jour.

De mille chagrins l'âme pleine,
Elle alla trouver sa Marraine,
Loin, dans une grotte à l'écart
De Nacre et de Corail richement étoffée[b].
C'était une admirable Fée
Qui n'eut jamais de pareille en son Art.
Il n'est pas besoin qu'on vous die[9]
Ce qu'était une Fée en ces bienheureux temps ;
Car je suis sûr que votre Mie[c]
Vous l'aura dit dès vos plus jeunes ans.

« Je sais, dit-elle, en voyant la Princesse,
Ce qui vous fait venir ici,
Je sais de votre cœur la profonde tristesse ;
Mais avec moi n'ayez plus de souci.
Il n'est rien qui vous puisse nuire
Pourvu qu'à mes conseils vous vous laissiez conduire.
Votre Père, il est vrai, voudrait vous épouser ;
Écouter sa folle demande
Serait une faute bien grande,
Mais sans le contredire on le peut refuser[d].

---

a : exposer une chose pour qu'on l'examine, qu'on en délibère.
b : garnie, décorée.
c : gouvernante.
d : refuser en mariage.

Dites-lui qu'il faut qu'il vous donne
Pour rendre vos désirs contents,
Avant qu'à son amour votre cœur s'abandonne,
Une Robe qui soit de la couleur du Temps[a].
Malgré tout son pouvoir et toute sa richesse,
Quoique le Ciel en tout favorise ses vœux,
Il ne pourra jamais accomplir sa promesse. »

Aussitôt la jeune Princesse
L'alla dire en tremblant à son Père amoureux
Qui dans le moment fit entendre
Aux Tailleurs les plus importants
Que s'ils ne lui faisaient, sans trop le faire attendre,
Une Robe qui fût de la couleur du Temps,
Ils pouvaient s'assurer qu'il les ferait tous pendre.

Le second jour ne luisait pas encor
Qu'on apporta la Robe désirée ;
Le plus beau bleu de l'Empyrée[b]
N'est pas, lorsqu'il est ceint de gros nuages d'or,
D'une couleur plus azurée.
De joie et de douleur l'Infante pénétrée
Ne sait que dire ni comment
Se dérober à son engagement.
« Princesse, demandez-en une,
Lui dit sa Marraine tout bas,
Qui plus brillante et moins commune,
Soit de la couleur de la Lune.
Il ne vous la donnera pas. »
A peine la Princesse en eut fait la demande
Que le Roi dit à son Brodeur :
« Que l'astre de la Nuit n'ait pas plus de splendeur

a : azur.
b : la plus élevée, selon les notions de l'Antiquité, des quatre sphères célestes, celle qui contenait les astres.

Et que dans quatre jours sans faute on me la
[rende[a]. »

Le riche habillement fut fait au jour marqué,
Tel que le Roi s'en était expliqué.
Dans les Cieux où la Nuit a déployé ses voiles,
La Lune est moins pompeuse en sa robe d'argent
Lors même qu'au milieu de son cours diligent
Sa plus vive clarté fait pâlir les étoiles.

La Princesse admirant ce merveilleux habit,
Était à consentir presque délibérée[b] ;
Mais par sa Marraine inspirée,
Au Prince amoureux elle dit :
« Je ne saurais être contente
Que je n'aie une Robe encore plus brillante
Et de la couleur du Soleil. »
Le Prince qui l'aimait d'un amour sans pareil,
Fit venir aussitôt un riche Lapidaire
Et lui commanda de la faire
D'un superbe tissu d'or et de diamants,
Disant que s'il manquait à le bien satisfaire,
Il le ferait mourir au milieu des tourments[c].

Le Prince fut exempt de s'en donner la peine,
Car l'ouvrier industrieux[d],
Avant la fin de la semaine,
Fit apporter l'ouvrage précieux,
Si beau, si vif, si radieux,
Que le blond Amant de Clymène[10]
Lorsque sur la voûte des Cieux
Dans son char d'or il se promène,
D'un plus brillant éclat n'éblouit pas les yeux.

---

a : livre.
b : décidée, résolue.
c : supplices ordonnés par la loi.
d : travailleur habile.

L'Infante que ces dons achèvent de confondre,
A son Père, à son Roi ne sait plus que répondre.
Sa Marraine aussitôt la prenant par la main :
« Il ne faut pas, lui dit-elle à l'oreille,
Demeurer en si beau chemin ;
Est-ce une si grande merveille
Que tous ces dons que vous en recevez,
Tant qu'il aura l'Ane que vous savez,
Qui d'écus d'or sans cesse emplit sa bourse ?
Demandez-lui la peau de ce rare Animal.
Comme il est toute sa ressource,
Vous ne l'obtiendrez pas, ou je raisonne mal. »

Cette fée était bien savante,
Et cependant elle ignorait encor
Que l'amour violent pourvu qu'on le contente,
Compte pour rien l'argent et l'or ;
La peau fut galamment aussitôt accordée
Que l'Infante l'eut demandée.

Cette Peau quand on l'apporta
Terriblement l'épouvanta
Et la fit de son sort amèrement se plaindre.
Sa Marraine survint et lui représenta[a]
Que quand on fait le bien on ne doit jamais craindre ;
Qu'il faut laisser penser au Roi
Qu'elle est tout à fait disposée
A subir avec lui la conjugale Loi,
Mais qu'au même moment, seule et bien déguisée,
Il faut qu'elle s'en aille en quelque État lointain
Pour éviter un mal si proche et si certain.

« Voici, poursuivit-elle, une grande cassette
Où nous mettrons tous vos habits,

---

a : fit voir, expliqua clairement.

Votre miroir, votre toilette[a],
Vos diamants et vos rubis.
Je vous donne encor ma Baguette ;
En la tenant en votre main,
La cassette suivra votre même chemin
Toujours sous la Terre cachée ;
Et lorsque vous voudrez l'ouvrir,
A peine mon bâton la Terre aura touchée
Qu'aussitôt à vos yeux elle viendra s'offrir.

Pour vous rendre méconnaissable,
La dépouille de l'Ane est un masque admirable[b].
Cachez-vous bien dans cette peau,
On ne croira jamais, tant elle est effroyable,
Qu'elle renferme rien de beau.

La Princesse ainsi travestie
De chez la sage Fée à peine fut sortie,
Pendant la fraîcheur du matin,
Que le Prince qui pour la Fête
De son heureux Hymen s'apprête,
Apprend tout effrayé son funeste destin.
Il n'est point de maison, de chemin, d'avenue[c],
Qu'on ne parcoure promptement ;
Mais on s'agite vainement,
On ne peut deviner ce qu'elle est devenue.

Partout se répandit un triste et noir chagrin ;
Plus de Noces, plus de Festin,
Plus de Tarte, plus de Dragées ;
Les Dames de la Cour, toutes découragées,
N'en dînèrent[d] point la plupart ;

---

a : napperon, souvent orné de dentelle d'or ou d'argent, que l'on place sur un coffre ou une petite table et sur lequel on met les objets de toilette, les vêtements de nuit, etc.
b : parfait.
c : passage par lequel on arrive en quelque lieu.
d : déjeunèrent, prirent leur repas de milieu de journée.

Mais du Curé sur tout la tristesse fut grande,
Car il en déjeuna[a] fort tard,
Et qui pis est n'eut point d'offrande[11].

L'Infante cependant poursuivait son chemin,
Le visage couvert d'une vilaine crasse ;
A tous Passants elle tendait la main,
Et tâchait pour servir[b] de trouver une place.
Mais les moins délicats et les plus malheureux
La voyant si maussade[c] et si pleine d'ordure[d],
Ne voulaient écouter ni retirer[e] chez eux
Une si sale créature.

Elle alla donc bien loin, bien loin, encor plus loin ;
Enfin elle arriva dans une Métairie
Où la Fermière avait besoin
D'une souillon[f], dont l'industrie[g]
Allât jusqu'à savoir bien laver des torchons
Et nettoyer l'auge aux Cochons.

On la mit dans un coin au fond de la cuisine
Où les Valets, insolente vermine,
Ne faisaient que la tirailler,
La contredire et la railler ;
Ils ne savaient quelle pièce[h] lui faire,
La harcelant à tout propos ;
Elle était la butte ordinaire
De tous leurs quolibets et de tous leurs bons mots.

---

a : prit son petit déjeuner, le premier repas du jour.
b : entrer au service de quelqu'un comme domestique.
c : déplaisante, malgracieuse.
d : tout ce qui rend sale et malpropre ; ici la crasse et la peau d'âne.
e : accueillir, recevoir.
f : servante employée à la vaisselle et autres corvées où l'on se salit beaucoup.
g : travail, activité.
h : malice, tromperie, moquerie.

Elle avait le Dimanche un peu plus de repos ;
Car, ayant du matin fait sa petite affaire,
Elle entrait dans sa chambre et tenant son huis[a]
[clos,
Elle se décrassait, puis ouvrait sa cassette
Mettait proprement[b] sa toilette[c],
Rangeait dessus ses petits pots.
Devant son grand miroir, contente et satisfaite,
De la Lune tantôt la robe elle mettait,
Tantôt celle où le feu du Soleil éclatait,
Tantôt la belle robe bleue
Que tout l'azur des Cieux ne saurait égaler,
Avec ce chagrin seul que leur traînante queue
Sur le plancher trop court ne pouvait s'étaler.
Elle aimait à se voir jeune, vermeille et blanche
Et plus brave[d] cent fois que nulle autre n'était ;
Ce doux plaisir la sustentait[e]
Et la menait jusqu'à l'autre Dimanche.

J'oubliais à dire en passant
Qu'en cette grande Métairie
D'un Roi magnifique et puissant
Se faisait la Ménagerie[f],
Que là, Poules de barbarie,
Râles, Pintades, Cormorans,
Oisons musqués, Canes Petières[12],
Et mille autres oiseaux de bizarres manières,
Entre eux presque tous différents,
Remplissaient à l'envi dix cours toutes entières.

---

a : sa porte.
b : convenablement, élégamment.
c : voir p. 137 a.
d : élégante.
e : soutenait.
f : lieu bâti près des châteaux et où l'on engraissait ou élevait des bêtes ou des volailles, plus pour l'agrément de les visiter que pour les manger ensuite.

Le fils du Roi dans ce charmant séjour
Venait souvent au retour de la Chasse
Se reposer, boire à la glace[13]
Avec les Seigneurs de sa Cour.
Tel ne fut point le beau Céphale[14] :
Son air était Royal, sa mine martiale,
Propre à faire trembler les plus fiers bataillons.
Peau d'Ane de fort loin le vit avec tendresse,
Et reconnut par cette hardiesse
Que sous sa crasse et ses haillons
Elle gardait encor le cœur d'une Princesse.

« Qu'il a l'air grand, quoiqu'il l'ait négligé,
Qu'il est aimable, disait-elle,
Et que bienheureuse est la belle
A qui son cœur est engagé !
D'une robe de rien s'il m'avait honorée,
Je m'en trouverais plus parée
Que de toutes celles que j'ai. »

Un jour le jeune Prince errant à l'aventure
De basse-cour en basse-cour,
Passa dans une allée obscure
Où de Peau d'Ane était l'humble séjour.
Par hasard il mit l'œil au trou de la serrure.
Comme il était fête ce jour,
Elle avait pris une riche parure
Et ses superbes vêtements
Qui, tissus[a] de fin or et de gros diamants,
Égalaient du Soleil la clarté la plus pure.
Le Prince au gré de son désir
La contemple et ne peut qu'à peine,
En la voyant, reprendre haleine,
Tant il est comblé de plaisir.
Quels que soient les habits, la beauté du visage,

---

a : partipe du verbe *tistre* = tisser ; donc tissés, ornés.

Son beau tour[a], sa vive blancheur,
Ses traits fins, sa jeune fraîcheur
Le touchent cent fois davantage ;
Mais un certain air de grandeur,
Plus encore une sage et modeste pudeur,
Des beautés de son âme assuré témoignage,
S'emparèrent de tout son cœur.

Trois fois, dans la chaleur du feu qui le transporte,
Il voulut enfoncer la porte ;
Mais croyant voir une Divinité,
Trois fois par le respect son bras fut arrêté.

Dans le Palais, pensif il se retire,
Et là, nuit et jour il soupire ;
Il ne veut plus aller au Bal
Quoiqu'on soit dans le Carnaval.
Il hait la Chasse, il hait la Comédie[b],
Il n'a plus d'appétit, tout lui fait mal au cœur,
Et le fond de sa maladie
Est une triste et mortelle langueur.

Il s'enquit quelle était cette Nymphe[c] admirable
Qui demeurait dans une basse-cour,
Au fond d'une allée effroyable,
Où l'on ne voit goutte en plein jour.
« C'est, lui dit-on, Peau d'Ane, en rien Nymphe ni [belle
Et que Peau d'Ane l'on appelle,
A cause de la Peau qu'elle met sur son cou ;
De l'Amour c'est le vrai remède,
La bête en un mot la plus laide,
Qu'on puisse voir après le Loup. »
On a beau dire, il ne saurait le croire ;
Les traits que l'amour a tracés

---

a : tour de visage, visage.
b : le théâtre en général.
c : jeune fille.

Toujours présents à sa mémoire
N'en seront jamais effacés.

Cependant la Reine sa Mère
Qui n'a que lui d'enfant pleure et se désespère ;
De déclarer[a] son mal elle le presse en vain.
Il gémit, il pleure, il soupire,
Il ne dit rien, si ce n'est qu'il désire
Que Peau d'Ane lui fasse un gâteau de sa main ;
Et la Mère ne sait ce que son Fils veut dire.
« Ô Ciel ! Madame, lui dit-on,
Cette Peau d'Ane est une noire Taupe
Plus vilaine encore et plus gaupe[b]
Que le plus sale Marmiton[c].
— N'importe, dit la Reine, il le faut satisfaire
Et c'est à cela seul que nous devons songer. »
Il aurait eu de l'or, tant l'aimait cette Mère,
S'il en avait voulu manger.

Peau d'Ane donc prend sa farine
Qu'elle avait fait bluter exprès
Pour rendre sa pâte plus fine,
Son sel, son beurre et ses œufs frais ;
Et pour bien faire sa galette,
S'enferme seule en sa chambrette.

D'abord elle se décrassa
Les mains, les bras et le visage[15],
Et prit un corps[d] d'argent que vite elle laça
Pour dignement faire l'ouvrage
Qu'aussitôt elle commença.

On dit qu'en travaillant un peu trop à la hâte,

---

a : expliquer clairement.
b : femme malpropre et désagréable.
c : garçon chargé du plus bas emploi en cuisine.
d : corsage.

De son doigt par hasard il tomba dans la pâte
Un de ses anneaux de grand prix ;
Mais ceux qu'on tient savoir le fin[a] de cette histoire
Assurent que par elle exprès il y fut mis ;
Et pour moi franchement je l'oserais bien croire,
Fort sûr que, quand le Prince à sa porte aborda
Et par le trou la regarda,
Elle s'en était aperçue :
Sur ce point la femme est si drue[b]
Et son œil va si promptement
Qu'on ne peut la voir un moment
Qu'elle ne sache qu'on l'a vue.
Je suis bien sûr encor, et j'en ferais serment,
Qu'elle ne douta point que de son jeune Amant
La Bague ne fût bien reçue.

On ne pétrit jamais un si friand morceau,
Et le Prince trouva la galette si bonne
Qu'il ne s'en fallut rien que d'une faim gloutonne
Il n'avalât aussi l'anneau.
Quand il en vit l'émeraude admirable,
Et du jonc d'or le cercle étroit,
Qui marquait la forme du doigt,
Son cœur en fut touché d'une joie incroyable ;
Sous son chevet il le mit à l'instant,
Et son mal toujours augmentant,
Les Médecins sages d'expérience,
En le voyant maigrir de jour en jour,
Jugèrent tous, par leur grande science,
Qu'il était malade d'amour[16].

Comme l'Hymen[c], quelque mal qu'on en die[17],
Est un remède exquis[d] pour cette maladie,

---

a : le fin mot.
b : vive et gaillarde.
c : mariage.
d : recherché, parfait, rare.

On conclut à le marier ;
Il s'en fit quelque temps prier,
Puis dit : « Je le veux bien, pourvu que l'on me
[donne
En mariage la personne
Pour qui cet anneau sera bon[a]. »
A cette bizarre demande,
De la Reine et du Roi la surprise fut grande ;
Mais il était si mal qu'on n'osa dire non.

Voilà donc qu'on se met en quête
De celle que l'anneau, sans nul égard du sang,
Doit placer dans un si haut rang ;
Il n'en est point qui ne s'apprête
A venir présenter son doigt
Ni qui veuille céder son droit.

Le bruit ayant couru que pour prétendre au Prince,
Il faut avoir le doigt bien mince,
Tout Charlatan, pour être bienvenu,
Dit qu'il a le secret de le rendre menu ;
L'une, en suivant son bizarre caprice,
Comme une rave le ratisse[b].
L'autre en coupe un petit morceau ;
Une autre en le pressant croit qu'elle l'apetisse[c],
Et l'autre, avec de certaine eau,
Pour le rendre moins gros en fait tomber la peau.
Il n'est enfin point de manœuvre
Qu'une Dame ne mette en œuvre,
Pour faire que son doigt cadre bien à l'anneau.

L'essai fut commencé par les jeunes Princesses,
Les Marquises et les Duchesses ;
Mais leurs doigts, quoique délicats,

---

a : ira parfaitement.
b : ôte, en raclant, la superficie.
c : rapetisse.

Étaient trop gros et n'entraient pas.
Les Comtesses, et les Baronnes,
Et toutes les nobles Personnes,
Comme elles tour à tour présentèrent leur main
Et la présentèrent en vain.

Ensuite vinrent les Grisettes[a].
Dont les jolis et menus doigts,
Car il en est de très bien faites,
Semblèrent à l'anneau s'ajuster quelquefois.
Mais la Bague toujours trop petite ou trop ronde
D'un dédain presque égal rebutait tout le monde.

Il fallut en venir enfin
Aux Servantes, aux Cuisinières,
Aux Tortillons[b], aux Dindonnières[c],
En un mot à tout le fretin,
Dont les rouges et noires pattes,
Non moins que les mains délicates,
Espéraient un heureux destin.
Il s'y présenta mainte fille
Dont le doigt, gros et ramassé,
Dans la Bague du Prince eût aussi peu passé
Qu'un câble au travers d'une aiguille.

On crut enfin que c'était fait,
Car il ne restait en effet,
Que la pauvre Peau d'Ane au fond de la cuisine.
Mais comment croire, disait-on,
Qu'à régner le Ciel la destine !

---

a : jeune fille de petite condition, coquette et galante, ainsi nommée à cause de sa robe d'étoffe grise de peu de valeur ; jeune couturière ou brodeuse qui se laisse aisément courtiser.

b : petite servante de la campagne : le tortillon, qui lui donnait son nom, était une coiffe populaire, un bourrelet de linge noué sur la tête (pour y porter des charges).

c : gardeuses de dindons, demoiselles de campagne.

Le Prince dit : « Et pourquoi non ?
Qu'on la fasse venir. » Chacun se prit à rire,
Criant tout haut : « Que veut-on dire,
De faire entrer ici cette sale guenon ? »
Mais lorsqu'elle tira de dessous sa peau noire
Une petite main qui semblait de l'ivoire
Qu'un peu de pourpre a coloré,
Et que de la Bague fatale[a],
D'une justesse sans égale
Son petit doigt fut entouré,
La Cour fut dans une surprise
Qui ne peut pas être comprise.

On la menait au Roi dans ce transport subit ;
Mais elle demanda qu'avant que de paraître
Devant son Seigneur et son Maître,
On lui donnât le temps de prendre un autre habit.
De cet habit, pour la vérité dire,
De tous côtés on s'apprêtait à rire ;
Mais lorsqu'elle arriva dans les Appartements[b],
Et qu'elle eut traversé les salles
Avec ses pompeux vêtements
Dont les riches beautés n'eurent jamais d'égales ;
Que ses aimables cheveux blonds
Mêlés de diamants dont la vive lumière
En faisait autant de rayons,
Que ses yeux bleus, grands, doux et longs,
Qui pleins d'une Majesté fière
Ne regardent jamais sans plaire et sans blesser,
Et que sa taille enfin si menue et si fine
Qu'avecque ses deux mains on eût pu l'embrasser[c],
Montrèrent leurs appas et leur grâce divine,
Des Dames de la Cour, et de leurs ornements

a : marquée par le destin ; qui entraîne une conséquence importante, ici en bien.
b : logement du roi à l'intérieur du château.
c : faire le tour.

Tombèrent tous les doux agréments[18].

Dans la joie et le bruit de toute l'Assemblée,
Le bon Roi ne se sentait pas
De voir sa Bru posséder tant d'appas ;
La Reine en était affolée[a],
Et le Prince son cher Amant,
De cent plaisirs l'âme comblée,
Succombait sous le poids de son ravissement.
Pour l'Hymen aussitôt chacun prit ses mesures ;
Le Monarque en pria tous les Rois d'alentour,
Qui, tous brillants de diverses parures,
Quittèrent leurs États pour être à ce grand jour.
On en vit arriver des climats de l'Aurore,
Montés sur de grands Éléphants ;
Il en vint du rivage More[19],
Qui, plus noirs et plus laids encore,
Faisaient peur aux petits enfants ;
Enfin de tous les coins du Monde,
Il en débarque et la Cour en abonde.

Mais nul Prince, nul Potentat,
N'y parut avec tant d'éclat
Que le Père de l'Épousée,
Qui d'elle autrefois amoureux
Avait avec le temps purifié les feux
Dont son âme était embrasée.
Il en avait banni tout désir criminel
Et de cette odieuse flamme
Le peu qui restait dans son âme
N'en rendait que plus vif son amour paternel.
Dès qu'il la vit : « Que béni soit le Ciel
Qui veut bien que je te revoie,
Ma chère enfant », dit-il, et tout pleurant de joie,
Courut tendrement l'embrasser ;
Chacun à son bonheur voulut s'intéresser,

---

a : en était folle.

Et le futur Époux était ravi d'apprendre
Que d'un Roi si puissant il devenait le Gendre.

Dans ce moment la Marraine arriva
Qui raconta toute l'histoire,
Et par son récit acheva
De combler Peau d'Ane de gloire.

Il n'est pas malaisé de voir
Que le but de ce Conte est qu'un Enfant apprenne
Qu'il vaut mieux s'exposer à la plus rude peine
Que de manquer à son devoir ;
Que la Vertu peut être infortunée
Mais qu'elle est toujours couronnée ;

Que contre un fol amour et ses fougueux transports
La Raison la plus forte est une faible digue,
Et qu'il n'est point de si riches trésors
Dont un Amant ne soit prodigue ;

Que de l'eau claire et du pain bis
Suffisent pour la nourriture
De toute jeune Créature,
Pourvu qu'elle ait de beaux habits ;
Que sous le Ciel il n'est point de femelle[a]
Qui ne s'imagine être belle,
Et qui souvent ne s'imagine encor
Que si des trois Beautés la fameuse querelle[20]
S'était démêlée[b] avec elle,
Elle aurait eu la pomme d'or.

Le Conte de Peau d'Ane est difficile à croire,
Mais tant que dans le Monde on aura des Enfants,
Des Mères et des Mères-grands,
On en gardera la mémoire.

---

a : burlesque : femme.
b : s'était vidée, résolue.

Les Souhaits ridicules

Conte

NOTICE

Les Souhaits ridicules, conte *furent publiés d'abord isolément dans* Le Mercure galant *de novembre 1693. Dans les deux éditions de 1694, puis dans celle de 1695, toutes trois issues des presses des Coignard, le texte, qui ne subit qu'une douzaine de retouches légères, prit sa place définitive à la suite de* Peau d'Ane, *en clôture du recueil des* Contes en vers.

Le thème des souhaits imprudents ou qui tournent mal, alors même que des saints, des génies, des dieux, voire le Tout-Puissant, semblaient accorder leur faveur, a suscité tout un cycle d'histoires tant sérieuses que comiques, en Orient et en Occident. Il reste difficile d'affirmer que Perrault a connu l'un ou l'autre de ces récits, dont il n'existait souvent pas de version imprimée à son époque. L'hypothèse formulée par Roger Zuber, outre qu'elle résout le problème des sources, peut emporter la conviction. L'épithète « ridicules » définirait dès le titre le projet de l'écrivain : transcrire dans le registre « comique » les fables de La Fontaine traitant le même thème. D'abord Jupiter et le métayer *(VI, 4) résumée dans la préface des* Contes en vers *(voir p. 74), puis définie comme*

« de même genre que le Conte des Souhaits ridicules ». Ensuite Les Souhaits *(VII, 6) dont les héros, sages et bons bourgeois, choisissent dès leur deuxième vœu de se borner à leur médiocre aisance initiale, une fois qu'ils ont goûté les inquiétudes de la richesse. Perrault qui se proclame fabuliste dans sa dédicace, décale pour sa « folle et peu galante fable » les données. Le follet, génie domestique de La Fontaine, devient ce Jupiter, miséricordieux mais si terrible, le couple de bourgeois un jeune ménage de pauvres bûcherons, l'abondance... une aune de boudin. Toutes ces références parodiques à des textes connus des lecteurs du* Mercure galant, *toutes les « disconvenances » dans les situations et dans la langue signalent la facture burlesque des* Souhaits ridicules. *Mais ce boudin, au sens équivoque, l'antiféminisme des propos et des apartés de Blaise renvoient à une autre source d'inspiration, les fabliaux, contes plaisants en vers du Moyen Age, souvent repris à la Renaissance dans des recueils de contes et nouvelles. Marie de France, poétesse du* XIIᵉ *siècle fut le premier écrivain de notre terroir à traiter le thème des trois souhaits dans une fable de trente-quatre vers* Dou vilain qui prist un Folet *alias des* Trois Oremenz *(souhaits). Une femme de paysan, à qui son époux a rétrocédé deux vœux offerts par un follet, souhaite que son conjoint ait un bec de bécasse un jour où ils sont attablés devant des os à moelle. Le mari en courroux lui rend la pareille. Le troisième vœu sert au rétablissement de l'équilibre premier. Schéma narratif identique dans les scabreux* Quatre souhaits saint Martin *(fabliau du* XIIIᵉ *siècle), dont on trouve le modèle dans un roman hébreu nommé* Les Paraboles de Sendabar. *Saint Martin offre un jour quatre souhaits à un paysan fort dévot à son égard. Or la femme du vilain finit par lui en extorquer un dont elle se sert pour demander que son mari soit « chargiez de vis » (sexes masculins).*

Désespéré et fâché de sa nouvelle figure, ce dernier lui rend la réciproque. Revenus à la raison, ils souhaitent la disparition de tous ces organes dont ils se retrouvent totalement privés. Ils utilisent leur quatrième vœu pour retrouver leur conformation originale. La morale du fabliau impute à la lubricité et à la sottise féminines la dissipation en pure perte des bienfaits du saint. Perrault pouvait aussi connaître la version que Philippe d'Alcripe (Le Picard), conteur normand de la fin du XVIe *siècle, donna dans sa* Nouvelle fabrique des excellents traits de vérité, *ouvrage bien diffusé et imité à la fin du* XVIe *siècle et au début du* XVIIe. *Le conte XCIII* De trois jeunes garçons frères du pays de Caux, qui dansèrent avec les fées *raconte que leurs cavalières leur offrent, à l'issue d'une nuit de danse, trois souhaits. L'aîné dit ne rien vouloir puisqu'il se sait assuré par le droit d'aînesse de tout l'héritage paternel. Mais, pressé par son puiné, il demande que son veau guérisse ceux qui le toucheront à l'anus, de leurs maladies de peau. Irrité par ce vœu, le puiné souhaite à son frère de devenir borgne. Le benjamin, par amour pour son aîné, demande que ce méchant frère soit aveugle. Ainsi finit ce conte noir : « Les danses ne sont rien que peines,/Et souhaits toutes choses vaines. » Pour conclure la série des analogues, on peut citer la nouvelle 78 de Philippe de Vigneules, bourgeois messin, auteur au début du* XVIe *siècle des* Cent nouvelles nouvelles *inconnues à Perrault, puisqu'elles furent imprimées pour la première fois en 1970. Dieu accorde à un ménage de pauvres gens trois souhaits. La femme demande que soit réparé le trépied à chaudron auquel manque un pied. L'époux « enragé d'ire » (...) « lui souhaita le trépied au ventre ». Les cris de la malheureuse et les avertissements des voisins ameutés incitent le mari à user du troisième vœu pour rétablir son épouse en sa santé initiale.*

Cette quête, sans doute vaine, de sources et d'analogues ne doit pas faire oublier que les Souhaits ridicules *constituent l'unique tentative burlesque du recueil ; que Perrault leur a donné la forme, la volonté probatoire et le double sens d'une fable ; que l'apologie finale de la médiocrité et de la résignation de l'homme à son sort rappellent, comme les deux fables de La Fontaine citées plus haut, la philosophie du* Prologue *du* Quart livre *de Rabelais et que l'apologiste des femmes ne répugne pas à égratigner au passage et par le truchement d'un Blaise un peu balourd, la gent féminine, trop vindicative et loquace. La réussite des* Souhaits ridicules *tient certes à cette polysémie, mais aussi à leur brièveté et à leur rôle de contrepoint à* La Patience de Griselidis *et à* Peau d'Ane.

Après une éclipse d'un demi-siècle pendant lequel on ne réimprima pas les Contes en vers, Les Souhaits ridicules, *seuls, furent tirés de l'oubli. Ils figurent dans le tome XII des* Amusements de la campagne et de la ville, *publiés à Amsterdam en 1747. C'est là que Mme Leprince de Beaumont les lut. Elle en donna sa version dans le* Magasin des enfants, *Londres, 1757* (11e journée, dialogue XIII).

On trouve chez les frères Grimm deux contes analogues, Le Pêcheur et sa femme *et* Le Pauvre et le Riche.

LES SOUHAITS RIDICULES

A Mademoiselle de la C***[1]

Si vous étiez moins raisonnable,
Je me garderais bien de venir vous conter
La folle et peu galante[a] fable
Que je m'en vais vous débiter.
Une aune[2] de Boudin en fournit la matière.
« Une aune de Boudin, ma chère !
Quelle pitié ! c'est une horreur »,
S'écrierait une Précieuse[3],
Qui toujours tendre et sérieuse
Ne veut ouïr parler que d'affaires de cœur.
Mais vous qui mieux qu'Ame qui vive
Savez charmer en racontant,
Et dont l'expression est toujours si naïve[b],
Que l'on croit voir ce qu'on entend ;
Qui savez que c'est la manière
Dont quelque chose est inventé,
Qui beaucoup plus que la matière
De tout Récit fait la beauté,
Vous aimerez ma fable et sa moralité.
J'en ai, j'ose le dire, une assurance entière.

---

a : distinguée.
b : naturelle.

*

Il était une fois un pauvre Bûcheron
Qui las de sa pénible vie,
Avait, disait-il, grande envie
De s'aller reposer aux bords de l'Achéron[4] :
Représentant[a], dans sa douleur profonde,
Que depuis qu'il était au monde,
Le Ciel cruel n'avait jamais
Voulu remplir un seul de ses souhaits.

Un jour que, dans le Bois, il se mit à se plaindre,
A lui, la foudre en main, Jupiter[5] s'apparut[b].
On aurait peine à bien dépeindre
La peur que le bonhomme[c] en eut.
« Je ne veux rien, dit-il, en se jetant par terre,
Point de souhaits, point de Tonnerre,
Seigneur, demeurons but à but[d].

— Cesse d'avoir aucune crainte ;
Je viens, dit Jupiter, touché de ta complainte[e],
Te faire voir le tort que tu me fais[6].
Écoute donc. Je te promets,
Moi qui du monde entier suis le souverain maître,
D'exaucer pleinement les trois premiers souhaits
Que tu voudras former sur quoi que ce puisse être.
Vois ce qui peut te rendre heureux,
Vois ce qui peut te satisfaire ;
Et comme ton bonheur dépend tout de tes vœux,
Songes-y bien avant que de les faire. »

---

a : faisant voir, expliquant.
b : apparut, fit une apparition.
c : paysan, homme simple.
d : à égalité, ex æquo.
e : plainte que l'on fait entendre.

A ces mots Jupiter dans les Cieux remonta,
Et le gai Bûcheron, embrassant[a] sa falourde[7],
Pour retourner chez lui sur son dos la jeta.
Cette charge jamais ne lui parut moins lourde.
« Il ne faut pas, disait-il en trottant,
Dans tout ceci, rien faire à la légère ;
Il faut, le cas est important,
En prendre avis de notre ménagère[b].
Çà, dit-il, en entrant sous son toit de fougère,
Faisons, Fanchon, grand feu, grand chère,
Nous sommes riches à jamais,
Et nous n'avons qu'à faire des souhaits. »
Là-dessus tout au long le fait il lui raconte.
A ce récit, l'Épouse vive et prompte
Forma dans son esprit mille vastes projets ;
Mais considérant l'importance
De s'y conduire avec prudence :
« Blaise, mon cher ami, dit-elle à son époux,
Ne gâtons rien par notre impatience,
Examinons bien entre nous
Ce qu'il faut faire en pareille occurrence ;
Remettons à demain notre premier souhait
Et consultons notre chevet.
— Je l'entends bien ainsi, dit le bonhomme Blaise ;
Mais va tirer du vin derrière ces fagots. »
A son retour il but, et goûtant à son aise
Près d'un grand feu la douceur du repos,
Il dit, en s'appuyant sur le dos de sa chaise :
« Pendant que nous avons une si bonne braise,
Qu'une aune de Boudin viendrait bien à propos ! »
A peine acheva-t-il de prononcer ces mots,
Que sa femme aperçut, grandement étonnée,
Un Boudin fort long, qui partant
D'un des coins de la cheminée,
S'approchait d'elle en serpentant.

---

a : prenant dans ses bras son fagot.
b : nom donné, dans le peuple, par un mari à sa femme.

Elle fit un cri dans l'instant ;
Mais jugeant que cette aventure
Avait pour cause le souhait
Que par bêtise toute pure
Son homme[a] imprudent[b] avait fait,
Il n'est point de pouille[c] et d'injure
Que de dépit et de courroux
Elle ne dît au pauvre époux.
« Quand on peut, disait-elle, obtenir un Empire,
De l'or, des perles, des rubis,
Des diamants, de beaux habits,
Est-ce alors du Boudin qu'il faut que l'on désire ?
— Eh bien, j'ai tort, dit-il, j'ai mal placé mon choix,
J'ai commis une faute énorme,
Je ferai mieux une autre fois.
— Bon, bon, dit-elle, attendez-moi sous l'orme[d],
Pour faire un tel souhait, il faut être bien bœuf[e] ! »
L'époux plus d'une fois, emporté de colère,
Pensa[f] faire tout bas le souhait d'être veuf,
Et peut-être, entre nous, ne pouvait-il mieux faire :
« Les hommes, disait-il, pour souffrir sont bien nés !
Peste soit du Boudin et du Boudin encore ;
Plût à Dieu, maudite Pécore[g],
Qu'il te pendît au bout du nez ! »

La prière aussitôt du Ciel fut écoutée,
Et dès que le Mari la parole lâcha,
Au nez de l'épouse irritée

---

a : mari.
b : sans sagesse, irréfléchi.
c : reproches mêlés d'injures (ordinairement au pluriel).
d : l'orme était l'arbre de la justice seigneuriale. « *Attendez-moi sous l'orme* » se disait quand on donnait à quelqu'un un rendez-vous où l'on n'avait pas le dessein de se rendre.
e : *être le bœuf d'une affaire :* en supporter les mauvaises conséquences.
f : faillit.
g : animal, bête, personne stupide.

L'aune de Boudin s'attacha.
Ce prodige imprévu grandement le fâcha.
Fanchon était jolie, elle avait bonne grâce,
Et pour dire sans fard la vérité du fait,
Cet ornement en cette place
Ne faisait pas un bon effet ;
Si ce n'est qu'en pendant sur le bas du visage[8],
Il l'empêchait de parler aisément,
Pour un époux merveilleux avantage,
Et si grand qu'il pensa dans cet heureux moment
Ne souhaiter rien davantage.

« Je pourrais bien, disait-il à part soi,
Après un malheur si funeste,
Avec le souhait qui me reste,
Tout d'un plein saut[a] me faire Roi.
Rien n'égale, il est vrai, la grandeur souveraine ;
Mais encore faut-il songer
Comment serait faite la Reine
Et dans quelle douleur ce serait la plonger
De l'aller placer sur un trône
Avec un nez plus long qu'une aune.
Il faut l'écouter sur cela,
Et qu'elle-même elle soit la maîtresse
De devenir une grande Princesse
En conservant l'horrible nez qu'elle a,
Ou de demeurer Bûcheronne
Avec un nez comme une autre personne,
Et tel qu'elle l'avait avant ce malheur-là. »

La chose bien examinée,
Quoiqu'elle sût d'un sceptre et la force et l'effet,
Et que, quand on est couronnée,
On a toujours le nez bien fait ;
Comme au désir de plaire il n'est rien qui ne cède,

---

a : tout à coup, sur-le-champ.

Elle aima mieux garder son Bavolet[a]
Que d'être Reine et d'être laide.

Ainsi le Bûcheron ne changea point d'état,
Ne devint point grand Potentat,
D'écus ne remplit point sa bourse,
Trop heureux d'employer le souhait qui restait,
Faible bonheur, pauvre ressource,
A remettre sa femme en l'état qu'elle était.

Bien est donc vrai qu'aux hommes misérables,
Aveugles, imprudents[b], inquiets[c], variables,
Pas n'appartient de faire des souhaits,
Et que peu d'entre eux sont capables
De bien user des dons que le Ciel leur a faits.

a : coiffure villageoise empesée avec une longue queue qui pendait sur les épaules. Au XVII[e] siècle, *voilà une jolie bavolette, un jolie bavolet* signifiait *voilà une jolie fille.*
b : sans sagesse.
c : jamais contents de leur sort.

HISTOIRES
OU
CONTES
DU TEMPS PASSÉ

AVEC DES MORALITÉS

NOTICE

de la dédicace *A Mademoiselle*

Dans le manuscrit calligraphié et relié aux armes de Mademoiselle, cette épître de dédicace figure signée P.P. (Pierre Perrault ? voir pp. 28 à 31). On trouve ce texte avec la signature de P. Darmancour, dans les deux éditions données en 1697 par le libraire Claude Barbin, à qui « ledit sieur Darmancour a[vait] cédé son privilège pour en jouir par lui, suivant l'accord fait entre eux ». Bref, Charles Perrault délègue sa paternité pour se protéger des critiques qui auraient eu la partie trop belle avec ces contes en prose.

L'épître invite donc la dédicataire, et tous les lecteurs, à croire que le recueil a été composé par un jeune homme de dix-neuf ans conscient de « la simplicité de ces Récits » et de leur apparente indignité, mais déjà soucieux de l'éducation morale des enfants. Quoi de plus naturel enfin pour qui va entrer dans la vie que de se placer sous la protection d'une princesse, jeune et d'avenir, capable de le pourvoir ?

L'excuse de la jeunesse courait les préfaces depuis la Renaissance, accompagnée en général de la pro-

messe, absente ici, de travaux mieux accomplis. En tout cas les adolescents studieux, prodigieux même, faisaient recette depuis l'Italien Pic de la Mirandole (1463-1494) considéré dès ses dix ans comme le premier orateur et le premier poète de son temps. La Pléiade pleura la mort prématurée du poète Jean de La Péruse (1529-1554), Jean de La Taille celle de son frère Jacques, dramaturge, mort à vingt ans en 1562. Dans le dernier quart du XVI*e siècle, la mode conduisit de nombreux jeunes gens en fin d'études à publier leurs vers latins, souvent en guise d'étrennes. L'érudit Claude de Saumaise (1588-1653) correspondit dès ses seize ans avec l'élite de ses contemporains, et publiait à vingt ans son premier livre de polémique religieuse ; Armand-Jean Le Bouthillier, futur abbé de Rancé et réformateur de la Trappe (1626-1700), procurait, dans sa treizième année, une édition du poète grec Anacréon. En 1678, on avait vu paraître* Les Œuvres diverses *« d'un auteur de sept ans », qui n'était autre que le second fils légitimé de Louis XIV et de la marquise de Montespan...*

Mais cette fiction d'un recueil écrit par un « Enfant » pour des enfants ne sert pas seulement de réclame au livre, de protection au père et d'atout pour son cadet en quête d'établissement ; elle se conforme à la mode d'une époque préoccupée, comme Mme de Maintenon et Fénelon, d'éducation et où, avec la dévotion à l'enfant Jésus, se développe l'esprit d'enfance. D'où l'analyse que fait Roger Zuber dans son introduction aux Contes de Perrault *(édit. cit. p. 44) : « On voudrait éclairer les* Contes *par certains reflets de ce climat spirituel. Ils doivent toute une part de leur poésie au fait que leurs premiers lecteurs réapprenaient, en les lisant, qu'on n'approchait du Vrai, qu'on n'approchait du Beau, qu'en se faisant modeste, qu'en consentant à s'émerveiller, qu'en s'appliquant à ressembler à* ces âmes innocentes dont rien encore n'a corrompu la droiture naturelle » *(*Préface *de 1694).*

La Fontaine, dans sa Préface *aux* Fables *de 1668, rappelait que Platon « souhaite que les enfants sucent ces fables avec le lait ; il recommande aux nourrices de les leur apprendre ; car on ne saurait s'accoutumer de trop bonne heure à la sagesse et à la vertu ».* L'Épître A Mademoiselle *reprend ce thème, évoquant l'utilité morale des récits et leur adaptation parfaite à un public jeune, ou populaire. Le dédicataire induit de ce dernier aspect des contes l'intérêt ethnographique de la lecture pour les grands de son temps, à qui la vie n'offre nulle occasion de rencontrer leurs contemporains les plus humbles. Seuls des héros, François Ier, Henri II, Henri IV ou les empereurs Maximilien et Charles Quint — à en croire la légende ou l'histoire (voir p. 301, n. 3) — connurent par les heureux hasards de la chasse, l'humanité « des huttes et des cabanes », ces « animaux farouches » qui « épargnent aux autres hommes la peine de semer, de labourer et de recueillir pour vivre, et méritent ainsi de ne pas manquer de ce pain qu'ils ont semé » (La Bruyère,* Les Caractères *(1689),* De l'homme, *128). Voilà chez ces deux auteurs une curiosité sociale, une compassion, alors tout à fait originales.*

A MADEMOISELLE[1]

MADEMOISELLE,

On ne trouvera pas étrange qu'un Enfant[2] ait pris plaisir à composer les Contes de ce Recueil, mais on s'étonnera qu'il ait eu la hardiesse de vous les présenter. Cependant, MADEMOISELLE, quelque disproportion qu'il y ait entre la simplicité de ces Récits, et les lumières de votre esprit, si on examine bien ces Contes, on verra que je ne suis pas aussi blâmable que je le parais d'abord. Ils renferment tous une Morale très sensée, et qui se découvre plus ou moins, selon le degré de pénétration de ceux qui les lisent ; d'ailleurs comme rien ne marque tant la vaste étendue d'un esprit, que de pouvoir s'élever en même temps aux plus grandes choses, et s'abaisser aux plus petites, on ne sera point surpris que la même Princesse, à qui la Nature et l'éducation ont rendu familier ce qu'il y a de plus élevé, ne dédaigne pas de prendre plaisir à de semblables bagatelles. Il est vrai que ces Contes donnent une image de ce qui se passe dans les moindres Familles, où la louable impatience d'instruire les enfants fait imaginer des Histoires dépourvues de raison, pour s'accommoder à ces mêmes enfants qui n'en ont pas encore ; mais à qui convient-il mieux de connaître comment vivent les Peuples, qu'aux Personnes que le Ciel destine à les conduire ? Le désir de cette connaissance a poussé des Héros, et même des Héros de votre Race[3], jusque dans des huttes ou des cabanes, pour y voir de près et par eux-mêmes ce qui s'y passait de plus particulier : cette connaissance leur ayant paru nécessaire pour leur parfaite instruction. Quoi qu'il en soit, MADEMOISELLE,

Pouvais-je mieux choisir pour rendre vraisemblable
Ce que la Fable a d'incroyable ?
Et jamais Fée au temps jadis
Fit-elle à jeune Créature,
Plus de dons, et de dons exquis[a],
Que vous en a fait la Nature ?

Je suis avec un très profond respect,
MADEMOISELLE,

De Votre Altesse Royale,

Le très humble et
très obéissant serviteur,
P. DARMANCOUR.

---

a : recherchés, parfaits, rares.

La Belle au bois dormant

Conte

NOTICE

Des fées donatrices présentes auprès du berceau d'un nouveau-né et conviées à un repas rituel, une piqûre provoquant un sommeil léthargique dont l'héroïne ne sort que grâce à un prince épris ou aux enfants qu'elle en a eus, voilà des thèmes familiers à la tradition populaire et abondamment illustrés par la littérature antérieure à Perrault.

Héritières des Parques de la mythologie gréco-latine, divinités de la mort mais aussi du destin, les fées marraines apparaissent dans les romans du Moyen Age : Ogier le Danois reçoit la nuit de sa naissance les dons de trois fées, comme Brun de la Montagne ; Auberon, dans Huon de Bordeaux, *gratifié par deux fées, a été condamné par la troisième à rester nain, et dans le* Jeu de la feuillée *d'Adam de la Halle, la fée Maglore s'irrite de ne pas trouver comme ses consœurs, Morgue et Arsile, un beau couteau auprès de son assiette et se venge sur ceux qui ont mis la table.*

Quant au sommeil séculaire de la Belle au bois dormant, il rappelle celui du poète crétois Épiménide qui — aux dires de son biographe Diogène Laërce

— envoyé aux champs par son père, entra dans une caverne et s'y assoupit pour cinquante-sept ans ! On songe aussi aux sept matyrs, dit les Sept Dormants, murés vivants sur les ordres de l'empereur Décius et retrouvés endormis cent cinquante-sept ans après, au Frédéric Barberousse de la légende, assoupi sous la montagne prussienne du Kyffhoeuser ou à la walkyrie Brunehilde, tirée par Sigurd de la léthargie où Odin l'avait plongée en la frappant d'une épine. Fénice, héroïne du Cligès *de Chrétien de Troyes feint la mort pour retrouver son amant. On signale enfin la ressemblance du conte de Perrault avec une nouvelle catalane en vers du* XIVe *siècle,* Frère de joie et sœur de plaisir.

Mais notre conteur a dû s'inspirer de deux textes, disponibles à son époque, dans lesquels tous ces motifs se trouvent organisés comme sous sa plume. Il s'agit d'abord d'un épisode du Perceforest, *composition en prose anonyme du* XIVe *siècle, où l'on voit Zéphyr, sous la forme d'un oisel, proposer à Troïlus de le transporter dans la tour qui abrite la belle Zellandine, victime d'un enchantement. En effet, elle avait été condamnée à se piquer d'une écharde la première fois qu'elle filerait, par Thémis qui n'avait pas trouvé comme ses commères de couteau sur la table du repas de naissance. Troïlus s'éprend de la belle endormie, lui fait l'amour sans la réveiller. Toujours endormie, elle accouche neuf mois plus tard, d'un nouveau-né, qui cherchant le sein de sa mère, tète son doigt : l'écharde sort, et Zellandine revient à la vie. Basile, dans son* Pentamerone *(V, 5), utilise les mêmes données. Un roi à la chasse découvre, dans un palais abandonné, Thalie assoupie. Séduit de sa beauté, il abuse d'elle. Neuf mois plus tard, naissent deux jumeaux, Lune et Soleil. Suivant le scénario du* Perceforest, *un enfant tète le doigt de sa mère, faisant sortir l'écharde de lin enchantée. Mais le roi, amoureux de Thalie, mène une double vie. Son épouse, jalouse, découvre sa rivale, croit supprimer les deux enfants et les faire manger par son mari. Au moment où elle va faire jeter Thalie au bûcher, survient le roi. La vilaine reine consumée, le roi prend Thalie pour épouse légitime et retrouve avec joie ses jumeaux.*

La confrontation de ces deux histoires avec le texte de Perrault permet de définir sa poétique du conte. Car il a repris à ses devanciers la construction du récit en diptyque, à Basile les deux enfants et l'idée des prénoms. Mais, gêné par le viol de l'héroïne endormie, puis par son statut de maîtresse, il choisit, dans son souci de ne « rien écrire qui pût blesser ni la pudeur ni la bienséance », un prince célibataire qui n'a qu'à paraître pour réveiller sa belle, et il change la vilaine épouse en mère-ogresse, sinon rassurante, du moins plus morale. C'est donc ce travail d'épuration des mœurs qui donne à la seconde partie de La Belle au bois dormant *une allure d'appendice, au point que certains livres illustrés pour enfants en font l'ellipse. D'autre part, la première partie du conte permet le traitement d'un thème à la mode depuis la Renaissance, celui de la belle endormie ou belle matineuse.*

La première version de La Belle au bois dormant *qui parut dans le* Mercure galant *de février 1696 diffère du texte définitif de l'édition Barbin de 1697. Bien que ce conte soit « le plus mondain des contes en prose, le seul qui aurait pu, à la rigueur, être l'œuvre d'un autre conteur (ou conteuse) contemporain », pour reprendre la formule de Roger Zuber, les corrections apportées par l'auteur concourent à alléger la phrase, à supprimer des discours, une certaine préciosité de langage, bref à forger une langue nouvelle, sobre, nerveuse et efficace.*

La Donroeschen (Rose des bois) *des frères Grimm* (Contes des enfants et du foyer, *n° 50) se conclut avec le réveil de la princesse et son mariage ; le roi n'avait convié que douze fées parce qu'il ne possédait qu'une douzaine d'assiettes d'or, ce qui provoqua la colère et la vengeance de la treizième fée, oubliée. Anatole France s'amusa à écrire sur les marges de Perrault une* Histoire de la duchesse de Cicogne et de M. de Boulingrin, qui dormirent cent ans en compagnie de la Belle au bois dormant *(*Les Sept Femmes de la Barbe bleue, *1909).*

LA BELLE AU BOIS DORMANT[a]

Il était une fois un Roi et une Reine, qui étaient si fâchés de n'avoir point d'enfants, si fâchés qu'on ne saurait dire. Ils allèrent à toutes les eaux du monde ; vœux, pèlerinages, menues dévotions, tout fut mis en œuvre, et rien n'y faisait[1]. Enfin pourtant la Reine devint grosse, et accoucha d'une fille : on fit un beau Baptême ; on donna pour Marraines à la petite Princesse toutes les fées qu'on pût trouver dans le Pays (il s'en trouva sept), afin que chacune d'elles lui faisant un don, comme c'était la coutume des Fées en ce temps-là, la Princesse eût par ce moyen toutes les perfections imaginables. Après les cérémonies du Baptême toute la compagnie[b] revint au Palais du Roi, où il y avait un grand festin pour les Fées. On mit devant chacune d'elles un couvert magnifique, avec un étui d'or massif, où il y avait une cuiller, une fourchette, et un couteau de fin or, garni de diamants et de rubis[2]. Mais comme chacun prenait sa place à table, on vit entrer une vieille

---

a : *comprendre* La Belle dormant au bois.
b : les invités.

Fée qu'on n'avait point priée[a] parce qu'il y avait plus de cinquante ans qu'elle n'était sortie d'une Tour et qu'on la croyait morte, ou enchantée[b]. Le Roi lui fit donner un couvert, mais il n'y eut pas moyen de lui donner un étui d'or massif, comme aux autres, parce que l'on n'en avait fait faire que sept pour les sept Fées. La vieille crut qu'on la méprisait, et grommela quelques menaces entre ses dents. Une des jeunes Fées qui se trouva auprès d'elle l'entendit, et jugeant qu'elle pourrait donner quelque fâcheux don à la petite Princesse, alla dès qu'on fut sorti de table se cacher derrière la tapisserie[3], afin de parler la dernière, et de pouvoir réparer autant qu'il lui serait possible le mal que la vieille aurait fait. Cependant les Fées commencèrent à faire leurs dons à la Princesse. La plus jeune lui donna pour don qu'elle serait la plus belle personne du monde, celle d'après qu'elle aurait de l'esprit comme un Ange, la troisième qu'elle aurait une grâce admirable à tout ce qu'elle ferait, la quatrième qu'elle danserait parfaitement bien, la cinquième qu'elle chanterait comme un Rossignol, et la sixième qu'elle jouerait de toutes sortes d'instruments dans la dernière perfection. Le rang de la vieille Fée étant venu, elle dit, en branlant la tête encore plus de dépit que de vieillesse, que la Princesse se percerait la main d'un fuseau, et qu'elle en mourrait. Ce terrible don fit frémir toute la compagnie, et il n'y eût personne qui ne pleurât. Dans ce moment la jeune Fée sortit de derrière la tapisserie, et dit tout haut ces paroles : « Rassurez-vous, Roi et Reine, votre fille n'en mourra pas ; il est vrai que je n'ai pas assez de puissance pour défaire entièrement ce que mon ancienne a fait. La Princesse se percera

---

a : invitée.
b : ensorcelée, victime d'un enchantement, d'opérations magiques.

la main d'un fuseau ; mais au lieu d'en mourir, elle tombera seulement dans un profond sommeil qui durera cent ans, au bout desquels le fils d'un Roi viendra la réveiller. » Le Roi, pour tâcher d'éviter le malheur annoncé par la vieille, fit publier aussitôt un Édit, par lequel il défendait à toutes personnes de filer au fuseau, ni d'avoir des fuseaux chez soi sur peine de la vie. Au bout de quinze ou seize ans, le Roi et la Reine étant allés à une de leurs Maisons de plaisance, il arriva que la jeune Princesse courant un jour dans le Château, et montant de chambre en chambre, alla jusqu'au haut d'un donjon dans un petit galetas, où une bonne Vieille était seule à filer sa quenouille. Cette bonne femme n'avait point ouï parler des défenses que le Roi avait faites de filer au fuseau. « Que faites-vous là, ma bonne femme[a] ? dit la Princesse. — Je file, ma belle enfant, lui répondit la vieille qui ne la connaissait pas. — Ah ! que cela est joli, reprit la Princesse, comment faites-vous ? donnez-moi que je voie si j'en ferais bien autant. » Elle n'eut pas plus tôt pris le fuseau, que comme elle était fort vive, un peu étourdie, et que d'ailleurs l'Arrêt des Fées l'ordonnait ainsi, elle s'en perça la main, et tomba évanouie. La bonne vieille, bien embarrassée, crie au secours : on vient de tous côtés, on jette de l'eau au visage de la Princesse, on la délace, on lui frappe dans les mains, on lui frotte les temples[b] avec de l'eau de la Reine de Hongrie[4] ; mais rien ne la faisait revenir. Alors le Roi, qui était monté au bruit, se souvint de la prédiction des Fées, et jugeant bien qu'il fallait que cela arrivât, puisque les fées l'avaient dit, fit mettre la Princesse dans le plus bel appartement du Palais, sur un lit en broderie d'or et d'argent. On eût dit d'un Ange, tant elle était belle ; car son évanouissement n'avait pas

---

a : vieille femme.
b : tempes *(forme recommandée par les grammairiens à l'époque).*

ôté les couleurs vives de son teint : ses joues étaient incarnates, et ses lèvres comme du corail ; elle avait seulement les yeux fermés, mais on l'entendait respirer doucement, ce qui faisait voir qu'elle n'était pas morte. Le Roi ordonna qu'on la laissât dormir en repos, jusqu'à ce que son heure de se réveiller fût venue. La bonne Fée qui lui avait sauvé la vie, en la condamnant à dormir cent ans, était dans le Royaume de Mataquin, à douze mille lieues de là, lorsque l'accident arriva à la Princesse ; mais elle en fut avertie en un instant par un petit Nain, qui avait des bottes de sept lieues (c'était des bottes avec lesquelles on faisait sept lieues d'une seule enjambée). La Fée partit aussitôt, et on la vit au bout d'une heure arriver dans un chariot[a] tout de feu, traîné par des dragons. Le Roi lui alla présenter la main[b] à la descente du chariot. Elle approuva tout ce qu'il avait fait ; mais comme elle était grandement prévoyante, elle pensa que quand la Princesse viendrait à se réveiller, elle serait bien embarrassée toute seule dans ce vieux Château : voici ce qu'elle fit. Elle toucha de sa baguette tout ce qui était dans ce Château (hors le Roi et la Reine), Gouvernantes[c], Filles d'Honneur[d], Femmes de Chambre, Gentilshommes, Officiers[e], Maîtres d'Hôtel, Cuisiniers, Marmitons, Galopins[f], Gardes, Suisses, Pages, Valets de pied ; elle toucha aussi tous les chevaux qui étaient dans les Écuries, avec

---

a : char, voiture.

b : accueillir une dame à sa descente de voiture et l'accompagner ensuite dans sa marche.

c : femmes à qui est confiée l'éducation d'un ou plusieurs enfants.

d : jeunes filles de la noblesse placées, jusqu'à leur mariage, auprès des reines et des princesses.

e : homme qui a acheté un emploi pour servir le roi, la reine, les dauphins ou les princes.

f : marmitons qui dans les grandes maisons tournent les broches et courent çà et là pour les besoins de la cuisine.

les Palefreniers, les gros mâtins de basse-cour et la petite Pouffe, petite chienne de la Princesse, qui était auprès d'elle sur son lit. Dès qu'elle les eut touchés, ils s'endormirent tous, pour ne se réveiller qu'en même temps que leur Maîtresse, afin d'être tout prêts à la servir quand elle en aurait besoin ; les broches mêmes qui étaient au feu toutes pleines de perdrix et de faisans s'endormirent, et le feu aussi. Tout cela se fit en un moment ; les Fées n'étaient pas longues à leur besogne. Alors le Roi et la Reine, après avoir baisé leur chère enfant sans qu'elle s'éveillât, sortirent du Château, et firent publier des défenses à qui que ce soit d'en approcher. Ces défenses n'étaient pas nécessaires, car il crût dans un quart d'heure tout autour du parc une si grande quantité de grands arbres et de petits, de ronces et d'épines entrelacées les unes dans les autres, que bête ni homme n'y aurait pu passer : en sorte qu'on ne voyait plus que le haut des Tours du Château, encore n'était-ce que de bien loin. On ne douta point que la Fée n'eût encore fait là un tour de son métier, afin que la Princesse, pendant qu'elle dormirait, n'eût rien à craindre des Curieux.

Au bout de cent ans, le Fils du Roi qui régnait alors, et qui était d'une autre famille que la Princesse endormie, étant allé à la chasse de ce côté-là, demanda ce que c'était que des Tours qu'il voyait au-dessus d'un grand bois fort épais ; chacun lui répondit selon qu'il en avait ouï parler. Les uns disaient que c'était un vieux Château où il revenait des Esprits ; les autres que tous les Sorciers de la contrée y faisaient leur sabbat. La plus commune opinion était qu'un Ogre y demeurait, et que là il emportait tous les enfants qu'il pouvait attraper, pour les pouvoir manger à son aise, et sans qu'on le pût suivre, ayant seul le pouvoir de se faire un passage au travers du bois. Le Prince ne savait qu'en croire, lorsqu'un vieux Paysan prit la parole, et lui dit : « Mon Prince, il y a plus de cinquante ans que j'ai ouï dire à mon père qu'il y avait dans ce Château une Princesse, la plus belle du monde ; qu'elle y devait dormir cent ans, et qu'elle serait réveillée par le fils d'un Roi, à qui elle était réservée. » Le jeune Prince, à ce discours, se sentit tout de feu ; il crut sans balancer qu'il mettrait fin à une si belle aventure ; et poussé par l'amour et par la gloire, il résolut de voir sur-le-champ ce qui en était. A peine s'avança-t-il vers le bois, que tous ces grands arbres, ces ronces et ces épines s'écartèrent d'elles-mêmes pour le laisser passer : il marche vers le Château qu'il voyait au bout d'une grande avenue où il entra, et ce qui le surprit un peu, il vit que personne de ses gens ne l'avait pu suivre, parce que les arbres s'étaient rapprochés dès qu'il avait été passé. Il ne laissa pas de continuer[a] son chemin : un Prince jeune et amoureux est toujours vaillant. Il entra dans une grande avant-cour où tout ce qu'il vit d'abord était capable de le glacer de crainte : c'était un silence affreux, l'image de la mort s'y présentait partout, et ce n'était que des corps étendus d'hommes et d'animaux, qui paraissaient morts. Il reconnut pourtant bien au nez bourgeonné et à la face vermeille des Suisses, qu'ils n'étaient qu'endormis, et leurs tasses où il y avait encore quelques gouttes de vin montraient assez qu'ils s'étaient endormis en buvant. Il passe une grande cour pavée de marbre, il monte l'escalier, il entre dans la salle des Gardes qui étaient rangés en haie, la carabine[b] sur l'épaule, et ronflants de leur mieux. Il traverse plusieurs chambres pleines de Gentilshommes et de Dames, dormants tous, les uns debout, les autres assis ; il entre dans une chambre toute dorée, et il vit sur

---

a : il continua.

b : petite arquebuse à rouet (arme du XVIe siècle), dont étaient munis les carabins ou chevau-légers.

un lit, dont les rideaux[5] étaient ouverts de tous côtés, le plus beau spectacle qu'il eût jamais vu : une Princesse qui paraissait avoir quinze ou seize ans, et dont l'éclat resplendissant avait quelque chose de lumineux et de divin. Il s'approcha en tremblant et en admirant, et se mit à genoux auprès d'elle. Alors comme la fin de l'enchantement était venue, la Princesse s'éveilla ; et le regardant avec des yeux plus tendres qu'une première vue ne semblait le permettre : « Est-ce vous, mon Prince ? lui dit-elle, vous vous êtes bien fait attendre. » Le Prince charmé de ces paroles, et plus encore de la manière dont elles étaient dites, ne savait comment lui témoigner sa joie et sa reconnaissance ; il l'assura qu'il l'aimait plus que lui-même. Ses discours furent mal rangés[a], ils en plurent davantage ; peu d'éloquence, beaucoup d'amour. Il était plus embarrassé qu'elle, et l'on ne doit pas s'en étonner ; elle avait eu le temps de songer à ce qu'elle aurait à lui dire, car il y a apparence (l'Histoire n'en dit pourtant rien) que la bonne Fée, pendant un si long sommeil, lui avait procuré le plaisir des songes agréables. Enfin il y avait quatre heures qu'ils se parlaient, et ils ne s'étaient pas encore dit la moitié des choses qu'ils avaient à se dire.

Cependant tout le Palais s'était réveillé avec la Princesse ; chacun songeait à faire sa charge[b], et comme ils n'étaient pas tous amoureux, ils mouraient de faim ; la Dame d'honneur, pressée[c] comme les autres, s'impatienta, et dit tout haut à la Princesse que la viande était servie[d]. Le Prince aida à la Princesse à se lever ; elle était tout habillée et fort magnifiquement ; mais il se garda bien de lui

---

a : arrangés.
b : faire son travail, s'acquitter de son emploi.
c : *sous-entendu* : par la faim.
d : selon la formule en usage à la cour : le repas était servi.

dire qu'elle était habillée comme ma mère-grand, et qu'elle avait un collet monté[6] ; elle n'en était pas moins belle. Ils passèrent dans un Salon de miroirs, et y soupèrent, servis par les Officiers de la Princesse ; les Violons et les Hautbois jouèrent de vieilles pièces, mais excellentes, quoiqu'il y eût près de cent ans qu'on ne les jouât plus ; et après soupé, sans perdre de temps, le grand Aumônier les maria dans la Chapelle du Château, et la Dame d'honneur leur tira le rideau[7] : ils dormirent peu, la Princesse n'en avait pas grand besoin, et le Prince la quitta dès le matin pour retourner à la Ville, où son Père devait être en peine de lui. Le Prince lui dit qu'en chassant il s'était perdu dans la forêt, et qu'il avait couché dans la hutte d'un Charbonnier, qui lui avait fait manger du pain noir et du fromage. Le Roi son père, qui était bon homme, le crut, mais sa Mère n'en fut pas bien persuadée, et voyant qu'il allait presque tous les jours à la chasse, et qu'il avait toujours une raison en main pour s'excuser, quand il avait couché deux ou trois nuits dehors, elle ne douta plus qu'il n'eût quelque amourette : car il vécut avec la Princesse plus de deux ans entiers, et en eut deux enfants, dont le premier, qui fut une fille, fut nommée l'Aurore, et le second un fils, qu'on nomma le Jour, parce qu'il paraissait encore plus beau que sa sœur. La Reine dit plusieurs fois à son fils, pour le faire expliquer[a], qu'il fallait se contenter[b] dans la vie, mais il n'osa jamais se fier[c] à elle de son secret ; il la craignait quoiqu'il l'aimât, car elle était de race Ogresse, et le Roi ne l'avait épousée qu'à cause de ses grands biens ; on disait même tout bas à la Cour qu'elle avait les inclinations des Ogres, et qu'en voyant passer de petits

---

a : s'expliquer, parler.
b : se faire plaisir.
c : confier.

enfants, elle avait toutes les peines du monde à se retenir de se jeter sur eux ; ainsi le Prince ne voulut jamais rien dire. Mais quand le Roi fut mort, ce qui arriva au bout de deux ans, et qu'il se vit le maître il déclara publiquement son Mariage, et alla en grande cérémonie quérir la Reine sa femme dans son Château. On lui fit une entrée magnifique[8] dans la Ville Capitale, où elle entra au milieu de ses deux enfants. Quelque temps après le Roi alla faire la guerre à l'Empereur Cantalabutte son voisin. Il laissa la Régence du Royaume à la Reine sa mère, et lui recommanda fort sa femme et ses enfants : il devait être à la guerre tout l'Été, et dès qu'il fut parti, la Reine-Mère envoya sa Bru et ses enfants à une maison de campagne dans les bois, pour pouvoir plus aisément assouvir son horrible envie. Elle y alla quelques jours après, et dit un soir à son Maître d'Hôtel[9] : « Je veux manger demain à mon dîner la petite Aurore. — Ah ! Madame, dit le Maître d'Hôtel. — Je le veux, dit la Reine (et elle le dit d'un ton d'Ogresse qui a envie de manger de la chair fraîche), et je la veux manger à la Sauce-robert[10]. » Ce pauvre homme voyant bien qu'il ne fallait pas se jouer à une Ogresse, prit son grand couteau, et monta à la chambre de la petite Aurore : elle avait pour lors quatre ans, et vint en sautant et en riant se jeter à son col[a], et lui demander du bonbon. Il se mit à pleurer, le couteau lui tomba des mains, et il alla dans la basse-cour couper la gorge à un petit agneau, et lui fit une si bonne sauce que sa Maîtresse l'assura qu'elle n'avait jamais rien mangé de si bon. Il avait emporté en même temps la petite Aurore, et l'avait donnée à sa femme pour la cacher dans le logement qu'elle avait au fond de la basse-cour. Huit jours après la méchante Reine dit à son Maître d'Hôtel : « Je veux manger à mon

---

a : cou.

souper le petit Jour. » Il ne répliqua pas, résolu de la tromper comme l'autre fois ; il alla chercher le petit Jour, et le trouva avec un petit fleuret à la main, dont il faisait des armes avec un gros Singe[11] ; il n'avait pourtant que trois ans. Il le porta à sa femme qui le cacha avec la petite Aurore, et donna à la place du petit Jour un petit chevreau fort tendre, que l'Ogresse trouva admirablement bon.

Cela était fort bien allé jusque-là ; mais un soir cette méchante Reine dit au Maître d'Hôtel : « Je veux manger la Reine à la même sauce que ses enfants. » Ce fut alors que le pauvre Maître d'Hôtel désespéra de la pouvoir encore tromper. La jeune Reine avait vingt ans passés, sans compter les cent ans qu'elle avait dormi : sa peau était un peu dure, quoique belle et blanche ; et le moyen de trouver dans la Ménagerie une bête aussi dure que cela ? Il prit la résolution, pour sauver sa vie, de couper la gorge à la Reine, et monta dans sa chambre, dans l'intention de n'en pas faire à deux fois ; il s'excitait à la fureur, et entra le poignard à la main dans la chambre de la jeune Reine. Il ne voulut pourtant point la surprendre[a], et il lui dit avec beaucoup de respect l'ordre qu'il avait reçu de la Reine-Mère. « Faites votre devoir, lui dit-elle, en lui tendant le col ; exécutez l'ordre qu'on vous a donné ; j'irai revoir mes enfants, mes pauvres enfants que j'ai tant aimés » ; car elle les croyait morts depuis qu'on les avait enlevés sans lui rien dire. « Non, non, Madame, lui répondit le pauvre Maître d'Hôtel tout attendri, vous ne mourrez point, et vous ne laisserez pas d'aller revoir[b] vos chers enfants, mais ce sera chez moi où je les ai cachés, et je tromperai encore la Reine, en lui faisant manger une jeune biche en

a : prendre à l'improviste, attaquer quelqu'un qui n'est pas sur ses gardes.
b : vous irez revoir.

votre place. » Il la mena aussitôt à sa chambre[a], où la laissant embrasser ses enfants et pleurer avec eux, il alla accommoder une biche, que la Reine mangea à son soupé, avec le même appétit que si c'eût été la jeune Reine. Elle était bien contente de sa cruauté, et elle se préparait à dire au Roi, à son retour, que les loups enragés avaient mangé la Reine sa femme et ses deux enfants.

Un soir qu'elle rôdait à son ordinaire dans les cours et basses-cours du Château pour y halener[b] quelque viande fraîche, elle entendit dans une salle basse[c] le petit Jour qui pleurait, parce que la Reine sa mère le voulait faire fouetter, à cause qu'il avait été méchant, et elle entendit aussi la petite Aurore qui demandait pardon pour son frère. L'Ogresse reconnut la voix de la Reine et de ses enfants, et furieuse d'avoir été trompée, elle commande dès le lendemain au matin, avec une voix épouvantable qui faisait trembler tout le monde, qu'on apportât au milieu de la cour une grande cuve, qu'elle fit remplir de crapauds[12], de vipères, de couleuvres et de serpents, pour y faire jeter la Reine et ses enfants, le Maître d'Hôtel, sa femme et sa servante : elle avait donné ordre de les amener les mains liées derrière le dos. Ils étaient là, et les bourreaux se préparaient à les jeter dans la cuve, lorsque le Roi, qu'on n'attendait pas si tôt, entra dans la cour à cheval ; il était venu en poste[d], et demanda tout étonné[e] ce que voulait dire cet horrible spectacle ; personne n'osait l'en instruire, quand l'Ogresse, enragée de voir ce qu'elle voyait, se jeta elle-même

---

a : logement.
b : *pour un chien de chasse*, prendre l'odeur de la bête à poursuivre.
c : salle du rez-de-chaussée.
d : à la hâte, à toute vitesse, en utilisant de distance en distance des chevaux frais.
e : épouvanté, stupéfait.

la tête la première dans la cuve, et fut dévorée en un instant par les vilaines bêtes qu'elle y avait fait mettre. Le Roi ne laissa pas d'en être fâché[a] : elle était sa mère ; mais il s'en consola bientôt avec sa belle femme et ses enfants.

MORALITÉ

Attendre quelque temps pour avoir un Époux,
Riche, bien fait, galant et doux,
La chose est assez naturelle,
Mais l'attendre cent ans, et toujours en dormant,
On ne trouve plus de femelle[b]*,*
Qui dormît si tranquillement.

La Fable semble encor vouloir nous faire entendre,
Que souvent de l'Hymen[c] *les agréables nœuds,*
Pour être différés, n'en sont pas moins heureux,
Et qu'on ne perd rien pour attendre ;
Mais le sexe[d] *avec tant d'ardeur,*
Aspire à la foi conjugale,
Que je n'ai pas la force ni le cœur[e]*,*
De lui prêcher cette morale.

---

a : en fut fâché.
b : mot utilisé par plaisanterie pour désigner une femme.
c : mariage.
d : le sexe féminin, les femmes.
e : courage.

Le Petit Chaperon rouge

Conte

NOTICE

Ce conte figure dans la copie manuscrite de 1695, et prend place dans l'édition de 1697, avec de légères variantes. Quatre-vingts lignes seulement assurent la réussite totale d'une histoire à laquelle on ne connaît aucun antécédent imprimé. On a proposé bien des rapprochements dont aucun n'emporte la conviction. Jacques Berlioz pense avoir découvert en la personne d'Egbert de Liège, écrivain pédagogique du XIe *siècle, un précurseur (voir « Le véritable père du Petit Chaperon rouge »,* L'Histoire, *n° 126, octobre 1989). Il résume ainsi dans son article le poème de quatorze vers,* La Petite Fille épargnée par les louveteaux *: « Un homme a donné une robe de laine rouge comme cadeau de baptême à sa filleule âgée de cinq ans. Le baptême a lieu à la Pentecôte. Au lever du soleil, la petite fille va se promener, sans souci du danger. Un loup s'en saisit, gagne la forêt profonde, et apporte sa proie à ses petits en guise de nourriture. Les louveteaux se précipitent sur elle, mais au lieu de la mettre en pièces, ils lui caressent la tête. "Je vous défends, petites souris, dit la jeune enfant, de déchirer cette robe que m'a donnée parrain à mon bap-*

tême !" Et l'auteur de conclure : Dieu, qui est leur créateur, apaise les esprits sauvages. » *Or, de l'aveu même de J. Berlioz, la plupart des éléments présents chez Perrault manque aux vers latins d'Egbert dont les intentions d'édifier son jeune public par un récit de miracle chrétien ne font pas mystère. Et l'assimilation d'une robe de baptême à un chaperon, sous prétexte qu'ils sont tous deux rouges, paraît un indice bien faible de filiation. Plus intéressante, la proclamation par l'auteur médiéval de l'origine populaire de sa narration : « Ce que je rapporte, les paysans savent le dire avec moi. » Ainsi l'ethnologue Yvonne Verdier a pu étudier « Le Petit Chaperon rouge dans la tradition orale » (*Le Débat, *Gallimard, n° 3, juillet-août 1980) à partir d'une quarantaine de versions collectées par les folkloristes, dans le bassin de la Loire, Le Forez, le Velay ou le nord des Alpes.*

La tradition orale qui ne doit rien selon les spécialistes à l'imprimé, c'est-à-dire à Perrault, donne une idée des motifs narratifs dont notre conteur disposa et des modifications qu'il y apporta. Outre leur conclusion heureuse pour l'héroïne, les versions orales développent deux épisodes absents dans Le Petit Chaperon rouge. *Le premier, celui du choix, laissé par le loup à l'enfant, entre le chemin des épingles et celui des aiguilles, indique l'*état *des personnes : « une petite fille qui prend le chemin des épingles pour s'attifer (à quatorze ans, les filles devaient emprisonner leurs cheveux dans une coiffe truffée d'épingles) soit le chemin de sa puberté ; une grand-mère qui, elle, est déjà passée par là, elle en est aux aiguilles, et même aux aiguilles à gros trous car elle ne voit plus clair ». La couleur du chaperon signifierait donc la puberté. L'autre épisode supplémentaire surprend davantage. Invitée par le loup à se restaurer, la jeune fille consomme à son insu, dans un repas macabre, des parties du corps de son aïeule qu'elle cuisine elle-même comme du cochon,* *et boit son sang en lieu de vin. Avec cette scène de cannibalisme, « ce que nous dit le conte, c'est la nécessité des transformations biologiques féminines qui aboutissent à l'élimination des vieilles par les jeunes, mais de leur vivant : les mères seront remplacées par leur fille. (...) Moralité : les mères-grands seront mangées ».*

On le comprend, le loup de la tradition orale ne joue dans le drame qu'un rôle mineur, « homme de service dans cette histoire qui semble se dérouler surtout entre femmes », il guide l'héroïne consentante vers son avenir, après lui avoir révélé ce destin « qui fait les femmes rivales entre elles, les fait s'entre-dévorer, et les jette inéluctablement dans la gueule du loup ». Yvonne Verdier conclut l'interprétation du conte de la manière suivante : « Le séjour dans la maison de la grand-mère présente donc toutes les caractéristiques d'un séjour initiatique (...) : entrée vécue comme une mort ; sortie, comme une naissance. La petite fille y est instruite de son avenir féminin. (...) Sur le chemin, au préalable, lui a été inculquée la couture, associée à la vie de jeune fille ; dans la maison lui sont transmises les facultés génésiques de sa grand-mère par l'apprentissage de la cuisine, attribut des mères et des épouses ; ensuite vient l'initiation sexuelle proprement dite dans les bras du loup. »

Il reste alors à expliquer la métamorphose, sous la plume de Perrault, d'un récit paysan qui célébrait « les pouvoirs et les mystères du corps féminin » en un conte d'avertissement à succès pour petites filles délurées. Pour l'ethnologue la version de notre conteur sanctionne la disparition d'un type de société, où la femme avait son rôle, au profit d'une société que dirigent un roi, un prince ou un loup, bref les hommes.

Mais ce constat ne rend pas compte de la réussite singulière du Petit Chaperon rouge. *Il faut en cher-*

cher les raisons ailleurs, dans une écriture maîtrisée au point de charmer le public des enfants d'hier et d'aujourd'hui, la bonne société du grand siècle comme le lecteur adulte et exigeant du jour.

Pour les jeunes enfants, les « instructions cachées », enveloppées « dans des récits agréables et proportionnés à la faiblesse de leur âge ». Pour le connaisseur, en dépit des protestations (« J'aurais pu rendre mes Contes plus agréables en y mêlant certaines choses un peu libres dont on a accoutumé de les égayer ; mais le désir de plaire ne m'a jamais assez tenté pour violer une loi que je me suis imposée de ne rien écrire qui pût blesser ou la pudeur ou la bienséance », Préface *des* Contes en vers, *p. 77), une langue pleine de finesses, de suggestions et d'équivoques voilées. Le titre, par exemple, le surnom de l'héroïne, ne prend-il pas une autre saveur quand on le rapproche de cette lettre du 25 août 1665 où La Fontaine prend congé de son épouse et parle de leur fils Charles, alors âgé de dix ans : « Cependant faites bien mes recommandations à notre marmot, et dites-lui que peut-être j'amenerai de ce pays-là [le Limousin] quelque beau petit chaperon pour le faire jouer et pour lui tenir compagnie. » Le terme désigne ici une petite servante ou demoiselle de compagnie ; plus haut, dans la même correspondance, le sens érotique apparaît nettement : « Si je trouve quelqu'un de ces chaperons qui couvre une jolie tête, je pourrai m'y amuser en passant, et par curiosité seulement. » Et que dire de notre petit Chaperon rouge confronté à cette définition du* Dictionnaire de l'Académie *: « on appelle figurément grand chaperon les femmes d'âge qui accompagnent les jeunes filles dans les compagnies par bienséance et comme pour répondre de leur conduite » ? Le conte ne joue-t-il pas tout entier sur la métaphore* avoir vu le loup (pour une fille, avoir eu des galanteries) ? *Et le dialogue entre le loup et la jeune fille, à partir de* et viens te coucher avec moi, *n'appelle-t-il pas une lecture à double sens ? La réussite tient donc à la connivence entre l'auteur et le lecteur alphabétisé, qui lit à ceux qui ne le peuvent pas encore seuls ; pour les premiers des sens pluriels qui les ravissent, pour les seconds des mots univoques, simples et naïfs.*

Le Rothkäppchen *des frères Grimm (*Contes des enfants et du foyer, *n° 26) diffère du conte de Perrault par son dénouement heureux. Un chasseur, passant par là, entend le loup ronfler, ouvre le ventre de la bête et sauve l'enfant et la grand-mère. Les ressemblances évidentes avec le récit français viennent du fait que les Grimm recueillirent leur version d'une jeune fille d'origine bourgeoise et de mère française. On trouve dans les* Nursery Rhymes *anglais,* l'Histoire des trois petits cochons *dont les motifs narratifs sont comparables et la conclusion identique dans le châtiment du loup.*

LE PETIT CHAPERON[1] ROUGE

Il était une fois une petite fille de Village, la plus jolie qu'on eût su voir ; sa mère en était folle, et sa mère-grand[a] plus folle encore. Cette bonne femme[b] lui fit faire un petit chaperon rouge, qui lui seyait si bien, que partout on l'appelait le Petit chaperon rouge.

Un jour sa mère, ayant cuit[c] et fait des galettes[2], lui dit : « Va voir comme se porte ta mère-grand, car on m'a dit qu'elle était malade ; porte-lui une galette et ce petit pot de beurre. » Le petit chaperon rouge partit aussitôt pour aller chez sa mère-grand, qui demeurait dans un autre Village. En passant dans un bois elle rencontra compère[3] le Loup, qui eut bien envie de la manger ; mais il n'osa, à cause de quelques Bûcherons qui étaient dans la Forêt. Il lui demanda où elle allait ; la pauvre enfant, qui ne savait pas qu'il est dangereux de s'arrêter à écouter

---

a : nom populaire de la grand-mère.
b : vieille femme.
c : *cuire :* faire et cuire du pain pour plusieurs jours ou semaines.

un Loup, lui dit : « Je vais voir ma Mère-grand, et lui porter une galette avec un petit pot de beurre que ma Mère lui envoie. — Demeure-t-elle bien loin ? lui dit le Loup. — Oh ! oui, dit le petit chaperon rouge, c'est par delà le moulin que vous voyez tout là-bas, là-bas, à la première maison du Village. — Hé bien, dit le Loup, je veux l'aller voir aussi ; je m'y en vais par ce chemin ici[a], et toi par ce chemin-là, et nous verrons qui plus tôt y sera. » Le loup se mit à courir de toute sa force par le chemin qui était le plus court, et la petite fille s'en alla par le chemin le plus long, s'amusant à cueillir des noisettes, à courir après des papillons, et à faire des bouquets des petites fleurs qu'elle rencontrait. Le Loup ne fut pas longtemps à arriver à la maison de la Mère-grand ; il heurte[b] : Toc, toc. « Qui est là ? — C'est votre fille[4] le petit chaperon rouge (dit le Loup en contrefaisant sa voix) qui vous apporte une galette et un petit pot de beurre que ma Mère vous envoie. » La bonne Mère-grand, qui était dans son lit à cause qu'elle se trouvait un peu mal, lui cria : « Tire la chevillette, la bobinette cherra[5]. » Le Loup tira la chevillette, et la porte s'ouvrit. Il se jeta sur la bonne femme, et la dévora en moins de rien ; car il y avait plus de trois jours qu'il n'avait mangé. Ensuite il ferma la porte, et s'alla coucher dans le lit de la Mère-grand, en attendant le petit chaperon rouge, qui quelque temps après vint heurter à la porte. Toc, toc. « Qui est là ? » Le petit chaperon rouge, qui entendit la grosse voix du Loup, eut peur d'abord, mais croyant que sa Mère-grand était enrhumée, répondit : « C'est votre fille le petit chaperon rouge, qui vous apporte une galette et un petit pot de beurre que ma Mère vous envoie. » Le Loup lui cria en adoucissant un peu sa

a : ce chemin-ci.
b : frappe à la porte.

voix : « Tire la chevillette, la bobinette cherra. » Le petit chaperon rouge tira la chevillette, et la porte s'ouvrit. Le Loup, la voyant entrer, lui dit en se cachant dans le lit sous la couverture : « Mets la galette et le petit pot de beurre sur la huche, et viens te coucher avec moi. » Le petit chaperon rouge se déshabille, et va se mettre dans le lit, où elle fut bien étonnée de voir comment sa Mère-grand était faite en son déshabillé. Elle lui dit : « Ma mère-grand, que vous avez de grands bras ! — C'est pour mieux t'embrasser, ma fille. — Ma mère-grand, que vous avez de grandes jambes ! — C'est pour mieux courir, mon enfant. — Ma mère-grand, que vous avez de grandes oreilles ! — C'est pour mieux écouter, mon enfant. — Ma mère-grand, que vous avez de grands yeux ! — C'est pour mieux voir, mon enfant. — Ma mère-grand, que vous avez de grandes dents ! — C'est pour te manger[6]. » Et en disant ces mots, ce méchant Loup se jeta sur le petit chaperon rouge, et la mangea[7].

MORALITÉ

On voit ici que de jeunes enfants,
Surtout de jeunes filles
Belles, bien faites, et gentilles,
Font très mal d'écouter toute sorte de gens,
Et que ce n'est pas chose étrange,
S'il en est tant que le loup mange.
Je dis le loup, car tous les loups
Ne sont pas de la même sorte ;
Il en est d'une humeur accorte,
Sans bruit, sans fiel et sans courroux,

Qui privés[a]*, complaisants et doux,*
Suivent les jeunes Demoiselles
Jusque dans les maisons, jusque dans les ruelles[b] *;*
Mais hélas ! qui ne sait que ces Loups doucereux,
De tous les Loups sont les plus dangereux.

a : familiers.
b : alcôves de certaines dames de qualité qui, au XVIIe siècle, servaient de salons de conversation.

La Barbe bleue

NOTICE

L'article Barbe bleue *du* Grand Dictionnaire universel *de Pierre Larousse conclut ainsi : « C'est à juste titre que Barbe bleue est resté le type des maris féroces et sanguinaires. On fait aussi allusion à la curiosité féminine dont son indiscrète épouse faillit être victime ; à la question répétée : "Anne, ma sœur Anne, ne vois-tu rien venir ?", et enfin, à la réponse de sœur Anne. »*

*Le XIXe siècle, dans sa quête des sources, a voulu prendre au mot le conteur lorsqu'il écrit dans l'*Autre moralité *(voir p. 213)* : « On voit bientôt que cette histoire/Est un conte du temps passé. » Michelet fut le tenant de l'identification de la Barbe bleue à Gilles de Rais (Histoire de France, *livre XI, chap. 1). On attribuait à ce grand seigneur de la maison de Laval, qui vécut de 1396 à 1440 où il périt dans les flammes du bûcher, à ce compagnon d'armes de Jeanne d'Arc et maréchal de France, un nombre considérable de meurtres d'enfants sur lesquels il avait exercé sa lubricité. La légende du pays nantais allait jusqu'à lui attribuer sept épouses légitimes et le surnommer Barbe bleue. Mais cette piste ne mène* à rien car l'histoire courait les chaumières bien avant que Gilles de Rais ne commît ses forfaits qui, d'ailleurs, ne rappellent pas du tout ceux du héros de Perrault. Le conte ne dit rien du passé de ce dernier : ses crimes, s'il en a commis, sont demeurés secrets et ne nuisent pas à sa réputation de roturier enrichi. On a aussi souligné l'analogie de la Barbe bleue avec la légende de sainte Trophime, décapitée par son terrible époux le roi breton Comorus et ressuscitée par saint Gildas, accouru avec les frères de la victime. Albert le Grand raconte la scène dans Les Vies des saints de Bretagne armorique (Rennes, 1680) : « Lors la pauvre dame se jette à deux genoux devant lui, les mains levées au ciel, les joues baignées de larmes, lui crie merci. Mais le cruel bourreau ne tient compte de ses larmes, l'empoigne par les cheveux, lui dessert un grand coup d'épée et lui avale (abat) la tête de dessus les épaules. »

Aux grands mythes qui illustrent la curiosité féminine, ceux de la pomme d'Ève et de la boîte de Pandore, La Barbe bleue a ajouté celui de la petite clef. Balzac scrutant, dans Une fille d'Ève, un de ses personnages, « Madame Félix de Vandenesse », commente « ces violentes palpitations que donne à une femme la certitude d'être en faute. (...) Aujourd'hui, comme dans le conte de Barbe bleue, toutes les femmes aiment à se servir de la clef tachée de sang ; magnifique idée mythologique, une des gloires de Perrault ».

Plus d'un récit merveilleux utilise aussi le motif de la chambre interdite. Dans les Mille et une nuits, le troisième Calender (derviche) raconte qu'il a été accueilli en un magnifique palais par quarante jeunes dames qui, contraintes de s'absenter, lui en remettent toutes les clefs et lui défendent cependant d'ouvrir un cabinet fermé d'une porte d'or. Le prince ouvre ce cabinet et y trouve un cheval noir sur lequel il saute. La monture déploie de larges ailes, s'envole *pour atterrir sur la terrasse d'un château où elle se débarrasse de son cavalier, après lui avoir crevé un œil d'un coup de queue. Quant au motif de la tache indélébile, révélatrice d'une infraction, on le trouve dans le roman médiéval de* Perceforest *sous l'espèce d'un doigt, puis d'une main noircis, qui dénoncent l'amour de Lionel et de Blanchette.*

En quel état la tradition orale parvint-elle à Perrault ? Une fois de plus, on en ignore tout. Reste certain l'effort de modernisation qu'il a accompli. Point de décor médiéval, ni de féerie, mais un financier bien de son époque, vivant dans un cadre euphorique, à l'image de ceux que décrit le texte anonyme La Chasse au vieil grognard de l'antiquité, *texte qui prône l'excellence du temps présent, en 1622. « Mais à présent l'on voit notre campagne enrichie de superbes édifices, la vue desquels fait abolir la mémoire de l'antiquité, et, outre les maisons bourgeoises qui se voient en quantité, bâties d'une structure admirable, couvertes d'ardoises, garnies de fontaines et de magnifiques vergers, éloignées des cours basses où le paysan fait sa retraite, encore voit-on les superbes châteaux des officiers des cours souveraines, nobles et financiers, qui, à moins d'un an, ont par un nouvel édifice renversé mille maisons rustiques pour en former une noble. Et pour les bastiments des villes, quoy ? Ce sont autant de châteaux, et toutefois peu prisés si la dépense n'en excède cent mille livres, fonds qui n'est à rien compté sur le revenu du propriétaire ni sur les superbes meubles, tapisseries et vaisselle d'argent dont on se sert ordinairement. »*

Commencée dans un style réaliste, l'histoire, d'abord galante, s'oriente — avec ces transgressions des lois naturelles que sont la clef fée et le sang indélébile — vers le fantastique, avant de reprendre le ton commun, depuis le XVI*e siècle, aux histoires tra-*

giques, et de sauver providentiellement une héroïne au statut ambigu de fautive et de victime.

La Barbe bleue *a connu un tel succès que depuis le* XVIIIe *siècle on compte une quarantaine d'œuvres diverses (pantomimes, vaudevilles, opéras, féeries, tragédies, tableaux, films, romans, contes et parodies) écrites dans ses marges. Les frères Grimm ainsi retranchèrent un* Blaubart *qu'ils avaient d'abord admis dans leurs* Contes des enfants et du foyer, *craignant qu'il ne s'agît d'une traduction du texte de Perrault. En revanche,* La Barbe bleue *allemande est bien ce* Fitschers Vogel *(oisel emplumé), le nº 46 dans leur recueil. Par goût du paradoxe ou à la suite de lectures attentives du conte, on a tenté de réhabiliter Barbe bleue. La comédie de Sedaine, représentée sur le théâtre des Italiens en 1789, le montre victime des machinations de son épouse infidèle, qu'aide son amant déguisé en sa sœur Anne. La Barbe bleue de Meilhac et Halévy, sur une musique d'Offenbach, n'égorge pas lui-même ses épouses. Il demande à son chimiste de les empoisonner, ce qu'il ne fait pas. On les retrouve donc saines et sauves à la fin. Quant à l'auteur de l'article anonyme que nous citions au début de cette notice, on peut penser que son analyse au plus près du texte de Perrault donna peut-être à Anatole France l'idée de ses* Sept Femmes de la Barbe bleue *(1909). Appelant la justice à blanchir la mémoire de Barbe bleue, l'anonyme plaide ainsi : « Peut-on apporter plus de bonhomie à narrer une aussi lugubre affaire, et mettre plus d'effronterie à répartir en famille le prix du sang ? Chaque complice a son rôle dans le guet-apens, où se laissa prendre la candeur de l'infortuné M. de Barbe bleue. (...) Puis sans remords, sans vergogne, nous voyons Anne, le mousquetaire, le dragon, la veuve, le remplaçant du mari, héritier de l'homme qu'ils assassinent, le calomnier sous la plume de Perrault ! et l'on appelle cette tragédie de l'adultère un conte... et un conte d'enfant encore ! » Le pauvre Bernard de Montragoux, Barbe bleue d'Anatole France, n'a jamais eu de chance avec ses épouses. La septième le fait assassiner par son amant et ses deux frères, et le conte se termine sur la citation des dernières lignes de Perrault.*

LA BARBE BLEUE

Il était une fois un homme qui avait de belles maisons à la Ville et à la Campagne, de la vaisselle d'or et d'argent, des meubles en broderie[a], et des carrosses tout dorés ; mais par malheur cet homme avait la Barbe bleue : cela le rendait si laid et si terrible, qu'il n'était ni femme ni fille qui ne s'enfuît de devant lui. Une de ses Voisines, Dame de qualité[1], avait deux filles parfaitement belles. Il lui en demanda une en Mariage, et lui laissa le choix de celle qu'elle voudrait lui donner. Elles n'en voulaient point toutes deux, et se le renvoyaient l'une à l'autre, ne pouvant se résoudre à prendre un homme qui eût la barbe bleue. Ce qui les dégoûtait[b] encore, c'est qu'il avait déjà épousé plusieurs femmes, et qu'on ne savait ce que ces femmes étaient devenues. La Barbe bleue, pour faire connaissance, les mena avec leur Mère, et trois ou quatre de leurs meilleures amies, et quelques jeunes gens du voisinage, à une de ses maisons de Campagne[2], où on demeura huit jours entiers. Ce n'était que promenades, que

---

a : lit et chaises recouverts de la même tapisserie, de la même parure.
b : rebutait, donnait de l'aversion.

parties de chasse et de pêche, que danses et festins, que collations[a] : on ne dormait point, et on passait toute la nuit à se faire des malices les uns aux autres[3] ; enfin tout alla si bien, que la Cadette commença à trouver que le Maître du logis n'avait plus la barbe si bleue, et que c'était un fort honnête homme[b]. Dès qu'on fut de retour à la Ville, le Mariage se conclut. Au bout d'un mois la Barbe bleue dit à sa femme qu'il était obligé de faire un voyage en Province, de six semaines au moins, pour une affaire de conséquence ; qu'il la priait de se bien divertir pendant son absence, qu'elle fît venir ses bonnes amies, qu'elle les menât à la Campagne si elle voulait, que partout elle fît bonne chère. « Voilà, lui dit-il, les clefs des deux grands garde-meubles[4], voilà celles de la vaisselle d'or et d'argent qui ne sert pas tous les jours, voilà celles de mes coffres-forts, où est mon or et mon argent, celles des cassettes où sont mes pierreries, et voilà le passe-partout de tous les appartements. Pour cette petite clef-ci, c'est la clef du cabinet[c] au bout de la grande galerie de l'appartement bas[5] : ouvrez tout, allez partout, mais pour ce petit cabinet, je vous défends d'y entrer, et je vous le défends de telle sorte, que s'il vous arrive de l'ouvrir, il n'y a rien que vous ne deviez attendre de ma colère. » Elle promit d'observer exactement tout ce qui lui venait d'être ordonné ; et lui, après l'avoir embrassée, il monte dans son carrosse, et part pour son voyage. Les voisines et les bonnes amies n'attendirent pas qu'on les envoyât quérir pour aller chez la jeune Mariée, tant elles avaient d'impatience de voir

a : voir p. 226, b.

b : au XVIIe siècle, homme accompli, qui possède toutes les qualités propres à le rendre agréable en société.

c : pièce isolée, dans un bel appartement ou un palais, où l'on pouvait se retirer, ou converser tranquillement.

toutes les richesses de sa Maison, n'ayant osé y venir pendant que le Mari y était, à cause de sa Barbe bleue qui leur faisait peur. Les voilà aussitôt à parcourir les chambres, les cabinets, les garde-robes[a], toutes plus belles et plus riches les unes que les autres. Elles montèrent ensuite aux garde-meubles, où elles ne pouvaient assez admirer le nombre et la beauté des tapisseries, des lits, des sophas[b], des cabinets[c], des guéridons, des tables et des miroirs, où l'on se voyait depuis les pieds jusqu'à la tête[6], et dont les bordures, les unes de glace, les autres d'argent et de vermeil doré[7], étaient les plus belles et les plus magnifiques qu'on eût jamais vues. Elles ne cessaient d'exagérer et d'envier le bonheur de leur amie, qui cependant ne se divertissait point à voir toutes ces richesses, à cause de l'impatience qu'elle avait d'aller ouvrir le cabinet de l'appartement bas. Elle fut si pressée de sa curiosité, que sans considérer qu'il était malhonnête[d] de quitter sa compagnie, elle y descendit par un petit escalier dérobé, et avec tant de précipitation, qu'elle pensa[e] se rompre le cou deux ou trois fois. Étant arrivée à la porte du cabinet, elle s'y arrêta quelque temps, songeant à la défense que son Mari lui avait faite, et considérant qu'il pourrait lui arriver malheur d'avoir été désobéissante ; mais la tentation était si forte qu'elle ne put la surmonter : elle prit donc la petite clef, et ouvrit en tremblant la porte du

---

a : chambres destinées à renfermer les habits, le linge.

b : mot ignoré des dictionnaires de l'époque et qui désigne des lits de repos à trois dossiers, à la manière des Turcs.

c : sortes de buffets de bois précieux (ébène, noyer) avec plusieurs compartiments ou tiroirs, où l'on rangeait bijoux, objets précieux, papier, nécessaire à écrire. Meubles de prestige, ils se trouvaient dans les chambres ou les galeries.

d : impoli.

e : faillit.

cabinet. D'abord elle ne vit rien, parce que les fenêtres étaient fermées ; après quelques moments elle commença à voir que le plancher était tout couvert de sang caillé, et que dans ce sang se miraient les corps de plusieurs femmes mortes et attachées le long des murs (c'était toutes les femmes que la Barbe bleue avait épousées et qu'il avait égorgées l'une après l'autre). Elle pensa mourir de peur, et la clef du cabinet qu'elle venait de retirer de la serrure lui tomba de la main. Après avoir un peu repris ses esprits, elle ramassa la clef, referma la porte, et monta à sa chambre pour se remettre un peu ; mais elle n'en pouvait venir à bout, tant elle était émue. Ayant remarqué que la clef du cabinet était tachée de sang, elle l'essuya deux ou trois fois, mais le sang ne s'en allait point. Elle eut beau la laver, et même la frotter avec du sablon et avec du grais[8], il y demeura toujours du sang, car la clef était Fée[9], et il n'y avait pas moyen de la nettoyer tout à fait : quand on ôtait le sang d'un côté, il revenait de l'autre. La Barbe bleue revint de son voyage dès le soir même, et dit qu'il avait reçu des Lettres dans le chemin, qui lui avaient appris que l'affaire pour laquelle il était parti venait d'être terminée à son avantage[10]. Sa femme fit tout ce qu'elle put pour lui témoigner qu'elle était ravie de son prompt retour. Le lendemain il lui redemanda les clefs, et elle les lui donna, mais d'une main si tremblante, qu'il devina sans peine tout ce qui s'était passé. « D'où vient, lui dit-il, que la clef du cabinet n'est point avec les autres ? — Il faut, dit-elle, que je l'aie laissée là-haut sur ma table. — Ne manquez pas, dit la Barbe bleue, de me la donner tantôt[a]. » Après plusieurs remises[b], il fallut apporter la clef. La Barbe bleue, l'ayant considérée,

---

a : tout à l'heure.
b : délais, actions de remettre à plus tard quelque chose.

dit à sa femme : « Pourquoi y a-t-il du sang sur cette clef ? — Je n'en sais rien, répondit la pauvre femme, plus pâle que la mort. — Vous n'en savez rien, reprit la Barbe bleue, je le sais bien, moi ; vous avez voulu entrer dans le cabinet ! Hé bien, Madame, vous y entrerez, et irez prendre votre place auprès des Dames que vous y avez vues. » Elle se jeta aux pieds de son Mari, en pleurant et en lui demandant pardon, avec toutes les marques d'un vrai repentir de n'avoir pas été obéissante. Elle aurait attendri un rocher, belle et affligée comme elle était ; mais la Barbe bleue avait le cœur plus dur qu'un rocher. « Il faut mourir, Madame, lui dit-il, et tout à l'heure[a]. — Puisqu'il faut mourir, répondit-elle, en le regardant les yeux baignés de larmes, donnez-moi un peu de temps pour prier Dieu. — Je vous donne un demi-quart d'heure, reprit la Barbe bleue, mais pas un moment davantage. » Lorsqu'elle fut seule, elle appela sa sœur, et lui dit : « Ma sœur Anne[11] (car elle s'appelait ainsi), monte, je te prie, sur le haut de la Tour, pour voir si mes frères ne viennent point ; ils m'ont promis qu'ils me viendraient voir aujourd'hui, et si tu les vois, fais-leur signe de se hâter. » La sœur Anne monta sur le haut de la Tour, et la pauvre affligée lui criait de temps en temps : *« Anne, ma sœur Anne, ne vois-tu rien venir ? »* Et la sœur Anne lui répondait : *« Je ne vois rien que le Soleil qui poudroie[b], et l'herbe qui verdoie. »* Cependant la Barbe bleue, tenant un grand coutelas à sa main, criait de toute sa force à sa femme : « Descends vite, ou je monterai là-haut[12]. — Encore un moment, s'il vous plaît », lui répondait sa femme ; et aussitôt elle criait tout bas : *« Anne, ma sœur Anne, ne vois-tu rien venir ? »* Et la sœur Anne

---

a : sur-le-champ, immédiatement.

b : *poudroyer* signifie s'élever en poussière. Ici les poussières paraissent dans les rayons solaires.

répondait : « *Je ne vois rien que le Soleil qui poudroie, et l'herbe qui verdoie*[13]. » « Descends donc vite, criait la Barbe bleue, ou je monterai là-haut. — Je m'en vais[a] », répondait sa femme, et puis elle criait : « *Anne, ma sœur Anne, ne vois-tu rien venir ?* — Je vois, répondit la sœur Anne, une grosse poussière qui vient de ce côté-ci. — Sont-ce mes frères ? — Hélas ! non, ma sœur, c'est un Troupeau de Moutons. — Ne veux-tu pas descendre ? criait la Barbe bleue. — Encore un moment », répondait sa femme ; et puis elle criait : « *Anne, ma sœur Anne, ne vois-tu rien venir ?* — Je vois, répondit-elle, deux Cavaliers[b] qui viennent de ce côté-ci, mais ils sont bien loin encore... Dieu soit loué, s'écria-t-elle un moment après, ce sont mes frères ; je leur fais signe tant que je puis de se hâter. » La Barbe bleue se mit à crier si fort que toute la maison en trembla. La pauvre femme descendit, et alla se jeter à ses pieds toute épleurée[c] et toute échevelée. « Cela ne sert de rien, dit la Barbe bleue, il faut mourir. » Puis la prenant d'une main par les cheveux, et de l'autre levant le coutelas en l'air, il allait lui abattre la tête. La pauvre femme se tournant vers lui, et le regardant avec des yeux mourants, le pria de lui donner un petit moment pour se recueillir. « Non, non, dit-il, recommande-toi bien à Dieu » ; et levant son bras... Dans ce moment on heurta si fort à la porte, que la Barbe bleue s'arrêta tout court : on ouvrit, et aussitôt on vit entrer deux Cavaliers, qui mettant l'épée à la main, coururent droit à la Barbe bleue[14]. Il reconnut que c'était les frères de sa femme, l'un Dragon et l'autre Mousquetaire[15], de sorte qu'il s'enfuit aussitôt pour se sauver[d] ; mais les deux

---

a : j'arrive.
b : gentilhomme d'épée à cheval, chevalier.
c : éplorée.
d : avoir la vie sauve.

frères le poursuivirent de si près, qu'ils l'attrapèrent avant qu'il pût gagner le perron. Ils lui passèrent leur épée au travers du corps, et le laissèrent mort. La pauvre femme était presque aussi morte que son Mari, et n'avait pas la force de se lever pour embrasser ses Frères. Il se trouva que la Barbe bleue n'avait point d'héritiers, et qu'ainsi sa femme demeura maîtresse de tous ses biens. Elle en employa une partie à marier sa sœur Anne avec un jeune Gentilhomme, dont elle était aimée depuis longtemps ; une autre partie à acheter des Charges de Capitaine[16] à ses deux frères ; et le reste à se marier elle-même à un fort honnête homme[a], qui lui fit oublier le mauvais temps qu'elle avait passé avec la Barbe bleue[17].

MORALITÉ

La curiosité malgré tous ses attraits,
Coûte souvent bien des regrets ;
On en voit tous les jours mille exemples paraître.
C'est, n'en déplaise au sexe[b]*, un plaisir bien léger ;*
Dès qu'on le prend il cesse d'être,
Et toujours il coûte trop cher.

AUTRE MORALITÉ

Pour peu qu'on ait l'esprit sensé,
Et que du Monde on sache le grimoire[c]*,*
On voit bientôt que cette histoire

---

a : homme accompli qui possède toutes les qualités sociales requises.
b : le sexe féminin, les femmes.
c : livre des sorciers qui leur sert à évoquer le démon ; *savoir le grimoire* signifie être habile dans ce dont on se mêle.

Est un conte du temps passé ;
Il n'est plus d'Époux si terrible,
Ni qui demande l'impossible,
Fût-il malcontent[a] *et jaloux.*
Près de sa femme on le voit filer doux ;
Et de quelque couleur que sa barbe puisse être,
On a peine à juger qui des deux est le maître[18].

---

a : mécontent.

Le Maître chat
ou
Le Chat botté

Conte

NOTICE

Ce conte, comme les trois précédents et le suivant, se trouvait dans le manuscrit de 1695, et fut publié avec quelques variantes dans le recueil de 1697.

Le thème principal du Chat botté, *celui de l'animal secourable qui fait la fortune de son maître, est très répandu dans tous les folklores et, selon les narratologues, fort ancien. On a pu proposer une interprétation ritualiste de ce type de récit : un animal totem (chat, renard, gazelle ou chacal selon les latitudes) joue les rôles d'ambassadeur, de hérault et de champion dans le rituel d'instauration d'un nouveau roi, qui du coup demeure son obligé.*

Contrairement à ce que nous avons constaté pour le Petit Chaperon rouge, *on connaît des versions antérieures à celle de Perrault, dont deux qu'il aurait pu lire. La trame du* Chat botté *figure, en effet, déjà dans les* Facétieuses nuits *de l'Italien Straparole, ouvrage encore bien diffusé, dans sa traduction française, au début du XVIIe siècle, et présent dans nombre de bibliothèques. La première histoire de la onzième nuit raconte comment Constantin le Fortuné reçoit à la mort de sa mère, une pauvre veuve de Bohême, une chatte tandis que ses aînés héritent l'un de la huche à pain, l'autre d'un tour à pâte. Les deux frères survivent, en prêtant leur bien ; Constantin dépérit. Sa chatte, qui est fée, commence par offrir un lièvre au roi de la part de son maître. Ensuite, elle suggère la mise en scène du bain : le jeune homme qui apportait au roi des pierres précieuses, aurait été attaqué, dévalisé et jeté à l'eau par des voleurs. Le roi le recueille, le traite magnifiquement et lui donne sa fille en mariage. Les noces faites, le nouvel épousé doit conduire en grande pompe sa femme chez lui. La chatte prend les devants, menace de mort des cavaliers, des pasteurs, puis les gens d'un château s'ils ne déclarent pas être sujets de Constantin le Fortuné. Valentin, le maître du château meurt subitement et fort à propos ; le suit dans la tombe le père de la princesse. Voilà enfin Fortuné devenu roi. Quant à Basile, l'auteur du* Pentamerone, *il narre dans le quatrième conte de sa deuxième journée, comment un gueux napolitain lègue à son aîné un crible et au cadet Pippo, alias Gagliuso, un chat. Le scénario se déroule comme chez Straparole : offres de poisson et de gibier du chat au roi, suivies du prétendu vol qui laisserait le héros tout à fait démuni. Le roi envoie ses fidèles vérifier si la fortune du jeune homme correspond à la description qu'en a faite le chat : mêmes menaces aux pâtres, gardiens de bestiaux et fermiers. Convaincu par ces renseignements, le roi conclut le mariage. Après un mois de festivités, le cortège s'éloigne et Gagliuso peut acheter avec les richesses de son beau-père de grandes propriétés foncières en pays étranger. Le chat, trouvant un jour les protestations amicales de son maître exagérées, fait le mort. Et l'on retrouve le gueux dans l'oraison funèbre, glaçante : « Prends-le par une patte et jette-le par la fenêtre », dit Gagliuso à son épouse. Le chat quitte l'ingrat après l'avoir maudit et avoir tiré la morale : « De riche appauvri Dieu te garde/Et de mendiant devenu richard. »*

Une version populaire française, enfin, est parvenue jusqu'à nous dans le Grand Parangon des nouvelles nouvelles *que Nicolas de Troyes rédigea vers 1535, mais qui resta manuscrit jusqu'en 1970. Le conte CIII,* Les Trois Héritiers chanceux *donne à connaître « comme ces trois frères-ci pour être diligents en leurs affaires et non paresseux parvinrent à avoir de grands biens innombrables, avec la peine qu'ils y prirent ». Leur père, « pauvre homme de village » ne leur avait laissé respectivement qu'un coq, une faucille et un chat. La ressemblance ne va pas plus loin, car ce chat, bien réel, sert dans un pays où il n'a jamais été introduit... à chasser les rats et les souris qui importunent le roi lorsqu'il déjeune.*

La quête des sources éventuelles ne rend une fois de plus pas compte de la réussite du bien nommé Maître chat. *On pourrait percevoir un hommage à La Fontaine, dans la présentation du personnage du chat, plein de ruse, droit venu de la fable III, 18,* Le Chat et un vieux rat, *ou dans l'expression « un manchon de sa peau », reprise au léopard du fabuliste (*Le Singe et le Léopard, Fables, *III, 18). On pourrait aussi songer, à voir agir l'industrieux animal, à tous ses frères valets de comédie, les Covielle et autres Scapin, de Molière. Comme le spectateur des* Fourberies de Scapin, *le lecteur du* Chat botté, *emporté par le rythme de l'action, cède à l'euphorie et oublie tout à fait les entorses que les héros ont faites à la morale pour parvenir. Mais la fille du roi ne désire-t-elle pas épouser le pseudo-marquis, son futur beau-père ne l'aime-t-il déjà pas, et cette fortune, acquise à point nommé par le chat pour son maître, ne provient-elle pas d'un ogre, et, bien mieux, d'un ogre un peu niais ?*

Der gestiefelte Kater *(Le Chat botté), d'abord admis par les frères Grimm dans leur recueil de 1812, en fut retranché, à cause de son origine française.*

LE MAITRE[1] CHAT
ou
LE CHAT BOTTÉ

Un Meunier ne laissa pour tout bien à trois enfants qu'il avait, que son Moulin, son Ane, et son Chat. Les partages furent bientôt faits, ni le Notaire, ni le Procureur[a] n'y furent point appelés. Ils auraient eu bientôt mangé tout le pauvre patrimoine. L'aîné eut le Moulin, le second eut l'Ane, et le plus jeune n'eut que le Chat. Ce dernier ne pouvait se consoler d'avoir un si pauvre lot : « Mes frères, disait-il, pourront gagner leur vie honnêtement[b] en se mettant ensemble ; pour moi, lorsque j'aurai mangé mon chat, et que je me serai fait un manchon[2] de sa peau, il faudra que je meure de faim. » Le Chat qui entendait ce discours, mais qui n'en fit pas semblant, lui dit d'un air posé et sérieux : « Ne vous affligez point, mon maître, vous n'avez qu'à me donner un Sac, et me faire faire une paire de

---

a : officier public, aujourd'hui nommé avoué, représentant les parties devant les tribunaux et chargé de faire les actes de procédure.
b : convenablement.

Bottes[3] pour aller dans les broussailles, et vous verrez que vous n'êtes pas si mal partagé[a] que vous croyez. » Quoique le Maître du chat ne fit pas grand fond[b] là-dessus, il lui avait vu faire tant de tours de souplesse, pour prendre des Rats et des Souris, comme quand il se pendait par les pieds, ou qu'il se cachait dans la farine pour faire le mort[4], qu'il ne désespéra pas d'en être secouru dans sa misère. Lorsque le chat eut ce qu'il avait demandé, il se botta bravement[c], et mettant son sac à son cou, il en prit les cordons avec ses deux pattes de devant, et s'en alla dans une garenne où il y avait grand nombre de lapins. Il mit du son et des lasserons[d] dans son sac, et s'étendant comme s'il eût été mort, il attendit que quelque jeune lapin, peu instruit encore des ruses de ce monde, vînt se fourrer dans son sac pour manger ce qu'il y avait mis. A peine fut-il couché, qu'il eut contentement ; un jeune étourdi de lapin entra dans son sac, et le maître chat tirant aussitôt les cordons le prit et le tua sans miséricorde. Tout glorieux[e] de sa proie, il s'en alla chez le Roi et demanda à lui parler. On le fit monter à l'Appartement de sa Majesté, où étant entré il fit une grande révérence au Roi, et lui dit : « Voilà, Sire, un Lapin de Garenne que Monsieur le Marquis de Carabas[5] (c'était le nom qu'il lui prit en gré de donner à son Maître), m'a chargé de vous présenter de sa part. — Dis à ton Maître, répondit le Roi, que je le remercie, et qu'il me fait plaisir. » Une autre fois, il alla se cacher dans un blé[f], tenant toujours son sac ouvert ; et lorsque deux Perdrix y furent entrées, il tira les cordons, et les prit toutes deux.

---

a : loti ; *être mal partagé* : avoir reçu une mauvaise part.
b : n'eut pas beaucoup d'espoir.
c : élégamment.
d : sortes de chicorées, dont les lièvres raffolent.
e : fier.
f : champ de blé.

Il alla ensuite les présenter au Roi, comme il avait fait[a] le Lapin de garenne. Le Roi reçut encore avec plaisir les deux Perdrix, et lui fit donner pour boire. Le chat continua ainsi pendant deux ou trois mois à porter de temps en temps au Roi du Gibier de la chasse de son Maître. Un jour qu'il sut que le Roi devait aller à la promenade sur le bord de la rivière avec sa fille, la plus belle Princesse du monde, il dit à son Maître : « Si vous voulez suivre mon conseil, votre fortune est faite : vous n'avez qu'à vous baigner dans la rivière à l'endroit que je vous montrerai, et ensuite me laisser faire. » Le Marquis de Carabas fit ce que son chat lui conseillait, sans savoir à quoi cela serait bon. Dans le temps qu'il se baignait, le Roi vint à passer, et le Chat se mit à crier de toute sa force : « Au secours, au secours, voilà Monsieur le Marquis de Carabas qui se noie ! » A ce cri le Roi mit la tête à la portière[6], et reconnaissant le Chat qui lui avait apporté tant de fois du Gibier, il ordonna à ses Gardes qu'on allât vite au secours de Monsieur le Marquis de Carabas. Pendant qu'on retirait le pauvre Marquis de la rivière, le Chat s'approcha du Carrosse, et dit au Roi que dans le temps que son Maître se baignait, il était venu des Voleurs qui avaient emporté ses habits, quoiqu'il eût crié au voleur de toute sa force ; le drôle[b] les avait cachés sous une grosse pierre. Le Roi ordonna aussitôt aux Officiers de sa Garde-robe[c] d'aller quérir un de ses plus beaux habits pour Monsieur le Marquis de Carabas. Le Roi lui fit mille caresses[d], et comme les beaux habits qu'on venait de lui donner relevaient sa bonne mine

---

a : avait présenté.
b : se dit de quelqu'un de décidé, de déluré, prêt à tout. La Fontaine désigne ainsi le renard, le chien...
c : les gens qui ont acheté la charge du service des habits et du linge du roi.
d : compliments, démonstrations d'amitié, de bienveillance.

(car il était beau, et bien fait de sa personne), la fille du Roi le trouva fort à son gré, et le Comte[7] de Carabas ne lui eut pas jeté deux ou trois regards fort respectueux, et un peu tendres, qu'elle en devint amoureuse à la folie. Le Roi voulut qu'il montât dans son Carrosse, et qu'il fût de la promenade. Le Chat ravi de voir que son dessein commençait à réussir, prit les devants, et ayant rencontré des Paysans qui fauchaient un Pré, il leur dit : « *Bonnes gens qui fauchez, si vous ne dites au Roi que le pré que vous fauchez appartient à Monsieur le Marquis de Carabas, vous serez tous hachés menu comme chair à pâté.* » Le Roi ne manqua pas à demander aux Faucheux[8] à qui était ce Pré qu'ils fauchaient. « C'est à Monsieur le Marquis de Carabas », dirent-ils tous ensemble, car la menace du Chat leur avait fait peur. « Vous avez là un bel héritage[a], dit le Roi au Marquis de Carabas. — Vous voyez, Sire, répondit le Marquis, c'est un pré qui ne manque point de rapporter abondamment toutes les années. » Le maître chat, qui allait toujours devant, rencontra des Moissonneurs, et leur dit : « *Bonnes gens qui moissonnez, si vous ne dites que tous ces blés appartiennent à Monsieur le Marquis de Carabas, vous serez tous hachés menu comme chair à pâté.* » Le Roi, qui passa un moment après, voulut savoir à qui appartenaient tous les blés qu'il voyait. « C'est à Monsieur le Marquis de Carabas », répondirent les Moissonneurs, et le Roi s'en réjouit encore avec le Marquis. Le Chat, qui allait devant le Carrosse, disait toujours la même chose à tous ceux qu'il rencontrait ; et le Roi était étonné des grands biens de Monsieur le Marquis de Carabas. Le maître Chat arriva enfin dans un beau Château dont le Maître était un Ogre, le plus riche

---

a : domaine, bien fonds, sans obligatoirement l'idée de succession.

qu'on ait jamais vu, car toutes les terres par où le Roi avait passé étaient de la dépendance de ce Château. Le Chat, qui eut soin de s'informer qui était cet Ogre, et ce qu'il savait faire, demanda à lui parler, disant qu'il n'avait pas voulu passer si près de son Château, sans avoir l'honneur de lui faire la révérence. L'Ogre le reçut aussi civilement[a] que le peut un Ogre, et le fit reposer. « On m'a assuré, dit le Chat, que vous aviez le don de vous changer en toute sorte d'Animaux, que vous pouviez par exemple vous transformer en Lion, en Éléphant ? — Cela est vrai, répondit l'Ogre brusquement, et pour vous le montrer, vous m'allez voir devenir Lion. » Le Chat fut si effrayé de voir un Lion devant lui, qu'il gagna aussitôt les gouttières, non sans peine et sans péril, à cause de ses bottes qui ne valaient rien pour marcher sur les tuiles. Quelques temps après, le Chat, ayant vu que l'Ogre avait quitté sa première forme, descendit, et avoua qu'il avait eu bien peur. « On m'a assuré encore, dit le Chat, mais je ne saurais le croire, que vous aviez aussi le pouvoir de prendre la forme des plus petits Animaux, par exemple, de vous changer en un Rat, en une souris ; je vous avoue que je tiens cela tout à fait impossible. — Impossible ? reprit l'Ogre, vous allez voir », et en même temps il se changea en une Souris, qui se mit à courir sur le plancher. Le Chat ne l'eut pas plus tôt aperçue qu'il se jeta dessus, et la mangea[9]. Cependant le Roi, qui vit en passant le beau Château de l'Ogre, voulut entrer dedans. Le Chat, qui entendit le bruit du Carrosse qui passait sur le pont-levis, courut au-devant, et dit au Roi : « Votre Majesté soit la bienvenue dans le Château de Monsieur le Marquis de Carabas. — Comment, Monsieur le Marquis, s'écria le Roi, ce Château est encore à vous ! il ne se peut rien de plus beau que cette cour et que tous

---

a : de façon honnête et polie.

ces Bâtiments qui l'environnent ; voyons les dedans[a], s'il vous plaît. » Le Marquis donna la main à la jeune Princesse, et suivant le Roi qui montait le premier, ils entrèrent dans une grande Salle où ils trouvèrent une magnifique collation[b] que l'Ogre avait fait préparer pour ses amis qui le devaient venir voir ce même jour-là, mais qui n'avaient pas osé entrer, sachant que le Roi y était. Le Roi charmé des bonnes qualités de Monsieur le Marquis de Carabas, de même que sa fille qui en était folle, et voyant les grands biens qu'il possédait, lui dit, après avoir bu cinq ou six coups : « Il ne tiendra qu'à vous, Monsieur le Marquis, que vous ne soyez mon gendre. » Le Marquis, faisant de grandes révérences, accepta l'honneur que lui faisait le Roi ; et dès le même jour épousa la Princesse. Le Chat devint grand Seigneur, et ne courut plus après les souris, que pour se divertir.

MORALITÉ

Quelque grand que soit l'avantage
De jouir d'un riche héritage
Venant à nous de père en fils,
Aux jeunes gens pour l'ordinaire,
L'industrie et le savoir-faire[10]
Valent mieux que des biens acquis.

---

a : l'intérieur d'une maison.
b : sorte de goûter, de viandes et de fruits, offert par galanterie ou politesse, à des invités, l'après-midi ou la nuit au cours d'un bal.

AUTRE MORALITÉ

Si le fils d'un Meunier, avec tant de vitesse,
Gagne le cœur d'une Princesse,
Et s'en fait regarder avec des yeux mourants,
C'est que l'habit, la mine et la jeunesse,
Pour inspirer de la tendresse,
N'en sont pas des moyens toujours indifférents.

Les Fées

Conte

NOTICE

Le titre de ce conte bref (seul Le Petit Chaperon rouge *est légèrement plus court) a beaucoup intrigué la critique parce que Perrault n'y met en action qu'une unique fée, sous deux apparences. Il le souligne bien : « C'était la même fée qui avait apparu à sa sœur. » Alors pourquoi ce pluriel* Les Fées, *s'il ne s'agit ni d'un lapsus, ni d'une incohérence ? D'aucuns ont, par ailleurs, noté l'invraisemblance des comportements. Pourquoi la sœur de l'héroïne ne prend-elle pas sur elle, comme le réclament et les consignes maternelles et son intérêt, de pratiquer « l'honnêteté » une fois dans sa vie ? Que penser de cette mère qui chasse sa cadette au lieu de s'occuper à recueillir les trésors qui sortent de sa bouche ? Et de ce prince, si décevant, séduit davantage par le surgissement des perles et des diamants que par la beauté, les vertus et la détresse de sa future épouse ? On a, enfin, jugé le récit maigre, et traité le conte de cadre sans tableau, n'offrant que le début et le dénouement d'une histoire, mais pas de nœud ou de drame.*

L'explication de ces défauts de facture, qui font

aussi l'originalité des Fées, *se trouve sans doute dans la genèse de l'écriture. Les lecteurs de 1695 avaient, en effet, pu lire dans les* Œuvres mêlées *de Marie-Jeanne Lhéritier de Villandon, nièce de Perrault,* Les Enchantements de l'éloquence ou les Effets de la douceur, *« nouvelle » construite sur les mêmes données que* Les Fées. *La jeune Blanche — dont le père, marquis et veuf, a épousé en secondes noces la roturière mère d'Alix — détestée par sa marâtre, doit aller à la fontaine chercher de l'eau. Un jeune prince, tout à la poursuite d'un sanglier, la blesse malencontreusement. La fée Dulcicula, marraine du prince soigne Blanche, qui, vite rétablie, retourne à la fontaine. Elle y rencontre une seconde fée, Eloquentia nativa (Éloquence naturelle) et lui tend gracieusement à boire. La « savante fée » lui accorde « qu'il sortirait de sa bouche des perles, des diamants, des rubis et des émeraudes chaque fois qu'elle ferait un sens fini en parlant ». Le récit s'achève sur le mariage de Blanche et de son prince, tandis que meurt « au coin d'un buisson » la brutale Alix. De cette matière qu'elle prétend « une de ces fables gauloises qui viennent apparemment en droite ligne des conteurs ou troubadours de Provence », transmise par « une dame très instruite des antiquités grecques et romaines, et encore plus savante dans les antiquités gauloises », Marie-Jeanne Lhéritier compose un petit roman, bien structuré : prologue et conclusion mettent en scène la conteuse et sa dédicatrice et ressassent l'origine nationale ainsi que la morale du conte : « Doux et courtois langage/Vaut mieux que riche héritage » ; le premier tiers de l'histoire décrit par le menu les origines sociales, les talents et les goûts de Blanche, qui oublie les besognes ancillaires dans la lecture des romans ; alors seulement commence la narration, avec un premier épisode clos par l'intervention de la fée Dulcicula qui dote Blanche de douceur, Alix « d'être toujours emportée, désagréable et malfaisante ». Enfin vient la scène double à la fontaine, où apparaît l'allégorie du « doux parler », la fée* Eloquentia nativa, *récompensant l'une, punissant l'autre. Tout ceci a beau être plutôt enlevé et plein d'esprit, les interventions de la conteuse, ses commentaires sur le caractère des personnages et sur le sens du conte, ses conseils pédagogiques donnent parfois l'impression d'un bavardage un peu pédant.*

Or il se trouve que Perrault, dès 1694, avait écrit dans la préface de ses Contes en vers *: « Tantôt ce sont des fées qui donnent pour don à une jeune fille qui leur aura répondu avec civilité qu'à chaque parole qu'elle dira, il lui sortira de la bouche un diamant ou une perle ; et à une autre fille qui leur aura répondu brutalement, qu'à chaque parole il lui sortira de la bouche une grenouille ou un crapaud. » Ne doit-on pas voir dans ces lignes l'indice soit qu'il avait déjà composé* Les Fées, *soit qu'il connaissait le récit de sa nièce ? Mais que cette dernière en revanche transcrive* « au coin d'un buisson », *en italiques, ou fasse de Blanche une autre Cendrillon, ne désigne-t-elle pas, par ce clin d'œil à l'aîné et maître, son modèle ? Ainsi plutôt que de conclure dans cette querelle d'antériorité, il paraît réaliste, et conforme aux mœurs conviviales de la société littéraire de l'époque, d'imaginer une émulation dialoguée entre les deux écrivains aux génies si différents. Notre conteur, adepte des formes brèves, aura éliminé le père, la chasse et la blessure, une des fées et une foule de détails, pour parvenir à cette épure et à ce rythme qui choquent les lecteurs trop cartésiens.*

Perrault et sa nièce pouvaient découvrir quelques données de leurs récits dans Les Facétieuses Nuits *de Straparole (III, 3), dont le chevalier de Mailly s'inspira pour sa* Blanchebelle *(*Illustres Fées, *1698). Straparole oppose la blonde Blanchebelle (« les perles* *et les bagues précieuses lui tombaient de la tête ; et en lui lavant les mains, les roses en sortaient, avec les violettes ») à sa sœur Samaritaine dont les cheveux grouillent de poux, dont les mains laissent échapper « une ordure, une graisse et une puanteur qui faisaient charger l'estomac de ceux qui la regardaient ». Cependant seul Basile offrait un conte analogue aux* Fées. *Il s'agit des* Doie Pizzelle *(Les Deux Galettes) du* Pentamerone *(IV, 7). On y voit Martiella abandonner de bon cœur sa galette à une vieille mendiante, une fée, en fait. En récompense, jasmins et roses naissent de sa bouche à chaque parole et, sous le peigne, perles et grenats naissent dans ses cheveux. La vilaine cousine, Puccia, refuse sa galette. La voici condamnée à « écumer comme une mule de médecin », à grouiller de vermine et à faire surgir ronces et orties sous ses pas.*

Les Contes des enfants et du Foyer *des frères Grimm proposent une version allemande :* Die drei Männlein im Walde *(Les Trois Nains dans la forêt).*

LES FÉES[1]

Il était une fois une veuve qui avait deux filles[2] ; l'aînée lui ressemblait si fort et d'humeur[a] et de visage, que qui la voyait voyait la mère. Elles étaient toutes deux si désagréables et si orgueilleuses qu'on ne pouvait vivre avec elles. La cadette, qui était le vrai portrait de son Père pour la douceur et pour l'honnêteté, était avec cela une des plus belles filles qu'on eût su voir. Comme on aime naturellement son semblable, cette mère était folle de sa fille aînée, et en même temps avait une aversion effroyable pour la cadette. Elle la faisait manger à la Cuisine et travailler sans cesse.

Il fallait entre autre chose que cette pauvre enfant allât deux fois le jour puiser de l'eau à une grande demi-lieue[3] du logis, et qu'elle en rapportât plein une grande cruche. Un jour qu'elle était à cette fontaine[4], il vint à elle une pauvre femme qui la pria de lui donner à boire. « Oui-dà[b], ma bonne mère », dit cette belle fille ; et rinçant aussitôt sa cruche, elle puisa de l'eau au plus bel endroit de la

a : voir p. 294, n. 3.
b : *dà* est une particule qui se joint à *oui, non, nenni* pour en renforcer le sens.

fontaine, et la lui présenta, soutenant toujours la cruche afin qu'elle bût plus aisément. La bonne femme, ayant bu, lui dit : « Vous êtes si belle, si bonne, et si honnête[a], que je ne puis m'empêcher de vous faire un don (car c'était une Fée qui avait pris la forme d'une pauvre femme de village, pour voir jusqu'où irait l'honnêteté[b] de cette jeune fille). Je vous donne pour don, poursuivit la Fée, qu'à chaque parole que vous direz, il vous sortira de la bouche ou une Fleur, ou une Pierre précieuse. » Lorsque cette belle fille arriva au logis, sa mère la gronda de revenir si tard de la fontaine. « Je vous demande pardon, ma mère, dit cette pauvre fille, d'avoir tardé si longtemps » ; et en disant ces mots, il lui sortit de la bouche deux Roses, deux Perles, et deux gros Diamants. « Que vois-je là ! dit sa mère toute étonnée ; je crois qu'il lui sort de la bouche des Perles et des Diamants ; d'où vient cela, ma fille ? » (ce fut là la première fois qu'elle l'appela sa fille). La pauvre enfant lui raconta naïvement[c] tout ce qui lui était arrivé, non sans jeter une infinité de Diamants. « Vraiment, dit la mère, il faut que j'y envoie ma fille ; tenez, Fanchon, voyez ce qui sort de la bouche de votre sœur quand elle parle ; ne seriez-vous pas bien aise d'avoir le même don ? Vous n'avez qu'à aller puiser de l'eau à la fontaine, et quand une pauvre femme vous demandera à boire, lui en donner bien honnêtement. — Il me ferait beau voir, répondit la brutale, aller à la fontaine. — Je veux que vous y alliez, reprit la mère, et tout à l'heure[d]. » Elle y alla, mais toujours en grondant[e]. Elle prit le plus beau Flacon[f] d'ar-

---

a : polie.
b : politesse.
c : sincèrement, franchement.
d : tout de suite.
e : en grommelant.
f : vase de métal précieux où l'on met à rafraîchir de l'eau.

gent qui fût dans le logis. Elle ne fut pas plus tôt arrivée à la fontaine qu'elle vit sortir du bois une Dame magnifiquement vêtue qui vint lui demander à boire : c'était la même Fée qui avait apparu à sa sœur, mais qui avait pris l'air et les habits d'une Princesse, pour voir jusqu'où irait la malhonnêteté[a] de cette fille. « Est-ce que je suis ici venue, lui dit cette brutale[b] orgueilleuse, pour vous donner à boire ? Justement j'ai apporté un Flacon d'argent tout exprès pour donner à boire à Madame ! J'en suis d'avis, buvez à même[5] si vous voulez. — Vous n'êtes guère honnête, reprit la Fée, sans se mettre en colère ; hé bien ! puisque vous êtes si peu obligeante, je vous donne pour don qu'à chaque parole que vous direz, il vous sortira de la bouche ou un serpent ou un crapaud. » D'abord que[c] sa mère l'aperçut, elle lui cria : « Hé bien, ma fille ! — Hé bien, ma mère ! lui répondit la brutale, en jetant deux vipères, et deux crapauds[6]. — Ô Ciel ! s'écria la mère, que vois-je là ? C'est sa sœur qui en est cause, elle me le paiera » ; et aussitôt elle courut pour la battre. La pauvre enfant s'enfuit, et alla se sauver[d] dans la Forêt prochaine. Le fils du Roi qui revenait de la chasse la rencontra et la voyant si belle, lui demanda ce qu'elle faisait là toute seule et ce qu'elle avait à pleurer. « Hélas ! Monsieur, c'est ma mère qui m'a chassée du logis. » Le fils du Roi, qui vit sortir de sa bouche cinq ou six Perles, et autant de Diamants, la pria de lui dire d'où cela lui venait. Elle lui conta toute son aventure. Le fils du Roi en devint amoureux, et considérant qu'un tel don valait mieux que tout ce qu'on pouvait donner en mariage à une[7] autre, l'emmena au Palais

---

a : impolitesse.
b : personne grossière, qui manque de savoir-vivre.
c : dès que.
d : sauver sa vie.

du Roi son père, où il l'épousa. Pour sa sœur, elle se fit tant haïr, que sa propre mère la chassa de chez elle ; et la malheureuse, après avoir bien couru sans trouver personne qui voulût la recevoir, alla mourir au coin d'un bois.

MORALITÉ

Les Diamants et les Pistoles[a],
Peuvent beaucoup sur les Esprits ;
Cependant les douces paroles
Ont encor plus de force, et sont d'un plus grand
[prix.

AUTRE MORALITÉ

L'honnêteté coûte des soins,
Et veut un peu de complaisance,
Mais tôt ou tard elle a sa récompense,
Et souvent dans le temps qu'on y pense le moins.

---

a : pièce d'or étrangère qui valait onze livres et quelques sous.

Cendrillon
ou
la petite pantoufle de verre

Conte

NOTICE

Cendrillon *ne figure pas dans le manuscrit de 1695. Pour ce conte, comme pour les deux suivants, nous ne disposons que d'une version, celle de l'édition originale de 1697.*

*On ne saurait compter les Cendrillons, ou leurs sœurs, à qui la tradition a prêté ce parcours de la cendre au trône. Le prototype en serait la courtisane Rhodopis (Yeux de rose) selon le géographe grec Strabon (I*er *siècle avant Jésus-Christ) et l'historien romain Elien (III*e *siècle). Alors qu'elle se baignait dans le Nil, un aigle avait dérobé à sa servante une de ses pantoufles, puis l'avait laissé choir dans le giron du pharaon Psammeticus qui rendait la justice en plein air. Frappé par l'aventure, le souverain fit rechercher la propriétaire de la chaussure et l'épousa.*

La Gatta cennerentola *(Chatte des cendres) de Basile (*Pentamerone, *I, 6) que Perrault a pu lire, met en scène Zezolla, fille d'un prince. A l'instigation de sa gouvernante, elle se débarrasse de sa marâtre ; mais l'ancienne domestique prend la place ainsi libérée et installe à la cour ses six filles. Zezolla passe à la cuisine, au coin de la cheminée où elle* prend son surnom. Un jour son père lui rapporte de voyage un dattier magique, offert par une fée. Grâce à cette plante, elle peut se rendre à trois fêtes dans des parures et des équipages magnifiques. Le roi la remarque et la fait suivre. La troisième fois, elle ne parvient à échapper au serviteur du roi qui la poursuit qu'en abandonnant dans sa fuite une de ses pantoufles. Elle seule peut enfiler la chaussure. Le roi la reconnaît et l'épouse.

L'adaptation de Perrault est d'une certaine manière fidèle. Il supprime toute brutalité ou détail inutiles : le meurtre de la marâtre, la lune de miel du père avec la seconde belle-mère, quatre sœurs sur six (deux suffisent), le dattier, le troisième bal. S'il forge Cucendron, terme qu'une précieuse eût banni, c'est pour mieux marquer la vulgarité des utilisateurs de ce surnom (« on l'appelait communément Cucendron »), donc de Javotte, l'aînée des sœurs. Il raffine le personnage de l'héroïne : jeune fille de qualité au sens plein du terme, elle mérite son ascension sociale ; elle fuit le bal par respect pour la parole donnée, et non par orgueil ou pour exciter la jalousie de ses sœurs comme Zezolla. A mi-chemin entre l'héroïne villageoise des Fées et le royal Riquet, Perrault a réussi avec Cendrillon une figure subtile et sympathique de fille obéissante, capable de garder un secret, de s'abaisser tout en restant grande, de pardonner, et de garder des rêves et des pudeurs d'enfant qui la font bégayer : « Je voudrais bien... Je voudrais bien... », dit-elle à sa marraine.

Enfin la cause est entendue, les pantoufles sont de verre (voir p. 309). Anatole France a répondu aux tentatives rationalisatrices de Balzac et de Littré qui voulaient que l'on écrivît vair, dans Le Livre de mon ami (Dialogue sur les contes de fées, Paris, Livre de Poche, pp. 246-247). « Laure : On ne peut pas se figurer des chaussures faites de la même étoffe qu'une carafe. Des chaussures de vair, c'est-à-dire *des chaussures fourrées se conçoivent mieux, bien que ce soit une mauvaise idée d'en donner à une fillette pour la mener au bal. Cendrillon devait avoir avec les siennes les pieds pattus comme un pigeon. Il fallait pour danser si chaudement qu'elle fût une petite enragée. Mais les jeunes filles le sont toutes ; elles danseraient avec des semelles de plomb.* Raymond : *Cousine, je vous avais pourtant bien avertie de vous défier du bon sens. Cendrillon avait des pantoufles, non de fourrure, mais de* verre, *d'un verre transparent comme une glace de Saint-Gobain, comme l'eau de source et le cristal de roche. Ces pantoufles étaient fées ; on vous l'a dit, et cela seul lève toute difficulté. »*

Mlle Lhéritier a associé dans ses Enchantements de l'éloquence *le thème des* Fées *et celui de la jeune fille noble maltraitée (*Œuvres mêlées, *1695). Mme d'Aulnoy propose dans sa* Finette Cendron, *un amalgame de Cendrillon et Poucet (*Contes de fées, *1710). Chez les frères Grimm, Cendrillon se nomme Aschenputtel ou Aschenbroedel (*Contes des enfants et du foyer, *n° 21). Cette version montre une orpheline touchante, qui vit dans le souvenir de sa mère défunte et reçoit comme Psyché l'aide d'animaux secourables. Elle se rend à trois bals, avec trois robes de plus en plus superbes, perd une pantoufle d'or. La fin n'a pas la grandeur de celle qu'a imaginée Perrault. Le sang coule, des pieds des sœurs qui se sont mutilées pour entrer dans la pantoufle, de leurs yeux qu'ont crevés les pigeons compagnons d'Aschenputtel.*

CENDRILLON

OU

LA PETITE PANTOUFLE DE VERRE[1]

Il était une fois un Gentilhomme qui épousa en secondes noces une femme, la plus hautaine et la plus fière qu'on eût jamais vue. Elle avait deux filles de son humeur[a], et qui lui ressemblaient en toutes choses. Le Mari avait de son côté une jeune fille, mais d'une douceur et d'une bonté sans exemple ; elle tenait cela de sa Mère, qui était la meilleure personne du monde. Les noces ne furent pas plus tôt faites, que la Belle-mère fit éclater sa mauvaise humeur ; elle ne put souffrir les bonnes qualités de cette jeune enfant, qui rendaient ses filles encore plus haïssables. Elle la chargea des plus viles occupations de la Maison : c'était elle qui nettoyait la vaisselle et les montées[b], qui frottait[c] la chambre de Madame, et celles de Mesdemoiselles ses filles. Elle couchait tout au haut de la maison, dans un

---

a : voir p. 294, n. 3.
b : marches d'escalier.
c : cirait à la brosse, nettoyait.

grenier, sur une méchante[a] paillasse, pendant que ses sœurs étaient dans des chambres parquetées, où elles avaient des lits des plus à la mode, et des miroirs où elles se voyaient depuis les pieds jusqu'à la tête. La pauvre fille souffrait tout avec patience, et n'osait s'en plaindre à son père qui l'aurait grondée, parce que sa femme le gouvernait[b] entièrement. Lorsqu'elle avait fait son ouvrage, elle s'allait mettre au coin de la cheminée, et s'asseoir dans les cendres[2], ce qui faisait qu'on l'appelait communément dans le logis Cucendron. La cadette, qui n'était pas si malhonnête[c] que son aînée, l'appelait Cendrillon ; cependant Cendrillon, avec ses méchants habits, ne laissait pas d'être[d] cent fois plus belle que ses sœurs, quoique vêtues très magnifiquement.

Il arriva que le fils du Roi donna un bal, et qu'il en pria[e] toutes les personnes de qualité : nos deux Demoiselles en furent aussi priées, car elles faisaient grande figure[f] dans le Pays. Les voilà bien aises et bien occupées à choisir les habits et les coiffures qui leur siéraient le mieux ; nouvelle peine pour Cendrillon, car c'était elle qui repassait le linge de ses sœurs et qui godronnait[g] leurs manchettes[3]. On ne parlait que de la manière dont on s'habillerait. « Moi, dit l'aînée, je mettrai mon habit de velours rouge et ma garniture d'Angleterre[4]. — Moi, dit la cadette, je n'aurai que ma jupe ordinaire ; mais en récompense[h], je mettrai mon manteau à fleurs d'or, et ma barrière[5] de diamants, qui n'est pas des plus

a : qui ne vaut plus rien, hors d'usage.
b : avait de l'influence sur lui, le faisait agir à sa guise.
c : impolie.
d : était.
e : y invita.
f : avaient une position importante.
g : faisait des plis ronds en repassant.
h : en revanche.

indifférentes. » On envoya quérir la bonne coiffeuse, pour dresser les cornettes[6] à deux rangs, et on fit acheter des mouches[7] de la bonne Faiseuse : elles appelèrent Cendrillon pour lui demander son avis, car elle avait le goût bon. Cendrillon les conseilla le mieux du monde, et s'offrit même à les coiffer ; ce qu'elles voulurent bien. En les coiffant, elles lui disaient : « Cendrillon, serais-tu bien aise d'aller au Bal ? — Hélas, Mesdemoiselles, vous vous moquez de moi, ce n'est pas là ce qu'il me faut. — Tu as raison, on rirait bien si on voyait un Cucendron aller au Bal. » Une autre que Cendrillon les aurait coiffées de travers ; mais elle était bonne, et elle les coiffa parfaitement bien. Elles furent près de deux jours sans manger, tant elles étaient transportées de joie. On rompit plus de douze lacets à force de les serrer pour leur rendre la taille plus menue, et elles étaient toujours devant leur miroir. Enfin l'heureux jour arriva, on partit, et Cendrillon les suivit des yeux le plus longtemps qu'elle put ; lorsqu'elle ne les vit plus, elle se mit à pleurer. Sa Marraine, qui la vit toute en pleurs, lui demanda ce qu'elle avait. « Je voudrais bien... je voudrais bien... » Elle pleurait si fort qu'elle ne put achever. Sa Marraine, qui était Fée, lui dit : « Tu voudrais bien aller au Bal, n'est-ce pas ? — Hélas oui, dit Cendrillon en soupirant. — Hé bien, seras-tu bonne fille ? dit sa Marraine, je t'y ferai aller. » Elle la mena dans sa chambre, et lui dit : « Va dans le jardin et apporte-moi une citrouille. » Cendrillon alla aussitôt cueillir la plus belle qu'elle put trouver, et la porta à sa Marraine, ne pouvant deviner comment cette citrouille la pourrait faire aller au Bal. Sa Marraine la creusa, et n'ayant laissé que l'écorce, la frappa de sa baguette, et la citrouille fut aussitôt changée en un beau carrosse tout doré. Ensuire elle alla regarder dans sa souricière, où elle trouva six souris toutes en vie ; elle dit à Cendrillon de lever un peu la trappe de la souricière, et à chaque souris qui sortait, elle lui donnait un coup de sa baguette, et la souris était aussitôt changée en un beau cheval ; ce qui fit un bel attelage de six chevaux, d'un beau gris de souris pommelé. Comme elle était en peine de quoi elle ferait un Cocher : « Je vais voir, dit Cendrillon, s'il n'y a point quelque rat dans la ratière, nous en ferons un Cocher. — Tu as raison, dit sa Marraine, va voir. » Cendrillon lui apporta la ratière, où il y avait trois gros rats. La Fée en prit un d'entre les trois, à cause de sa maîtresse barbe, et l'ayant touché, il fut changé en un gros Cocher, qui avait une des plus belles moustaches qu'on ait jamais vues. Ensuite elle lui dit : « Va dans le jardin, tu y trouveras six lézards derrière l'arrosoir, apporte-les-moi. » Elle ne les eut pas plus tôt apportés que la Marraine les changea en six Laquais, qui montèrent aussitôt derrière le carrosse avec leurs habits chamarrés[a], et qui s'y tenaient attachés, comme s'ils n'eussent fait autre chose toute leur vie. La Fée dit alors à Cendrillon : « Hé bien, voilà de quoi aller au bal, n'es-tu pas bien aise ? — Oui, mais est-ce que j'irai comme cela avec mes vilains[b] habits ? » Sa Marraine ne fit que la toucher avec sa baguette, et en même temps ses habits furent changés en des habits de drap d'or et d'argent tout chamarrés de pierreries ; elle lui donna ensuite une paire de pantoufles de verre, les plus jolies du monde. Quand elle fut ainsi parée, elle monta en carrosse ; mais sa Marraine lui recommanda sur toutes choses de ne pas passer minuit, l'avertissant que si elle demeurait au Bal un moment davantage, son carrosse redeviendrait citrouille, ses chevaux des souris, ses laquais des lézards, et que ses vieux habits repren-

a : garnis de rubans, passements, dentelles, galons et bandes de velours.
b : de paysanne.

draient leur première forme. Elle promit à sa Marraine qu'elle ne manquerait pas de sortir du Bal avant minuit. Elle part, ne se sentant pas de joie. Le Fils du Roi, qu'on alla avertir qu'il venait d'arriver une grande princesse qu'on ne connaissait point, courut la recevoir ; il lui donna la main à la descente du carrosse, et la mena dans la salle où était la compagnie[a]. Il se fit alors un grand silence ; on cessa de danser[8], et les violons ne jouèrent plus, tant on était attentif à contempler les grandes beautés de cette inconnue. On n'entendait qu'un bruit confus : « Ah, qu'elle est belle ! » Le Roi même, tout vieux qu'il était, ne laissait pas de la regarder, et de dire tout bas à la Reine qu'il y avait longtemps qu'il n'avait vu une si belle et si aimable personne. Toutes les Dames étaient attentives à considérer sa coiffure et ses habits, pour en avoir dès le lendemain de semblables, pourvu qu'il se trouvât des étoffes assez belles, et des ouvriers assez habiles. Le Fils du Roi la mit à la place la plus honorable, et ensuite la prit pour la mener danser. Elle dansa avec tant de grâce, qu'on l'admira encore davantage. On apporta une fort belle collation[b], dont le jeune Prince ne mangea point, tant il était occupé à la considérer. Elle alla s'asseoir auprès de ses sœurs, et leur fit mille honnêtetés[c] : elle leur fit part[d] des oranges et des citrons[9] que le Prince lui avait donnés, ce qui les étonna fort, car elles ne la connaissaient point. Lorsqu'elles causaient ainsi, Cendrillon entendit sonner onze heures trois quarts : elle fit aussitôt une grande révérence à la compagnie, et s'en alla le plus vite qu'elle put. Dès qu'elle fut arrivée, elle alla trouver sa Marraine, et après

---

a : les invités.
b : voir p. 226, b.
c : politesses.
d : donna une partie.

l'avoir remerciée, elle lui dit qu'elle souhaiterait bien aller encore le lendemain au Bal, parce que le Fils du Roi l'en avait priée. Comme elle était occupée à raconter à sa Marraine tout ce qui s'était passé au Bal, les deux sœurs heurtèrent à la porte ; Cendrillon leur alla ouvrir. « Que vous êtes longtemps à revenir ! » leur dit-elle en bâillant, en se frottant les yeux, et en s'étendant[a] comme si elle n'eût fait que de se réveiller ; elle n'avait cependant pas eu envie de dormir depuis qu'elles s'étaient quittées. « Si tu étais venue au Bal, lui dit une de ses sœurs, tu ne t'y serais pas ennuyée : il y est venu la plus belle Princesse, la plus belle qu'on puisse jamais voir ; elle nous a fait mille civilités[b], elle nous a donné des oranges et des citrons. » Cendrillon ne se sentait pas de joie : elle leur demanda le nom de cette Princesse ; mais elles lui répondirent qu'on ne la connaissait pas, que le Fils du Roi en était fort en peine, et qu'il donnerait toutes choses au monde pour savoir qui elle était. Cendrillon sourit et leur dit : « Elle était donc bien belle ? Mon Dieu, que vous êtes heureuses, ne pourrais-je point la voir ? Hélas ! Mademoiselle Javotte, prêtez-moi votre habit jaune que vous mettez tous les jours. — Vraiment, dit Mademoiselle Javotte, je suis de cet avis ! Prêtez votre habit à un vilain Cucendron comme cela : il faudrait que je fusse bien folle. » Cendrillon s'attendait bien à ce refus, et elle en fut bien aise, car elle aurait été grandement embarrassée si sa sœur eût bien voulu lui prêter son habit. Le lendemain les deux sœurs furent au Bal, et Cendrillon aussi, mais encore plus parée que la première fois. Le Fils du Roi fut toujours auprès d'elle, et ne cessa de lui conter des douceurs ; la jeune Demoiselle ne s'ennuyait point, et oublia ce

---

a : en s'étirant.
b : politesses.

que sa Marraine lui avait recommandé ; de sorte qu'elle entendit sonner le premier coup de minuit, lorsqu'elle ne croyait pas qu'il fût encore onze heures : elle se leva et s'enfuit aussi légèrement qu'aurait fait une biche. Le Prince la suivit, mais il ne put l'attraper ; elle laissa tomber une de ses pantoufles de verre, que le Prince ramassa bien soigneusement. Cendrillon arriva chez elle bien essoufflée, sans carrosse, sans laquais, et avec ses méchants[a] habits, rien ne lui étant resté de toute sa magnificence qu'une de ses petites pantoufles, la pareille de celle qu'elle avait laissé tomber. On demanda aux Gardes de la porte du Palais s'ils n'avaient point vu sortir une Princesse ; ils dirent qu'ils n'avaient vu sortir personne, qu'une jeune fille fort mal vêtue, et qui avait plus l'air d'une Paysanne que d'une Demoiselle[b]. Quand ses deux sœurs revinrent du Bal, Cendrillon leur demanda si elles s'étaient encore bien diverties, et si la belle Dame y avait été ; elles lui dirent que oui, mais qu'elle s'était enfuie lorsque minuit avait sonné, et si promptement qu'elle avait laissé tomber une de ses petites pantoufles de verre, la plus jolie du monde ; que le fils du Roi l'avait ramassée, et qu'il n'avait fait que la regarder pendant tout le reste du Bal, et qu'assurément il était fort amoureux de la belle personne à qui appartenait la petite pantoufle. Elles dirent vrai, car peu de jours après, le fils du Roi fit publier à son de trompe[10] qu'il épouserait celle dont le pied serait bien juste[c] à la pantoufle. On commença à l'essayer aux Princesses, ensuite aux Duchesses, et à toute la Cour, mais inutilement. On la porta chez les deux sœurs, qui firent tout leur possible pour faire entrer leur pied dans la pan-

---

a : sans valeur, hors d'usage.
b : fille ou femme née de parents nobles.
c : s'ajusterait bien.

toufle, mais elles ne purent en venir à bout. Cendrillon qui les regardait, et qui reconnut sa pantoufle, dit en riant : « Que je voie si elle ne me serait pas bonne[a] ! » Ses sœurs se mirent à rire et à se moquer d'elle. Le Gentilhomme qui faisait l'essai de la pantoufle, ayant regardé attentivement Cendrillon, et la trouvant fort belle, dit que cela était juste, et qu'il avait ordre de l'essayer à toutes les filles. Il fit asseoir Cendrillon, et approchant la pantoufle de son petit pied, il vit qu'elle y entrait sans peine, et qu'elle y était juste comme de cire[b]. L'étonnement des deux sœurs fut grand, mais plus grand encore quand Cendrillon tira de sa poche l'autre petite pantoufle qu'elle mit à son pied. Là-dessus arriva la Marraine, qui ayant donné un coup de sa baguette sur les habits de Cendrillon, les fit devenir encore plus magnifiques que tous les autres.

Alors ses deux sœurs la reconnurent pour la belle personne qu'elles avaient vue au Bal. Elles se jetèrent à ses pieds pour lui demander pardon de tous les mauvais traitements qu'elles lui avaient fait souffrir. Cendrillon les releva, et leur dit, en les embrassant, qu'elle leur pardonnait de bon cœur, et qu'elle les priait de l'aimer bien toujours. On la mena chez le jeune Prince, parée comme elle était : il la trouva encore plus belle que jamais, et peu de jours après, il l'épousa. Cendrillon, qui était aussi bonne que belle, fit loger ses deux sœurs au Palais, et les maria dès le jour même à deux grands Seigneurs de la Cour.

---

a : *être bon :* aller.
b : parfaitement.

MORALITÉ

La beauté pour le sexe[a] est un rare trésor,
De l'admirer jamais on ne se lasse ;
Mais ce qu'on nomme bonne grâce
Est sans prix, et vaut mieux encor.

C'est ce qu'à Cendrillon fit avoir sa Marraine,
En la dressant[b], en l'instruisant,
Tant et si bien qu'elle en fit une Reine :
(Car ainsi sur ce Conte on va moralisant.)

Belles, ce don vaut mieux que d'être bien coiffées,
Pour engager un cœur, pour en venir à bout,
La bonne grâce est le vrai don des Fées[11] ;
Sans elle on ne peut rien, avec elle, on peut tout.

AUTRE MORALITÉ

C'est sans doute un grand avantage,
D'avoir de l'esprit, du courage,
De la naissance, du bon sens,
Et d'autres semblables talents,
Qu'on reçoit du Ciel en partage ;
Mais vous aurez beau les avoir,
Pour votre avancement[c] ce seront choses vaines,
Si vous n'avez, pour les faire valoir,
Ou des parrains ou des marraines.

---

a : les femmes.
b : la formant.
c : réussite sociale et financière.

Riquet à la houppe

Conte

NOTICE

Tout est beau dans ce que l'on aime
Tout ce qu'on aime a de l'esprit

Voilà, enfermé en ces vers de la première moralité, le thème de Riquet à la houppe, *conte singulier dans le recueil par son origine lettrée. Perrault s'inspire pour son récit, non du répertoire populaire, mais, suivant la veine précieuse des salons qu'il fréquentait avec sa nièce Marie-Jeanne Lhéritier, d'un conte inséré dans un roman de Catherine Bernard. Née en 1663, nièce de Corneille et parente de Fontenelle, cette demoiselle avait déjà publié des nouvelles galantes et une tragédie, remporté un prix de poésie à l'Académie française, quand elle donna en 1696 son* Inès de Cordoue, *nouvelle espagnole. Inès et Leonor, les deux héroïnes du roman, conviées par leur reine à narrer des histoires galantes, content, l'une* Le Prince-rosier, *l'autre un premier* Riquet à la houppe *dont voici l'intrigue résumée : Mama, fille unique, belle mais stupide, d'un grand seigneur de Grenade, promet à Riquet, le roi des gnomes, qui lui donne de l'esprit, de l'épouser un an plus tard.*

Désormais spirituelle, elle conquiert Arada, amant parfait, mais peu fortuné. L'échéance venue, elle se résout, après une délibération tragique, à suivre son promis sous terre. Elle languit loin d'Arada qu'elle fait venir secrètement au royaume souterrain. Riquet découvre la trahison et condamne Mama à n'être intelligente que de nuit. Nouveau stratagème de l'épouse infidèle : elle endort chaque nuit son conjoint avec des herbes soporifiques. Cette ruse-là s'évente aussi. Et l'histoire s'achève par la métamorphose d'Arada en gnome. « Mama ne le distingua plus de son mari (...) mais peut-être qu'elle n'y perdit guère : les amants à la longue deviennent des maris. »

Perrault va donc composer son propre Riquet à la houppe *pour des lecteurs qui connaissent le récit de Catherine Bernard et peuvent confronter les deux textes. Cette comparaison permet au lecteur d'aujourd'hui de saisir le génie personnel de Perrault. D'abord notre conteur a introduit de ces symétries qu'il affectionne : la princesse a une sœur jumelle, son opposé, et possède, sans le savoir, le don complémentaire de celui de Riquet. Ensuite, une fois de plus, ont été éliminées les situations réprouvées par la morale chrétienne : pas trace de maîtresse, ni d'amant adultères, ni même de manquement à la parole donnée en dépit des tergiversations. Enfin, seul le désir de brièveté peut expliquer certaines bizarreries du texte de Perrault, comme cette silhouette à peine esquissée du rival de Riquet, « si puissant, si riche, si spirituel et si bien fait », sans doute souvenir d'Arada, ou comme ces préparatifs d'un banquet souterrain, qui s'expliquent mieux pour le mariage du roi des gnomes que pour un souverain terrestre. Mais Perrault omet de préciser sur quel royaume règne son Riquet...*

Il n'y tenait sans doute pas, car, pour Mama et pour le lecteur de Catherine Bernard, le royaume des gnomes semble celui de l'ennui, de la laideur physique et morale. Perrault a voulu, et réussi, autre chose, un conte de fées où leur présence n'est même plus requise, une histoire où l'amour réciproque d'un homme et d'une femme peut tout expliquer. Dans le Dialogue de l'Amour et de l'Amitié, *badinage plein de bel esprit qui connut un vif succès, le jeune Perrault faisait, en 1660, dire à l'Amour, accusé d'aveugler les amoureux : « Je ne comprends pas ce qui a pu donner lieu à de si étranges imaginations, si ce n'est peut-être qu'on ait pris pour un bandeau de certains petits cristaux que je leur mets au-devant des yeux, lorsque je les fais regarder les personnes qu'ils aiment. Ces cristaux ont la vertu de corriger les défauts des objets, et de les réduire dans leurs justes proportions. Si une femme a les yeux trop petits, ou le front trop étroit, je mets au-devant des yeux de son amant un cristal qui grossit les objets (...) Si au contraire, elle a la bouche un peu trop grande et le menton trop long, je lui en mets un autre qui apetisse (...) J'en ai de plus curieux, et ce sont des cristaux qui apetissent des bouches et agrandissent des yeux en même temps ; j'en ai aussi pour les couleurs. »*

La cristallisation (« sa bosse ne lui sembla plus que le bon air d'un homme qui fait le gros dos (...) ses yeux qui étaient louches ne lui en parurent que plus brillants ») ne se produit qu'à la condition que les amants aient de l'esprit, comme Riquet, ou qu'il leur en soit venu. Or il faut savoir que les expressions donner *(ou* vendre*)* de l'esprit, aller chercher de l'esprit *avaient pris dans la langue, et la littérature facétieuse, le sens d'*initier *(ou* s'initier*)* à l'amour physique. *Bien entendu dans* Riquet à la houppe *ces termes gardent leur chaste sens propre, mais quelle délectation pour Perrault d'user et d'abuser, en connivence avec le lecteur connaisseur, de tant de sous-entendus virtuels. On est loin de La Fontaine contant par le menu* Comment l'esprit vient aux filles, *et filant la métaphore érotique : « Toujours l'esprit s'insinue (...)/Bonaventure (...)/Donne d'esprit une seconde dose. (...) C'est votre frère Alain/Qui m'a donné de l'esprit un matin » (*Contes, *IV, 1, v. 77, 80-81, 117-118).*

Ainsi il suffit de lire en sympathie ce Riquet *plein d'esprit (on compte vingt-cinq occurrences du mot* esprit, *et quatre de l'adjectif* spirituel*) pour ne partager ni l'avis de Charles Deulin qui jugeait « ce récit précieux et alambiqué », ni la sentence de Marc Soriano qui y voit « de loin le conte le moins réussi du recueil » et parle d'échec.*

RIQUET A LA HOUPPE

Il était une fois une Reine qui accoucha d'un fils, si laid et si mal fait, qu'on douta longtemps s'il avait forme humaine. Une Fée qui se trouva à sa naissance assura qu'il ne laisserait pas d'être[a] aimable, parce qu'il aurait beaucoup d'esprit ; elle ajouta même qu'il pourrait, en vertu du don qu'elle venait de lui faire, donner autant d'esprit qu'il en aurait à la personne qu'il aimerait le mieux. Tout cela consola un peu la pauvre Reine, qui était bien affligée d'avoir mis au monde un si vilain marmot[b]. Il est vrai que cet enfant ne commença pas plus tôt à parler qu'il dit mille jolies choses, et qu'il avait dans toutes ses actions je ne sais quoi de si spirituel, qu'on en était charmé. J'oubliais de dire qu'il vint au monde avec une petite houppe de cheveux sur la tête, ce qui fit qu'on le nomma Riquet à la houppe, car Riquet[1] était le nom de la famille.

Au bout de sept ou huit ans la Reine d'un Royaume voisin accoucha de deux filles[2]. La première qui vint au monde était plus belle que le

---

a : serait.
b : *d'abord* singe, petite figure grotesque et laide, *enfin* petit garçon.

jour : la Reine en fut si aise, qu'on appréhenda que la trop grande joie qu'elle en avait ne lui fît mal. La même Fée qui avait assisté à la naissance du petit Riquet à la houppe était présente, et pour modérer la joie de la Reine, elle lui déclara que cette petite Princesse n'aurait point d'esprit, et qu'elle serait aussi stupide qu'elle était belle. Cela mortifia beaucoup la Reine ; mais elle eut quelques moments après un bien plus grand chagrin, car la seconde fille dont elle accoucha se trouva extrêmement laide. « Ne vous affligez point tant, Madame, lui dit la Fée ; votre fille sera récompensée d'ailleurs[a], et elle aura tant d'esprit, qu'on ne s'apercevra presque pas qu'il lui manque de la Beauté. — Dieu le veuille, répondit la Reine ; mais n'y aurait-il point moyen de faire avoir un peu d'esprit à l'aînée qui est si belle ? — Je ne puis rien pour elle, Madame, du côté de l'esprit, lui dit la Fée, mais je puis tout du côté de la beauté ; et comme il n'y a rien que je ne veuille faire pour votre satisfaction, je vais lui donner pour don de pouvoir rendre beau ou belle la personne qui lui plaira. » A mesure que ces deux Princesses devinrent grandes, leurs perfections crûrent aussi avec elles, et on ne parlait partout que de la beauté de l'aînée, et de l'esprit de la cadette. Il est vrai aussi que leurs défauts augmentèrent beaucoup avec l'âge. La cadette enlaidissait à vue d'œil, et l'aînée devenait plus stupide de jour en jour. Ou elle ne répondait rien à ce qu'on lui demandait, ou elle disait une sottise. Elle était avec cela si maladroite qu'elle n'eût pu ranger quatre Porcelaines[3] sur le bord d'une cheminée sans en casser une, ni boire un verre d'eau sans en répandre la moitié sur ses habits. Quoique la beauté soit un grand avantage dans une jeune personne, cependant la cadette l'emportait presque toujours sur son aînée

---

a : sera dédommagée par ailleurs.

dans toutes les Compagnies. D'abord on allait du côté de la plus belle pour la voir et pour l'admirer, mais bientôt après, on allait à celle qui avait le plus d'esprit, pour lui entendre dire mille choses agréables ; et on était étonné qu'en moins d'un quart d'heure l'aînée n'avait plus personne auprès d'elle, et que tout le monde s'était rangé autour de la cadette. L'aînée, quoique fort stupide, le remarqua bien, et elle eût donné sans regret toute sa beauté pour avoir la moitié de l'esprit de sa sœur. La Reine, toute sage qu'elle était, ne put s'empêcher de lui reprocher plusieurs fois sa bêtise, ce qui pensa[a] faire mourir de douleur cette pauvre Princesse. Un jour qu'elle s'était retirée dans un bois pour y plaindre[b] son malheur, elle vit venir à elle un petit homme fort laid et fort désagréable, mais vêtu très magnifiquement. C'était le jeune Prince Riquet à la houppe, qui étant devenu amoureux d'elle sur ses Portraits[4] qui couraient par tout le monde, avait quitté le Royaume de son père pour avoir le plaisir de la voir et de lui parler. Ravi de la rencontrer ainsi toute seule, il l'aborde avec tout le respect et toute la politesse imaginable. Ayant remarqué, après lui avoir fait les compliments ordinaires, qu'elle était fort mélancolique, il lui dit : « Je ne comprends point, Madame, comment une personne aussi belle que vous l'êtes peut être aussi triste que vous le paraissez ; car, quoique je puisse me vanter d'avoir vu une infinité de belles personnes, je puis dire que je n'en ai jamais vu dont la beauté approche de la vôtre. — Cela vous plaît à dire, Monsieur », lui répondit la Princesse, et en demeure là[5]. « La beauté, reprit Riquet à la houppe, est un si grand avantage qu'il doit tenir lieu de tout le reste ; et quand on le possède, je ne vois pas qu'il

---

a : faillit.
b : s'y plaindre de.

y ait rien qui puisse nous affliger beaucoup. — J'aimerais mieux, dit la Princesse, être aussi laide que vous et avoir de l'esprit, que d'avoir de la beauté comme j'en ai et être bête autant que je le suis. — Il n'y a rien, Madame, qui marque davantage qu'on a de l'esprit, que de croire n'en pas avoir, et il est de la nature de ce bien-là, que plus on en a, plus on croit en manquer. — Je ne sais pas cela, dit la Princesse, mais je sais bien que je suis fort bête, et c'est de là que vient le chagrin qui me tue[6]. — Si ce n'est que cela, Madame, qui vous afflige, je puis aisément mettre fin à votre douleur. — Et comment ferez-vous ? dit la Princesse. — J'ai le pouvoir, Madame, dit Riquet à la houppe, de donner de l'esprit autant qu'on en saurait avoir à la personne que je dois aimer le plus, et comme vous êtes, Madame, cette personne, il ne tiendra qu'à vous que vous n'ayez autant d'esprit qu'on en peut avoir, pourvu que vous vouliez bien m'épouser. » La Princesse demeura toute interdite, et ne répondit rien. « Je vois, reprit Riquet à la houppe, que cette proposition vous fait de la peine, et je ne m'en étonne pas ; mais je vous donne un an tout entier pour vous y résoudre. » La Princesse avait si peu d'esprit, et en même temps une si grande envie d'en avoir, qu'elle s'imagina que la fin de cette année ne viendrait jamais ; de sorte qu'elle accepta la proposition qui lui était faite. Elle n'eut pas plus tôt promis à Riquet à la houppe qu'elle l'épouserait dans un an à pareil jour, qu'elle se sentit tout autre qu'elle n'était auparavant ; elle se trouva une facilité incroyable à dire tout ce qui lui plaisait, et à le dire d'une manière fine, aisée et naturelle. Elle commença dès ce moment une conversation galante et soutenue avec Riquet à la houppe, où elle brilla d'une telle force que Riquet à la houppe crut lui avoir donné plus d'esprit qu'il ne s'en était réservé pour lui-même. Quand elle fut retournée au Palais, toute la Cour ne savait que penser d'un changement si subit et si extraordinaire, car autant qu'on lui avait ouï dire d'impertinences[a] auparavant, autant lui entendait-on dire des choses bien sensées et infiniment spirituelles. Toute la Cour en eut une joie qui ne se peut imaginer ; il n'y eut que sa cadette qui n'en fut pas bien aise, parce que n'ayant plus sur son aînée l'avantage de l'esprit, elle ne paraissait plus auprès d'elle qu'une Guenon fort désagréable. Le Roi se conduisait par ses avis, et allait même quelquefois tenir le Conseil dans son Appartement. Le bruit de ce changement s'étant répandu, tous les jeunes Princes des Royaumes voisins firent leurs efforts pour s'en faire aimer, et presque tous la demandèrent en Mariage ; mais elle n'en trouvait point qui eût assez d'esprit, et elle les écoutait tous sans s'engager à pas un d'eux. Cependant il en vint un si puissant, si riche, si spirituel et si bien fait, qu'elle ne put s'empêcher d'avoir de la bonne volonté[b] pour lui. Son père s'en étant aperçu lui dit qu'il la faisait la maîtresse sur le choix d'un Époux, et qu'elle n'avait qu'à se déclarer[c]. Comme plus on a d'esprit et plus on a de peine à prendre une ferme résolution sur cette affaire, elle demanda, après avoir remercié son père, qu'il lui donnât du temps pour y penser. Elle alla par hasard se promener dans le même bois où elle avait trouvé Riquet à la houppe, pour rêver[d] plus commodément à ce qu'elle avait à faire. Dans le temps qu'elle se promenait, rêvant profondément, elle entendit un bruit sourd sous ses pieds, comme de plusieurs personnes qui vont et viennent et qui agissent. Ayant prêté l'oreille plus attentivement, elle ouït que l'un

---

a : sottises, propos hors sujet.
b : disposition, sentiment favorable.
c : dire ses sentiments.
d : penser à, méditer sur.

disait : « Apporte-moi cette marmite » ; l'autre : « Donne-moi cette chaudière[a] » ; l'autre : « Mets du bois dans ce feu. » La terre s'ouvrit dans le même temps, et elle vit sous ses pieds comme une grande Cuisine pleine de Cuisiniers, de Marmitons[b] et de toutes sortes d'Officiers[c] nécessaires pour faire un festin magnifique. Il en sortit une bande de vingt ou trente Rôtisseurs, qui allèrent se camper dans une allée du bois autour d'une table fort longue, et qui tous, la lardoire[d] à la main, et la queue de Renard sur l'oreille[7], se mirent à travailler en cadence au son d'une Chanson harmonieuse. La Princesse, étonnée de ce spectacle, leur demanda pour qui ils travaillaient. « C'est, Madame, lui répondit le plus apparent[e] de la bande, pour le Prince Riquet à la houppe, dont les noces se feront demain. » La Princesse encore plus surprise qu'elle ne l'avait été, et se ressouvenant tout à coup qu'il y avait un an qu'à pareil jour elle avait promis d'épouser le Prince Riquet à la houppe, pensa tomber de son haut[f]. Ce qui faisait qu'elle ne s'en souvenait pas, c'est que, quand elle fit cette promesse, elle était une bête, et qu'en prenant le nouvel esprit que le Prince lui avait donné, elle avait oublié toutes ses sottises. Elle n'eut pas fait trente pas en continuant sa promenade, que Riquet à la houppe se présenta à elle, brave[g], magnifique, et comme un Prince qui va se marier. « Vous me voyez, dit-il, Madame, exact à tenir ma parole, et je ne doute point que vous ne veniez ici pour exécuter la vôtre, et me rendre, en

---

a : grand récipient en cuivre où cuisent les aliments.
b : garçons chargés des bas emplois en cuisine.
c : serviteurs de marque du roi.
d : brochette qui sert à introduire des lardons dans la viande.
e : important.
f : faillit tomber des nues.
g : élégant.

me donnant la main[a], le plus heureux de tous les hommes. — Je vous avouerai franchement, répondit la Princesse, que je n'ai pas encore pris ma résolution là-dessus, et que je ne crois pas pouvoir jamais la prendre telle que vous la souhaitez. — Vous m'étonnez, Madame, lui dit Riquet à la houppe. — Je le crois, dit la Princesse, et assurément si j'avais affaire à un brutal[b], à un homme sans esprit, je me trouverais bien embarrassée. Une Princesse n'a que sa parole, me dirait-il, et il faut que vous m'épousiez, puisque vous me l'avez promis ; mais comme celui à qui je parle est l'homme du monde qui a le plus d'esprit, je suis sûre qu'il entendra raison. Vous savez que, quand je n'étais qu'une bête[c], je ne pouvais néanmoins me résoudre à vous épouser ; comment voulez-vous qu'ayant l'esprit que vous m'avez donné, qui me rend encore plus difficile en gens que je n'étais, je prenne aujourd'hui une résolution que je n'ai pu prendre dans ce temps-là ? Si vous pensiez tout de bon à m'épouser, vous avez eu grand tort de m'ôter ma bêtise, et de me faire voir plus clair que je ne voyais. — Si un homme sans esprit, répondit Riquet à la houppe, serait[8] bien reçu[d], comme vous venez de le dire, à vous reprocher votre manque de parole, pourquoi voulez-vous, Madame, que je n'en use pas de même, dans une chose où il y va de tout le bonheur de ma vie ? Est-il raisonnable que les personnes qui ont de l'esprit soient d'une pire condition que ceux qui n'en ont pas ? Le pouvez-vous prétendre, vous qui en avez tant, et qui avez tant souhaité d'en avoir ? Mais venons au fait, s'il vous plaît. A la réserve[e] de

---

a : en m'épousant.
b : homme grossier, sans savoir-vivre.
c : sotte.
d : aurait raison.
e : excepté.

ma laideur, y a-t-il quelque chose en moi qui vous déplaise ? Êtes-vous mal contente de ma naissance, de mon esprit, de mon humeur[a], et de mes manières ? — Nullement, répondit la Princesse, j'aime en vous tout ce que vous venez de me dire. — Si cela est ainsi, reprit Riquet à la houppe, je vais être heureux, puisque vous pouvez me rendre le plus aimable de tous les hommes. — Comment cela se peut-il faire ? lui dit la Princesse. — Cela se fera, répondit Riquet à la houppe, si vous m'aimez assez pour souhaiter que cela soit ; et afin, Madame, que vous n'en doutiez pas, sachez que la même Fée qui au jour de ma naissance me fit le don de pouvoir rendre spirituelle la personne qu'il me plairait, vous a aussi fait le don de pouvoir rendre beau celui que vous aimerez, et à qui vous voudrez bien faire cette faveur. — Si la chose est ainsi, dit la Princesse, je souhaite de tout mon cœur que vous deveniez le Prince du monde le plus beau et le plus aimable ; et je vous en fais le don autant qu'il est en moi. » La Princesse n'eut pas plus tôt prononcé ces paroles, que Riquet à la houppe parut à ses yeux l'homme du monde le plus beau, le mieux fait et le plus aimable qu'elle eût jamais vu. Quelques-uns assurent que ce ne furent point les charmes de la Fée qui opérèrent, mais que l'amour seul fit cette Métamorphose. Ils disent que la Princesse ayant fait réflexion sur la persévérance de son Amant, sur sa discrétion[b], et sur toutes les bonnes qualités de son âme et de son esprit, ne vit plus la difformité de son corps, ni la laideur de son visage, que sa bosse ne lui sembla plus que le bon air d'un homme qui fait le gros dos, et qu'au lieu que jusqu'alors elle l'avait vu boiter effroyablement, elle ne lui trouva plus qu'un certain air penché qui la charmait ; ils

---

a : voir p. 294, n. 3.
b : jugement, discernement.

disent encore que ses yeux, qui étaient louches, ne lui en parurent que plus brillants, que leur dérèglement passa dans son esprit pour la marque d'un violent excès d'amour, et qu'enfin son gros nez rouge eut pour elle quelque chose de Martial et d'Héroïque. Quoi qu'il en soit, la Princesse lui promit sur-le-champ de l'épouser, pourvu qu'il en obtînt le consentement du Roi son Père. Le Roi ayant su que sa fille avait beaucoup d'estime pour Riquet à la houppe, qu'il connaissait d'ailleurs pour un Prince très spirituel et très sage, le reçut avec plaisir pour son gendre. Dès le lendemain les noces furent faites, ainsi que Riquet à la houppe l'avait prévu, et selon les ordres qu'il en avait donnés longtemps auparavant.

MORALITÉ

Ce que l'on voit dans cet écrit,
Est moins un conte en l'air que la vérité [même ;
Tout est beau dans ce que l'on aime[9]*,*
Tout ce qu'on aime a de l'esprit.

AUTRE MORALITÉ

Dans un objet[a] *où la Nature*
Aura mis de beaux traits, et la vive peinture
D'un teint où jamais l'Art ne saurait arriver,
Tous ces dons pourront moins pour rendre un cœur [sensible,
Qu'un seul agrément invisible
Que l'Amour y fera trouver.

---

a : un être aimé, *dans le langage précieux du* XVIIe *siècle.*

Le Petit Poucet

Conte

NOTICE

Cendrillon au masculin, le Petit Poucet est le type du héros faible et méprisé qui, par son intelligence et son ingéniosité, parvient à assurer une certaine réussite sociale à sa famille et à lui-même. Les folklores de tous les pays offrent abondance de tels personnages, du Grain de poivre grec au Tom Pouce anglais dont le berceau fut une coquille de noix, en passant par le Piccolino piémontais ou le Gros d'un poing forézien. Mais ces héros pygmées ne connaissent pas tous les mêmes aventures que notre Poucet et ne se chaussent pas de ces fameuses bottes de sept lieues, qui le métamorphosent, à la fin du conte, en nouveau Mercure, messager non des dieux, mais « du roi et des belles ». Si ces bottes rappellent les rapides sandales de Persée, les talonnières d'Hermès et les chaussures d'or d'Athéna, l'ogre qui hume l'odeur de chair fraîche pourrait trouver bien des modèles dans la mythologie gréco-latine ou les folklores. Autres accessoires, les petits cailloux remplacent le fil d'Ariane, la poignée de grains ou les perles égrenées des contes indiens, ou préfigurent les sacs de millet, de lentilles et de pois, de la Maison du bois *des frères Grimm.*

Les principaux épisodes du Petit Poucet *se retrouvent aussi en d'autres récits : enfants perdus du* Pentamerone, *interversion nocturne des enfants, peut-être inspirée par la mythologie. Thémisto, femme d'Athamas, roi de Thèbes, ordonne que l'on vête ses fils de blanc et ceux d'Ino, sa rivale, de noir. L'esclave, qui n'est autre qu'Ino, fait le contraire. Ainsi Thémisto met à mort ses propres enfants.*

Nennillo e Nennella (Poucet et Poucette) *de Basile (*Pentamerone, *V, 8) montre comment le pauvre Jannuccio, resté veuf avec ses deux enfants du premier lit, est poussé par sa nouvelle épouse à les abandonner. Ils reviennent à la maison une première fois, grâce à une traînée de cendres laissée par leur père. La seconde fois, le sentier de son, tracé par Jannuccio, a été mangé par un âne. La suite s'éloigne de la version sobre choisie par Perrault. Nennillo, recueilli par un prince, devient écuyer tranchant. Adolescent, il retrouve sa sœur dans le ventre d'une baleine où elle a séjourné après avoir échappé à des pirates et à un naufrage. Tout finit bien, le père gentilhomme, ses deux enfants mariés par le prince, et la marâtre suppliciée. On le voit, si Perrault a connu ce texte, il n'en a utilisé que la première partie.*

Une autre originalité du Petit Poucet réside dans la multiplicité des tons, à l'image de la dualité des publics perceptible dans la construction en diptyque. Pour les jeunes auditeurs le conte s'achève avec le premier retour de Poucet « chargé de toutes les richesses de l'Ogre » « au logis de son père, où il fut reçu avec bien de la joie ». Ils n'ont pas souri aux jeux de mots sur les verbes habiller *ou* mortifier. *Ils ne percevront pas le badinage discrètement antiféministe de Perrault à propos de la bûcheronne ou de l'ogresse, mères certes tendres, mais dont seule la menace de coups pourrait rabattre le caquet, ou sujettes à l'évanouissement devant l'urgence. Ils s'ennuieront enfin aux galanteries du dernier paragraphe, à ces allusions ironiques aux rapports des dames du* XVIIe *siècle avec leurs époux et leurs amants.*

Mais Le Petit Poucet *ressortit aussi au conte noir. Que l'on inventorie le nombre de détails horribles (hurlements de loups qu'on croit entendre, pluie qui transperce, boue gluante, forêt où l'on se perd, nez crochus, dents pointues et écartées des petites ogresses, grand couteau, égorgements, sang...). Heureusement, la réussite du benjamin désamorce ce cauchemar et la moralité proclame les droits et la dignité du dernier né. Ainsi on ne s'étonnera pas à constater qu'avec* Le Petit Chaperon rouge, Le Petit Poucet *a connu le plus grand des succès dans les éditions de colportage, l'imagerie d'Épinal et le livre illustré pour enfants.*

Mme d'Aulnoy propose dans sa Finette Cendron, *publiée parmi ses* Contes de fées *en 1710, une héroïne à la fois Cendrillon et Petit Poucet.* Hänsel und Gretel *des frères Grimm (*Contes des enfants et du foyer, *n° 15) diverge de la version de* Ma Mère l'Oye *sur plusieurs points. Les deux enfants, que chérit leur père, sont abandonnés sur la suggestion de leur mère. Perdus pour la seconde fois, ils parviennent, après avoir erré par la forêt, à une maisonnette de pain, couverte en gâteau, demeure de l'ogresse. Celle-ci veut engraisser le garçon et utilise la fillette comme domestique. Gretel la pousse dans le four chauffé pour la cuisson d'Hänsel. Chargés des perles et des pierres précieuses de l'ogresse, les deux enfants rentrent à dos de canard chez leur père, heureusement veuf.*

LE PETIT POUCET

Il était une fois un Bûcheron et une Bûcheronne qui avaient sept enfants tous Garçons. L'aîné n'avait que dix ans, et le plus jeune n'en avait que sept. On s'étonnera que le Bûcheron ait eu tant d'enfants en si peu de temps ; mais c'est que sa femme allait vite en besogne, et n'en faisait pas moins que deux à la fois. Ils étaient fort pauvres, et leurs sept enfants les incommodaient[a] beaucoup, parce qu'aucun d'eux ne pouvait encore gagner sa vie. Ce qui les chagrinait encore, c'est que le plus jeune était fort délicat et ne disait mot : prenant pour bêtise ce qui était une marque de la bonté de son esprit. Il était fort petit, et quand il vint au monde, il n'était guère plus gros que le pouce, ce qui fit que l'on l'appela le petit Poucet. Ce pauvre enfant était le souffre-douleurs de la maison, et on lui donnait toujours le tort. Cependant il était le plus fin, et le plus avisé de tous ses frères, et s'il parlait peu, il écoutait beaucoup. Il vint une année très fâcheuse[b], et la famine[1] fut si grande, que ces pauvres gens résolu-

a : mettaient dans la gêne, appauvrissaient.
b : rigoureuse.

rent de se défaire de[a] leurs enfants. Un soir que ces enfants étaient couchés, et que le Bûcheron était auprès du feu avec sa femme, il lui dit, le cœur serré de douleur : « Tu vois bien que nous ne pouvons plus nourrir nos enfants ; je ne saurais les voir mourir de faim devant mes yeux, et je suis résolu de les mener perdre demain au bois, ce qui sera bien aisé, car tandis qu'ils s'amuseront à fagoter[b], nous n'avons qu'à nous enfuir sans qu'ils nous voient. — Ah ! s'écria la Bûcheronne, pourrais-tu bien toi-même mener perdre tes enfants ? » Son mari avait beau lui représenter[c] leur grande pauvreté, elle ne pouvait y consentir ; elle était pauvre, mais elle était leur mère. Cependant ayant considéré quelle douleur ce lui serait de les voir mourir de faim, elle y consentit, et alla se coucher en pleurant. Le petit Poucet ouït tout ce qu'ils dirent, car, ayant entendu de dedans son lit qu'ils parlaient d'affaires, il s'était levé doucement, et s'était glissé sous l'escabelle[2] de son père pour les écouter sans être vu. Il alla se recoucher et ne dormit point le reste de la nuit, songeant à ce qu'il avait à faire. Il se leva de bon matin, et alla au bord du ruisseau où il emplit ses poches de petits cailloux blancs, et ensuite revint à la maison. On partit, et le petit Poucet ne découvrit rien de tout ce qu'il savait à ses frères. Ils allèrent dans une forêt fort épaisse, où à dix pas de distance on ne se voyait pas l'un l'autre. Le Bûcheron se mit à couper du bois et ses enfants à ramasser les broutilles[d] pour faire des fagots. Le père et la mère, les voyant occupés à travailler, s'éloignèrent d'eux insensiblement, et puis s'enfuirent tout à coup par un petit sentier

---

a : se débarrasser de.
b : faire des fagots avec du bois coupé.
c : invoquer comme argument.
d : menues branches.

détourné. Lorsque ces enfants se virent seuls, ils se mirent à crier et à pleurer de toute leur force. Le petit Poucet les laissait crier, sachant bien par où il reviendrait à la maison ; car en marchant il avait laissé tomber le long du chemin les petits cailloux blancs qu'il avait dans ses poches. Il leur dit donc : « Ne craignez point, mes frères ; mon Père et ma Mère nous ont laissés ici, mais je vous remènerai bien au logis, suivez-moi seulement. » Ils le suivirent, et il les mena jusqu'à leur maison par le même chemin qu'ils étaient venus dans la forêt. Ils n'osèrent d'abord entrer, mais ils se mirent tous contre la porte pour écouter ce que disaient leur Père et leur Mère.

Dans le moment que le Bûcheron et la Bûcheronne arrivèrent chez eux, le Seigneur du Village leur envoya dix écus[3] qu'il leur devait il y avait longtemps, et dont ils n'espéraient plus rien[4]. Cela leur redonna la vie, car les pauvres gens mouraient de faim. Le Bûcheron envoya sur l'heure sa femme à la Boucherie[5]. Comme il y avait longtemps qu'elle n'avait mangé, elle acheta trois fois plus de viande qu'il n'en fallait pour le souper de deux personnes. Lorsqu'ils furent rassasiés, la Bûcheronne dit : « Hélas ! où sont maintenant nos pauvres enfants ? Ils feraient bonne chère de ce qui nous reste là. Mais aussi, Guillaume, c'est toi qui les as voulu perdre ; j'avais bien dit que nous nous en repentirions. Que font-ils maintenant dans cette Forêt ? Hélas ! mon Dieu, les Loups les ont peut-être déjà mangés ! Tu es bien inhumain d'avoir perdu ainsi tes enfants. » Le Bûcheron s'impatienta à la fin, car elle redit plus de vingt fois qu'ils s'en repentiraient et qu'elle l'avait bien dit. Il la menaça de la battre si elle ne se taisait. Ce n'est pas que le Bûcheron ne fût peut-être encore plus fâché[a] que sa femme,

---

a : affligé, peiné.

mais c'est qu'elle lui rompait la tête, et qu'il était de l'humeur de beaucoup d'autres gens, qui aiment fort les femmes qui disent bien, mais qui trouvent très importunes celles qui ont toujours bien dit. La Bûcheronne était toute en pleurs : « Hélas ! où sont maintenant mes enfants, mes pauvres enfants ? » Elle le dit une fois si haut que les enfants qui étaient à la porte, l'ayant entendu, se mirent à crier tous ensemble : « Nous voilà, nous voilà. » Elle courut vite leur ouvrir la porte, et leur dit en les embrassant : « Que je suis aise de vous revoir, mes chers enfants ! Vous êtes bien las, et vous avez bien faim ; et toi Pierrot, comme te voilà crotté, viens que je te débarbouille. » Ce Pierrot était son fils aîné qu'elle aimait plus que tous les autres, parce qu'il était un peu rousseau[a], et qu'elle était un peu rousse[6]. Ils se mirent à Table, et mangèrent d'un appétit qui faisait plaisir au Père et à la Mère, à qui ils racontaient la peur qu'ils avaient eue dans la Forêt en parlant presque toujours tous ensemble. Ces bonnes gens étaient ravis de revoir leurs enfants avec eux, et cette joie dura tant que les dix écus durèrent. Mais lorsque l'argent fut dépensé, ils retombèrent dans leur premier chagrin, et résolurent de les perdre encore, et pour ne pas manquer leur coup, de les mener bien plus loin que la première fois. Ils ne purent parler de cela si secrètement qu'ils ne fussent entendus par le petit Poucet, qui fit son compte de[b] sortir d'affaire comme il avait déjà fait ; mais quoiqu'il se fût levé de bon matin pour aller ramasser des petits cailloux, il ne put en venir à bout, car il trouva la porte de la maison fermée à double tour. Il ne savait que faire, lorsque la Bûcheronne leur ayant donné à chacun un morceau de pain pour leur déjeuner, il songea

---

a : rouquin. Un *rousseau* : un homme aux cheveux roux.
b : comptait bien.

qu'il pourrait se servir de son pain au lieu de cailloux en le jetant par miettes le long des chemins où ils passeraient ; il le serra[a] donc dans sa poche. Le Père et la Mère les menèrent dans l'endroit de la Forêt le plus épais et le plus obscur, et dès qu'ils y furent, ils gagnèrent un faux-fuyant[b] et les laissèrent là. Le petit Poucet ne s'en chagrina pas beaucoup, parce qu'il croyait retrouver aisément son chemin par le moyen de son pain qu'il avait semé partout où il avait passé ; mais il fut bien surpris lorsqu'il ne put en retrouver une seule miette ; les Oiseaux étaient venus qui avaient tout mangé. Les voilà donc bien affligés, car plus ils marchaient, plus ils s'égaraient et s'enfonçaient dans la Forêt. La nuit vint, et il s'éleva un grand vent qui leur faisait des peurs épouvantables. Ils croyaient n'entendre de tous côtés que des hurlements de Loups qui venaient à eux pour les manger. Ils n'osaient presque se parler ni tourner la tête. Il survint une grosse pluie qui les perça jusqu'aux os ; ils glissaient à chaque pas et tombaient dans la boue, d'où ils se relevaient tout crottés, ne sachant que faire de leurs mains. Le petit Poucet grimpa au haut d'un Arbre pour voir s'il ne découvrirait rien ; ayant tourné la tête de tous côtés, il vit une petite lueur comme d'une chandelle, mais qui était bien loin par-delà la Forêt. Il descendit de l'arbre ; et lorsqu'il fut à terre, il ne vit plus rien ; cela le désola. Cependant, ayant marché quelque temps avec ses frères du côté qu'il avait vu la lumière, il la revit en sortant du Bois. Ils arrivèrent enfin à la maison où était cette chandelle, non sans bien des frayeurs, car souvent ils la perdaient de vue, ce qui leur arrivait toutes les fois

---

a : mit en sûreté.
b : chemin détourné, voie par laquelle on peut s'en aller sans être vu.

qu'ils descendaient dans quelques fonds[a]. Ils heurtèrent à la porte, et une bonne femme[b] vint leur ouvrir. Elle leur demanda ce qu'ils voulaient ; le petit Poucet lui dit qu'ils étaient de pauvres enfants qui s'étaient perdus dans la Forêt, et qui demandaient à coucher par charité. Cette femme les voyant tous si jolis se mit à pleurer, et leur dit : « Hélas ! mes pauvres enfants, où êtes-vous venus ? Savez-vous bien que c'est ici la maison d'un Ogre qui mange les petits enfants ? — Hélas ! Madame, lui répondit le petit Poucet, qui tremblait de toute sa force aussi bien que ses frères, que ferons-nous ? Il est bien sûr que les Loups de la Forêt ne manqueront pas de nous manger cette nuit, si vous ne voulez pas nous retirer[c] chez vous. Et cela étant, nous aimons mieux que ce soit Monsieur qui nous mange ; peut-être qu'il aura pitié de nous, si vous voulez bien l'en prier. » La femme de l'Ogre qui crut qu'elle pourrait les cacher à son mari jusqu'au lendemain matin, les laissa entrer et les mena se chauffer auprès d'un bon feu ; car il y avait un Mouton tout entier à la broche pour le souper de l'Ogre. Comme ils commençaient à se chauffer, ils entendirent heurter trois ou quatre grands coups à la porte : c'était l'Ogre qui revenait. Aussitôt sa femme les fit cacher sous le lit et alla ouvrir la porte. L'Ogre demanda d'abord si le souper était prêt, et si on avait tiré du vin, et aussitôt se mit à table. Le Mouton était encore tout sanglant, mais il ne lui en sembla que meilleur. Il fleurait[d] à droite et à gauche, disant qu'il sentait la chair fraîche. « Il faut, lui dit sa femme, que ce soit ce Veau que je

---

a : creux, vallons.
b : vieille femme.
c : accueillir, recevoir.
d : flairait.

viens d'habiller[a] que vous sentez. — Je sens la chair fraîche, te dis-je encore une fois, reprit l'Ogre, en regardant sa femme de travers, et il y a ici quelque chose que je n'entends[b] pas. » En disant ces mots, il se leva de Table, et alla droit au lit. « Ah, dit-il, voilà donc comme tu veux me tromper, maudite femme ! Je ne sais à quoi il tient que je ne te mange aussi ; bien t'en prend d'être une vieille bête. Voilà du Gibier qui me vient bien à propos pour traiter trois Ogres de mes amis qui doivent me venir voir ces jours ici[c]. » Il les tira de dessous le lit l'un après l'autre. Ces pauvres enfants se mirent à genoux en lui demandant pardon ; mais ils avaient à faire au plus cruel de tous les Ogres, qui bien loin d'avoir de la pitié les dévorait déjà des yeux, et disait à sa femme que ce serait là de friands morceaux lorsqu'elle leur aurait fait une bonne sauce. Il alla prendre un grand Couteau, et en approchant de ces pauvres enfants, il l'aiguisait sur une longue pierre qu'il tenait à sa main gauche. Il en avait déjà empoigné un, lorsque sa femme lui dit : « Que voulez-vous faire à l'heure qu'il est ? n'aurez-vous pas assez de temps demain matin ? — Tais-toi, reprit l'Ogre, ils en seront plus mortifiés[d]. — Mais vous avez encore là tant de viande, reprit sa femme ; voilà un Veau, deux Moutons et la moitié d'un Cochon ! — Tu as raison, dit l'Ogre ; donne-leur bien à souper, afin qu'ils ne maigrissent pas, et va les mener coucher. » La bonne femme fut ravie de joie, et leur porta bien à souper, mais ils ne purent manger tant ils étaient saisis de peur. Pour l'Ogre, il se remit à boire, ravi d'avoir de quoi si

---

a : *en cuisine* : dépouiller, vider du gibier ou du poisson pour l'accommoder.
b : comprends.
c : ces jours-ci.
d : *terme de cuisine* : ils seront plus tendres (la viande fraîche passant pour être plus ferme sous la dent).

bien régaler ses Amis. Il but une douzaine de coups plus qu'à l'ordinaire, ce qui lui donna un peu dans la tête, et l'obligea de s'aller coucher.

L'Ogre avait sept filles, qui n'étaient encore que des enfants. Ces petites Ogresses avaient toutes le teint fort beau, parce qu'elles mangeaient de la chair fraîche comme leur père ; mais elles avaient de petits yeux gris et tout ronds, le nez crochu et une fort grande bouche avec de longues dents fort aiguës et fort éloignées l'une de l'autre. Elles n'étaient pas encore fort méchantes ; mais elles promettaient beaucoup, car elles mordaient déjà les petits enfants pour en sucer le sang. On les avait fait coucher de bonne heure, et elles étaient toutes sept dans un grand lit, ayant chacune une Couronne d'or sur la tête[7]. Il y avait dans la même Chambre un autre lit de la même grandeur ; ce fut dans ce lit que la femme de l'Ogre mit coucher les sept petits garçons ; après quoi, elle s'alla coucher auprès de son mari. Le petit Poucet qui avait remarqué que les filles de l'Ogre avaient des Couronnes d'or sur la tête, et qui craignait qu'il ne prit à l'Ogre quelque remords de ne les avoir pas égorgés dès le soir même, se leva vers le milieu de la nuit, et prenant les bonnets de ses frères et le sien, il alla tout doucement les mettre sur la tête des sept filles de l'Ogre, après leur avoir ôté leurs Couronnes d'or qu'il mit sur la tête de ses frères et sur la sienne, afin que l'Ogre les prît pour ses filles, et ses filles pour les garçons qu'il voulait égorger. La chose réussit comme il l'avait pensé ; car l'Ogre s'étant éveillé sur le minuit eut regret d'avoir différé au lendemain ce qu'il pouvait exécuter la veille ; il se jeta donc brusquement hors du lit, et prenant son grand Couteau : « Allons voir, dit-il, comment se portent nos petits drôles[a] ; n'en faisons pas à deux

---

a : voir p. 223, b.

fois. » Il monta donc à tâtons à la Chambre de ses filles et s'approcha du lit où étaient les petits garçons, qui dormaient tous, excepté le petit Poucet, qui eut bien peur lorsqu'il sentit la main de l'Ogre qui lui tâtait la tête, comme il avait tâté celles de tous ses frères. L'Ogre, qui sentit les Couronnes d'or : « Vraiment, dit-il, j'allais faire là un bel ouvrage ; je vois bien que je bus trop hier au soir. » Il alla ensuite au lit de ses filles, où ayant senti les petits bonnets des garçons : « Ah ! les voilà, dit-il, nos gaillards ! travaillons hardiment. » En disant ces mots, il coupa sans balancer[a] la gorge à ses sept filles. Fort content de cette expédition[b], il alla se recoucher auprès de sa femme. Aussitôt que le petit Poucet entendit ronfler l'Ogre, il réveilla ses frères, et leur dit de s'habiller promptement et de le suivre. Ils descendirent doucement dans le Jardin, et sautèrent par-dessus les murailles. Ils coururent presque toute la nuit, toujours en tremblant et sans savoir où ils allaient. L'Ogre s'étant éveillé dit à sa femme : « Va-t'en là-haut habiller[c] ces petits drôles d'hier au soir. » L'Ogresse fut fort étonnée de la bonté de son mari, ne se doutant point de la manière qu'il entendait qu'elle les habillât, et croyant qu'il lui ordonnait de les aller vêtir, elle monta en haut où elle fut bien surprise lorsqu'elle aperçut ses sept filles égorgées et nageant dans leur sang. Elle commença par s'évanouir (car c'est le premier expédient que trouvent presque toutes les femmes en pareilles rencontres[d]). L'Ogre, craignant que sa femme ne fût trop longtemps à faire la besogne dont il l'avait chargée, monta en haut pour lui

a : sans hésiter.
b : *trois sens coexistent ici* : 1. chose faite rapidement ; 2. entreprise à main armée d'un corps de troupe contre un ennemi ; 3. visite à l'improviste.
c : préparer pour la cuisine.
d : occasions.

aider[a]. Il ne fut pas moins étonné que sa femme lorsqu'il vit cet affreux spectacle. « Ah ! qu'ai-je fait là ? s'écria-t-il. Ils me le paieront, les malheureux[b], et tout à l'heure[c]. » Il jeta aussitôt une potée[d] d'eau dans le nez de sa femme et l'ayant fait revenir : « Donne-moi vite mes bottes de sept lieues[8], lui dit-il, afin que j'aille les attraper. » Il se mit en campagne, et après avoir couru bien loin de tous côtés, enfin il entra dans le chemin où marchaient ces pauvres enfants qui n'étaient plus qu'à cent pas du logis de leur père. Ils virent l'Ogre qui allait de montagne en montagne, et qui traversait des rivières aussi aisément qu'il aurait fait le moindre ruisseau. Le petit Poucet, qui vit un Rocher creux proche[e] le lieu où ils étaient, y fit cacher ses six frères, et s'y fourra aussi, regardant toujours ce que l'Ogre deviendrait. L'Ogre qui se trouvait fort las du long chemin qu'il avait fait inutilement (car les bottes de sept lieues fatiguent fort leur homme), voulut se reposer, et par hasard il alla s'asseoir sur la roche où les petits garçons s'étaient cachés. Comme il n'en pouvait plus de fatigue, il s'endormit après s'être reposé quelque temps, et vint à ronfler si effroyablement que les pauvres enfants n'en eurent pas moins de peur que quand il tenait son grand Couteau pour leur couper la gorge. Le petit Poucet en eut moins de peur, et dit à ses frères de s'enfuir promptement à la maison pendant que l'Ogre dormait bien fort, et qu'ils ne se missent point en peine de lui. Ils crurent son conseil, et gagnèrent vite la maison. Le petit Poucet s'étant approché de l'Ogre lui tira doucement ses bottes, et les mit aussitôt.

---

a : l'aider.
b : misérables.
c : tout de suite.
d : le contenu d'un pot.
e : près de.

Les bottes étaient fort grandes et fort larges ; mais comme elles étaient Fées[a], elles avaient le don de s'agrandir et de s'apetisser selon la jambe de celui qui les chaussait, de sorte qu'elles se trouvèrent aussi justes à ses pieds et à ses jambes que si elles avaient été faites pour lui. Il alla droit à la maison de l'Ogre où il trouva sa femme qui pleurait auprès de ses filles égorgées. « Votre mari, lui dit le petit Poucet, est en grand danger ; car il a été pris par une troupe de Voleurs qui ont juré de le tuer s'il ne leur donne tout son or et tout son argent. Dans le moment qu'ils lui tenaient le poignard sur la gorge, il m'a aperçu et m'a prié de vous venir avertir de l'état où il est, et de vous dire de me donner tout ce qu'il a vaillant[b] sans en rien retenir, parce qu'autrement ils le tueront sans miséricorde. Comme la chose presse beaucoup, il a voulu que je prisse ses bottes de sept lieues que voilà pour faire diligence, et aussi afin que vous ne croyiez pas que je sois un affronteur[c]. » La bonne femme fort effrayée lui donna aussitôt tout ce qu'elle avait : car cet Ogre ne laissait pas d'être[d] fort bon mari, quoiqu'il mangeât les petits enfants. Le petit Poucet étant donc chargé de toutes les richesses de l'Ogre s'en revint au logis de son père, où il fut reçu avec bien de la joie.

Il y a bien des gens qui ne demeurent pas d'accord de cette dernière circonstance, et qui prétendent que le petit Poucet n'a jamais fait ce vol à l'Ogre ; qu'à la vérité, il n'avait pas fait conscience[e] de lui prendre ses bottes de sept lieues, parce qu'il ne s'en servait que pour courir après les petits enfants. Ces

---

a : enchantées, magiques.
b : en argent comptant.
c : menteur, trompeur effronté.
d : était.
e : il ne s'était pas senti coupable.

gens-là assurent le savoir de bonne part[a], et même pour avoir bu et mangé dans la maison du Bûcheron. Ils assurent que lorsque le petit Poucet eut chaussé les bottes de l'Ogre, il s'en alla à la Cour, où il savait qu'on était fort en peine d'une Armée qui était à deux cents lieues[9] de là, et du succès[b] d'une Bataille qu'on avait donnée. Il alla, disent-ils, trouver le Roi, et lui dit que s'il le souhaitait, il lui rapporterait des nouvelles de l'Armée avant la fin du jour. Le Roi lui promit une grosse somme d'argent s'il en venait à bout. Le petit Poucet rapporta des nouvelles dès le soir même, et cette première course l'ayant fait connaître, il gagnait tout ce qu'il voulait ; car le Roi le payait parfaitement bien pour porter ses ordres à l'Armée, et une infinité de Dames lui donnaient tout ce qu'il voulait pour avoir des nouvelles de leurs Amants, et ce fut là son plus grand gain. Il se trouvait quelques femmes qui le chargeaient de Lettres pour leurs maris, mais elles le payaient si mal, et cela allait à si peu de chose, qu'il ne daignait mettre en ligne de compte ce qu'il gagnait de ce côté-là. Après avoir fait pendant quelque temps le métier de courrier, et y avoir amassé beaucoup de bien, il revint chez son père, où il n'est pas possible d'imaginer la joie qu'on eut de le revoir. Il mit toute sa famille à son aise. Il acheta des Offices de nouvelle création[10] pour son père et pour ses frères ; et par là il les établit tous, et fit parfaitement bien sa Cour en même temps.

---

a : de bonne source.
b : issue, conclusion.

MORALITÉ

On ne s'afflige point d'avoir beaucoup d'enfants,
Quand ils sont tous beaux, bien faits et bien grands,
Et d'un extérieur qui brille ;
Mais si l'un d'eux est faible ou ne dit mot,
On le méprise, on le raille, on le pille[a] ;
Quelquefois cependant c'est ce petit marmot[b]
Qui fera le bonheur de toute la famille.

---

a : *piller* : terme de chasse, se jeter (en parlant des chiens) sur des animaux, sur leur peau.
b : petit garçon, voir p. 261, b.

Notes

Contentes en vers

PRÉFACE

1. *Griselidis* avait été publiée en 1691, les *Souhaits ridicules* en 1693, *Peau d'Ane* en 1694, dans la première édition groupée des trois contes, dite « seconde édition ». Perrault donna sa préface dans la « troisième édition », en 1694, voir p. 57, 58.

2. Perrault s'amuse ici à pasticher la préface de La Fontaine à ses *Fables* de 1668. Roger Zuber montre dans son introduction aux *Contes* de Perrault qu'on doit voir là un défi clair du conteur au fabuliste, le désir d'entrer, avec ses contes, en compétition avec l'illustre aîné, de le surpasser si possible.

3. Les Grecs appelaient ainsi des contes merveilleux, souvent obscènes, et fort populaires, qu'ils attribuaient à Aristide de Milet (IIe siècle avant J.-C.) et qu'avait traduits en latin Sisenna (120-67 avant J.-C.).

4. L'histoire figure dans le *Satiricon* (CXI-CXII) de Pétrone, qui vécut au Ier siècle après J.-C. Une dame d'Éphèse, au désespoir de la mort de son époux, s'enferme dans son tombeau avec le mort. Mais elle se laisse séduire par le soldat chargé de surveiller un gibet. Pendant leurs ébats, le pendu disparaît. Pour éviter au soldat la pendaison qui l'attend, la matrone et son complice décident de remplacer le cadavre volé par celui du mari. Cette satire de l'inconstance féminine, souvent reprise au Moyen Age, avait été adaptée par La Fontaine en 1682 (*Contes*, V, 6).

5. On trouve l'histoire de Psyché dans *L'Ane d'or ou les Métamorphoses* d'Apulée (auteur latin qui vécut de 125 à 180 après J.-C.), mais pas chez le prolifique auteur grec Lucien (120-200 après J.-C.). Une jeune fille, Psyché, inspire à Vénus de la jalousie. Le père suit les prescriptions de l'oracle et fait exposer sa fille sur un roc où viendra la chercher le monstre qui va

l'épouser. En fait Psyché, enlevée, est conduite dans un palais où son époux ne la rejoint que la nuit. Poussée par ses sœurs envieuses de son bonheur et de sa richesse, elle va vouloir identifier son époux : il s'agit de Cupidon, le fils de Vénus. Mais elle est punie, il s'éloigne. Après trois épreuves, Psyché retrouve enfin celui qu'elle aime.

6. Faerne, *Rusticus et Jupiter*, XCVIII et La Fontaine, *Fables*, VI, 4 : Perrault la résume ensuite.

7. L'édition de 1695 donne *voix commune* : rumeur publique, avis général ?

8. Les allusions renvoient respectivement aux *Fées* (déjà rédigées ?) et à *Peau d'Ane* qui désobéit à son père amoureux ; mais la fin de la phrase renverrait à *L'Adroite Princesse* de Mlle Lhéritier. On y voit deux des trois princesses recevoir dans la tour où le roi, leur père, les a enfermées, un même amant. Chacune met au monde un garçon. Au retour du roi, confiées pour leur punition à une fée, elles meurent rapidement. Quant à la cadette, Finette, elle finit reine.

9. Allusion aux *Contes* de La Fontaine qui reconnaît lui-même dans sa *Préface* (1665), leur caractère « licencieux », un peu libre.

10. Marie-Jeanne Lhéritier de Villandon (1664-1734), nièce de Charles Perrault. Elle tenait salon, écrivait des vers et des contes, célébrait le roi et aida peut-être le veuf à élever ses enfants.

GRISELIDIS

1. Personnage non identifié.

2. Ces « Dames de Paris » venues de chez Villon et Marot, font aussi songer à celles qu'évoque Arnolphe aux vers 21-22 de *L'École des femmes* de Molière : « Fort bien : est-il au monde une autre ville aussi/Où l'on ait des maris si patients qu'ici ? »

3. La santé, pour la médecine du XVIIe siècle, résulte de l'équilibre des quatre humeurs secrétées par le corps humain : sang, flegme ou pituite, bile et bile noire (ou atrabile ou mélancolie). Le tempérament est la résultante de l'agencement de ces différentes humeurs en chaque individu. Si l'une d'elles l'emporte, elle marque le tempérament sanguin, flegmatique, bilieux ou mélancolique. L'humeur subtile, sorte de fumée, est censée s'élever — selon ces conceptions médicales — de la rate ou de l'utérus qui les secrètent vers le cerveau où elle occasionne des troubles : le flegme (ou apathie), la mélancolie (tristesse, abattement), l'hystérie (convulsions, angoisses) et l'hypocondrie (maladie dont la manifestation est qu'on se croit gravement malade alors qu'on ne l'est pas).

4. L'Italie.

5. Lucrèce, violée par Sextus, fils du dernier roi de Rome, se poignarda le lendemain après en avoir fait le récit à son époux Collatin. Ainsi, selon la légende, furent prononcées en 510 avant J.-C. la déchéance des Tarquins et la république romaine.

6. Les Turcs.

7. Satire des femmes, de leurs défauts et de leurs vices, où l'on doit voir un écho de la querelle des femmes qui périodiquement secouait la république des lettres. Il est savoureux de constater que le prince, dont Perrault ne partage pas les vues, s'exprime comme Arnolphe de *L'École des femmes* de Molière (v. 27 et suivants) et surtout comme le Boileau de la *Satire X* contre les femmes, dont la première édition date pourtant de 1694. Mais Boileau travaillait ce poème depuis 1676, et en avait, selon l'habitude de l'époque, lu des fragments à ses amis.

8. *Cf.* Arnolphe, *École des femmes*, v. 124 et suivants.

9. A une observation des caprices de la mode qu'a consignée pour nous Mme de Sévigné (« C'est la défaite des *fontanges* à plate couture. Plus de coiffures élevées jusqu'aux nues, plus de casques (...) Les princesses ont paru de trois quartiers (quatre-vingt-dix centimètres !) moins hautes qu'à l'ordinaire » — 15 mai 1691), Perrault joint des comportements directement inspirés par des considérations plus religieuses, comme se couvrir la gorge, cacher ses bras. Pour les fontanges, voir p. 309, n. 6.

10. De tradition, les villes, lorsqu'elles recevaient le roi ou un hôte prestigieux, faisaient ériger des arcs triomphaux avec des devises, des théâtres de plein air, des arcades, des piédestals ; partout, si la ville était riche, on voyait des peintures. Toutes ces décorations, en matériaux légers, tous les spectacles, tournois, discours, etc., nous restent consignés dans des plaquettes intitulées *Entrées*. Perrault lui-même imagina un projet d'arc triomphal que réalisèrent son frère Claude et Charles Le Brun, en 1670.

11. Les feux d'artifice dont Henri II, puis Henri IV avaient déjà agrémenté leurs fêtes. Pour les fêtes des *Plaisirs de l'île enchantée*, en quelque sorte l'inauguration de Versailles, en mai 1664, Louis XIV fit donner, entre autres réjouissances, un feu d'artifice.

12. Introduit en France par Catherine de Médicis avec *Circé et ses nymphes* de Baltasarini, dit Beaujoyeux, en 1581, le ballet connut tout de suite le succès. Les grands personnages de la cour, les princes même y tinrent leur rôle, de danseurs ou de récitants. Louis XIV aima fort ce divertissement auquel il participa souvent. Le ballet comportait des poèmes, des récits et de la danse qui à l'époque de Lulli gagnait sur les textes. A l'incitation de l'auteur théâtral Quinault, il introduisit sur la scène, pour la première fois, des danseuses dans *Le Triomphe de l'amour*, ballet donné à Saint-Germain le 21 janvier 1681.

Perrault a fait plus d'une fois l'éloge de l'opéra qu'il considère comme un grand genre littéraire moderne. Quinault et Lulli venaient dans les années 1673 à 1685 d'élever l'opéra français à un niveau comparable en qualité à celui des productions italiennes. Pourtant Perrault vante ici, sans ambiguïté, l'opéra italien que Mazarin avait introduit en France à la fin des années 1640, l'opéra de Cavalieri (1550-1602), de Peri (1561-1633) et de Monteverdi (1567-1643). Le dernier ouvrage de conception et de réalisation proprement italiennes donné en France fut, de février à mai 1662, l'*Ercole amante* de Francesco Cavalli.

13. Lieu commun de la pastorale que ce décor avec son platane. Il démarque le premier vers des *Bucoliques* de Virgile où il s'agit d'un « large hêtre ».

14. Courses de bague qui consistaient pour le cavalier lancé au galop à enfiler et enlever avec une lance, une épée, un stylet ou un bâton, un ou plusieurs anneaux suspendus à un poteau.

15. Le discours adressé au roi par les parlementaires, qui signalent ainsi les inconvénients d'un édit, d'une loi, d'un abus d'autorité, se nommait remontrance. Il est plaisant que Perrault en mette une en scène alors même que Louis XIV limita en 1667, puis suspendit en 1673, ce droit qui bornait son autorité.

16. Les éducateurs moralistes ne cessent au XVIIe siècle de dénoncer la pratique des gens aisés à ce sujet. L'usage restait d'envoyer le nouveau-né dès sa naissance à la campagne chez une nourrice, obligée elle-même souvent de confier à d'autres, ou à une chèvre comme le raconte Montaigne, son propre enfant. Tout cela était cause de la grande mortalité des enfants en bas âge. Griselidis, femme naturelle et bonne, renoncerait par l'allaitement à son rôle d'épouse et de dame, pour se consacrer à son bébé. Ce débat agitait d'ailleurs les couches supérieures de la société occidentale depuis Quintilien (30-95 après J.-C). En fait, de plus en plus, l'enfant prenant une valeur sentimentale qu'on ne lui accordait pas toujours au XVIe siècle, les parents hébergeront la nourrice chez eux, ce qui permettra de surveiller l'enfant, de l'éduquer mieux. Le XVIIe siècle découvre l'enfant et les sentiments mignards pour la petite enfance.

17. Le Dieu de Griselidis, qui choisit gratuitement les âmes qu'il éprouve, semble bien janséniste. Pour Corneille Jansen, dit Jansenius (1585-1638), le promoteur de cette nouvelle doctrine chrétienne, Dieu accorde à quelques-uns seulement sa grâce, gratuite et victorieuse. D'où cet apparent fatalisme, sans désespoir, de Griselidis.

18. L'enfant, cire molle, pourrait être infectée, comme par une maladie, des origines roturières de sa mère : le prince humilie, une fois de plus, son épouse.

19. *Cf.* Arnolphe (*École des femmes*, aux v. 711-712) : il parle de la docilité, de l'obéissance, du profond respect « où la femme doit être/Pour son mari, son chef, son seigneur et son maître ».

On trouvait ce type de discours dans la littérature spécialisée à l'usage de la femme chrétienne.

A MONSIEUR*** EN LUI ENVOYANT GRISELIDIS

1. Ce destinataire n'est pas identifié. Serait-ce Fontenelle ?

2. Le monde des lettres au XVIIe siècle est agité en permanence par des débats, des polémiques. Corneille, Molière, Racine et Boileau, le régent du Parnasse, utilisent, comme Perrault, leur plume pour critiquer, condamner, attaquer et se défendre. La diffusion des œuvres se faisait aussi dans les salons, les cercles, par des lectures avant qu'on les confiât à l'imprimeur. Notre conteur, ainsi, fit lire *Griselidis* à ses confrères de l'Académie française, le 25 août 1691.

3. Allusion à la couverture bleue des livres de colportage, sortis des presses des Oudot, imprimeurs de Troyes en Champagne, et diffusés presque uniquement par des marchands ambulants. Cette « bibliothèque bleue » offrait à ses clients des romans de chevalerie, des contes, des livres de piété, des textes religieux, des manuels d'astrologie, de jardinage, de cuisine, de médecine, des almanachs, tout cela dans une brochure à prix modique, que le mercier apportait en sa hotte, jusqu'au fond des campagnes, avec du fil, des aiguilles, des mouchoirs, des peignes et des images.

4. Ce souci de la fin heureuse se lisait déjà dans la préface de La Fontaine à la deuxième partie des *Contes* (1666) : « Que si l'auteur a changé quelques incidents, et même quelque catastrophe (*dernier et principal événement qui détermine le dénouement*), ce qui préparait cette catastrophe et la nécessité de la rendre heureuse l'y ont contraint. Il a cru que dans ces sortes de contes chacun devait être content à la fin : cela plaît toujours au lecteur, à moins qu'on ne lui ait rendu les personnes trop odieuses. Mais il n'en faut point venir là, si l'on peut, ni faire rire et pleurer dans une même nouvelle. » Perrault utilise jusqu'au mot *nouvelle* de son devancier, mot qui signalait chez lui un genre gai et enjoué.

5. En 1691, dans la première version, Perrault expliquait pourquoi il avait nommé son héroïne *Griselde* et non *Griselidis*, nom « un peu sali dans les mains du peuple ». Le proverbe (Patience de Griselidis met à bout bien des maris) et le peuple l'emportèrent : le conteur rebaptisa sa reine Griselidis.

PEAU D'ANE

1. Anne-Thérèse de Marguenat de Courcelles (1647-1733), devenue par mariage marquise de Lambert. Cette femme dont l'éducation avait été soignée par un beau-père lettré, Bachaumont, partit pour Luxembourg dont son mari était gouverneur. Veuve en 1686, elle revint à Paris avec ses deux enfants. A la fin du siècle, elle ouvrira un salon où elle recevra la haute société et les gens de lettres.

2. Signalé pour la première fois en France par le conteur Guillaume Boucher en 1584, le théâtre de marionnettes connut un rapide essor, dès l'époque d'Henri IV. Jean Brioché, ou Briocci, arracheur de dents et marionnettiste, fut convié avec son singe Fagotin, en 1669, à Saint-Germain-en-Laye pour divertir le dauphin. Les spectacles de marionnettes se donnaient surtout dans les foires et les autorités policières avaient du mal à en contrôler le contenu. Ainsi les montreurs de marionnettes profitaient-ils de cette liberté pour larder leurs dialogues d'allusions politiques ou idéologiques. Loin de n'attirer que le public des enfants, ils faisaient courir tout Paris.

3. Voir p. 74.

4. Portrait qui n'est pas sans ressemblance avec le portrait officiel de Louis XIV, voir p. 13, n. 2.

5. Le cours de l'écu d'or au soleil avait été fixé en 1689 à six livres. Le louis en valait onze.

6. La faculté de médecine où les candidats au baccalauréat subissaient un examen sur Hippocrate, médecin grec qui vécut de 460 à 380 avant J.-C.

7. Ces vendeurs de drogues faisaient florès dans les lieux publics parisiens. Citons Tabarin, farceur ambulant réputé de la place Dauphine ou Nicolas de Blégny, bandagiste herniaire, qui sut devenir chirurgien de la reine, du duc d'Orléans et du roi, avant de se voir condamné pour escroquerie.

La Bruyère a fait le portrait d'un « empirique » — ainsi nommait-on ce genre de charlatan —, le célèbre Caretti, qui séjourna plusieurs années à la cour de Louis XIV, avant de retourner à Florence sa patrie. (*Caractères, De quelques usages*, 68).

8. Théologien qui enseignait la morale religieuse et résolvait les cas de conscience, les questions de morale pratique. Le mot, comme la fonction, n'ont plus bonne presse à cette époque, à cause du relâchement que les casuistes arrivaient à excuser.

9. Forme du subjonctif présent : on vous dise.

10. Clyméné, fille de l'Océan et de son épouse Téthys, eut du Soleil (Hélios, Apollon ou Phœbus) son « blond amant », Phaéton et les Héliades.

11. Ce que l'on donne au prêtre qui officie solennellement, et qui en même temps fait baiser, à la personne qui se présente, une patène *(vase sacré qui couvre le calice et sert à recevoir l'hostie)* en signe de paix.

12. Les *oisons* sont les petits de l'oie, qu'on élève sans doute ici en leur donnant du musc pour parfumer leur chair. Les *canepetieres* sont des oiseaux migrateurs de l'ordre des échassiers, outardes ou petites outardes.

13. On savait depuis l'Antiquité conserver dans des glacières souterraines neige et glace pour rafraîchir les boissons estivales et fabriquer des glaces. Ainsi le 8 février 1661, le chevalier de Méré obtint un privilège « pour en tout temps faire vendre et débiter de la glace et neige (...) à raison de trois sols par livre (...) en tous lieux et endroits de Paris ». Dans la *Satire III* de Boileau, dont le thème est un repas ridicule (1665), l'un des invités se plaint : « Pour comble de disgrâce/Par le chaud qu'il faisoit nous n'avions point de glace./Point de glace, bon Dieu, dans le fort de l'Été ! » La mode des glaces fut introduite en France par Procope, qui ouvrit son café en face de la Comédie-Française, vers 1660. On y consommait des glaces en forme d'œuf, disposées sur des verres semblables à des coquetiers.

14. Allusion peu claire. Céphale, grand chasseur, est d'abord remarqué par l'Aurore, amoureuse de lui, qui l'enlève. Il tue malencontreusement Procris son épouse, lors d'une partie de chasse. Remarié mais sans descendant mâle, il se voit contraint par l'oracle à s'unir au premier être femelle rencontré : c'est une ourse. Au moment ou il s'unit à elle, la voici changée en une belle jeune femme. Cette dernière métamorphose justifie sans doute la comparaison de Perrault.

15. Cette toilette, sommaire à nos yeux, s'accomplit avec un linge blanc dont on se frotte. L'usage de l'eau est à ce point exceptionnel que la princesse Palatine le consigne : « Je dus me laver la figure, tellement il y avait de la poussière. J'étais couverte d'un masque gris » (août 1705). Peau d'Ane fait sa toilette comme ses contemporains, par essuiements, changement de linge pour nettoyer et purifier le corps à sec. Perrault lui-même se félicite, dans le t. I du *Parallèle des Anciens et des Modernes* que son époque se soit, par la blanchisserie, affranchie de la « servitude insupportable » de se baigner souvent.

16. La maladie d'amour était, depuis l'Antiquité, l'objet d'un discours médical. D'abord on en décrit les symptômes : « les sens sont égarés, la raison troublée, l'imagination dépravée, les discours sont fols ; le pauvre amoureux ne se représente plus rien que son idole (...) Il devient pâle, maigre, transi, sans appétit (...) Tu le verras pleurant, sanglotant et soupirant coup sur coup, et en une perpétuelle inquiétude, fuyant toutes les compagnies (...) Son pouls se change soudain, non seulement à la vue mais au seul nom de l'objet qui le passionne » (Du Laurens, 1613). Un

des moyens suggérés pour la guérison, le premier si possible, restait la jouissance de l'être aimé, à côté de conversations amicales, d'écoute de musique, de lectures et d'exercices physiques.

17. Voir la note précédente sur les vertus curatives du mariage, et la note 9 pour la forme verbale. Perrault fait ici allusion au problème du mariage, qui, comme la Querelle des femmes, avait suscité depuis l'Antiquité toute une littérature. L'écrivain grec Plutarque (46-120 après J.-C.) dans son opuscule *Sur le mariage* avait prêché pour une communauté de qualité entre les deux époux. Panurge, le héros du *Tiers Livre* de Rabelais (1546), consulte une sibylle, un astrologue, un théologien, un médecin, un philosophe, un fou, le sort, pour se faire une opinion sur le sujet. Molière avait, sur le théâtre, traité plus d'une fois le sujet (voir *L'École des Maris, L'École des femmes, George Dandin*, par exemple, où se trouve toujours évoquée la question fondamentale de l'éducation des filles).

18. Le vers est faux (neuf syllabes au lieu de huit).

19. Le « rivage More » signifie la côte d'Afrique du Nord.

20. Héra-Junon, Aphrodite-Vénus et Athéna-Minerve se disputèrent la pomme d'or, prix de beauté. Pâris en jugea digne Aphrodite, précipitant ainsi les événements qui devaient conduire à leur perte les Troyens. Pour Perrault, une autre querelle s'impose, celle qui oppose les partisans des Anciens aux partisans des Modernes (voir p. 15, 16).

LES SOUHAITS RIDICULES

1. G. Rouger propose de l'identifier à Philis de La Charce (1645-1703), qui venait de s'illustrer, en 1692, à la tête d'une troupe de paysans contre les troupes du duc de Savoie, que Louis XIV avait fait venir à Paris, et qui semblait aimer les lettres.

2. Ancienne mesure équivalant à 1,18 m.

3. Femme d'esprit, qui cherche à se distinguer par un langage délicat, des manières raffinées. Les Précieux se rencontraient dans des salons et s'affrontaient en joutes littéraires, dans des jeux de société. La préciosité fut aussi une réaction contre les mœurs amoureuses, les coutumes et les gestes du moment jugés trop ordinaires.

4. Un des trois fleuves des Enfers des Anciens, celui que les âmes devaient franchir dans la barque du passeur Charon pour accéder à l'empire des morts. Ce vers signifie le désir de mort du bûcheron.

5. Grand dieu du panthéon romain, divinité du ciel, du jour, du temps, de la foudre (son emblème) et du tonnerre. Chez

La Fontaine (*Fables*, I, 6 et V, 1), ce sont la Mort et Mercure qui apparaissent au bûcheron.

6. Voir au-dessus les vers « Le ciel cruel n'avait jamais/Voulu remplir un seul de ses souhaits ».

7. Fagot de quatre ou cinq bûches liées ensemble, ou fagot de douze ou quinze longs morceaux de bois liés ensemble par un lien d'osier ou d'autre bois souple.

8. Variante de 1693 à la suite de ce vers : « Et lui fermant la bouche à tout moment. »

Histoires ou Contes du temps passé

DÉDICACE A MADEMOISELLE

1. Élisabeth-Charlotte d'Orléans (1676-1744), fille de Charlotte-Élisabeth de Bavière, dite la « princesse Palatine », et de Philippe d'Orléans, frère de Louis XIV. En 1698, elle épousera Léopold, duc de Lorraine.

2. Sur la paternité des contes attribuée à Pierre Darmancour, voir p. 28 à 31.

3. Des récits, entre légende et histoire, circulaient en Europe à propos de Charles Quint, Maximilien d'Autriche, François Ier ou Henri IV, récits selon lesquels ces princes se seraient égarés à la chasse et auraient de la sorte rencontré, seuls pour une fois et incognito, leurs sujets. Le schéma du récit ne varie pas : le charbonnier, ou le paysan, accorde une hospitalité irréprochable, mais commet une action — ou fait un geste — susceptible de sanction, souvent du braconnage. Le lendemain (ou plus tard), le prince se fait reconnaître, accorde son pardon et parfois davantage, grâce à ce qu'il a appris en conversant avec son hôte.

LA BELLE AU BOIS DORMANT

1. Catherine de Médicis, mariée en 1533 au futur Henri II, ne donna naissance à son premier enfant, François, qu'en 1544. Dans l'espoir d'une grossesse, capitale pour elle et pour la France, elle avait eu recours aux drogues des médecins royaux, consulté des astrologues, des alchimistes et des sorciers, porté des talismans et bu des philtres. Quant à Marie-Louise d'Espagne, demi-

sœur d'Élisabeth-Charlotte d'Orléans, mariée en 1679 à Charles II d'Espagne, elle essaie de mystérieux traitements, se fait tirer un horoscope, boit des potions, fait des neuvaines (prières répétées neuf jours de suite) et des pélerinages. On parlait même de la soumettre avec son époux à un exorcisme, quand elle mourut empoisonnée, en février 1689.

Les femmes stériles allaient aussi prendre les eaux à Pougues (aujourd'hui dans la Nièvre) ou à Forges, près de Rouen, où se rendit en 1632 Anne d'Autriche, bien avant de mettre au monde le futur Louis XIV.

2. Cuiller et couteau sont des ustensiles de table connus depuis longtemps, mais la fourchette passait encore à la fin du XVIe siècle pour un raffinement douteux. En fait l'usage ne s'en répandit — et seulement dans les classes supérieures — qu'au XVIIe siècle. D'où la délicatesse du présent fait aux fées dans ce conte, et la jalousie de la fée oubliée. On désignait le coffret d'or ou de vermeil qui contenait les couverts par le nom de *cadenas*. C'était un des objets que les villes offraient couramment aux rois et aux reines qui faisaient leur entrée en leurs murs. Si l'on ajoute que seuls les rois et les princes utilisaient un cadenas que l'on déposait sur la table au moment du repas, on mesure l'honneur que le père de la Belle au bois dormant fait aux sept fées, et la déconvenue de la huitième.

3. Il s'agit d'une de ces tapisseries que l'on tendait à quelque distance des murs tant pour la décoration que pour l'isolation thermique.

4. L'eau de la reine de Hongrie (appelée ainsi à cause de l'effet qu'elle était censée avoir produit sur Isabelle de Hongrie, âgée de soixante-douze ans) se composait d'alcool distillé avec du romarin, à quoi on ajoutait de la sauge, du serpolet, de la lavande et du gingembre. Mme de Sévigné écrivait à sa fille le 20 octobre 1675 : « J'ai dans ma poche de votre admirable reine de Hongrie ; j'en suis folle. C'est le soulagement de tous les chagrins. » On l'utilisait en frictions contre la goutte, les rhumatismes, en cas de contusions, pour se protéger des mauvaises odeurs ou se remettre d'émotions.

5. Il s'agit d'un lit à baldaquin, avec quatre colonnettes, soutenant un ciel de lit et quatre rideaux aux côtés.

6. Morceau d'étoffe soutenu par des cartes, de l'amidon et du fil de fer et qui entourait le cou. Ces collets furent à la mode dans les premières années du XVIIe siècle. Un *collet monté* signifiait aussi une personne affectée, guindée et pédante.

7. Perrault évoque rapidement le rituel d'un mariage princier. Voici comment le mémorialiste Saint-Simon raconte cette scène à l'occasion du mariage, à Versailles, du duc de Berry et de Mademoiselle, (dimanche 6 juillet 1710) : « Au sortir de table, le Roi alla dans l'aile Neuve à l'appartement des mariés (...) Le

Cardinal de Janson fit la bénédiction du lit. Le coucher ne fut pas long. Le Roi donna la chemise à M. le duc de Berry (...) Mme la duchesse de Bourgogne la donna à la mariée (...) Les mariés couchés, M. de Beauvillier et Mme de Saint-Simon tirèrent le rideau de chacun leur côté. »

8. Voir p. 295, n. 10.

9. Dans la première version du conte, ce maître d'hôtel se nomme « Maître Simon ».

10. La sauce Robert, déjà signalée au siècle précédent par Rabelais, se composait d'oignon, moutarde, vinaigre, poivre et sel, mêlés à du beurre, et accompagnait la viande de porc, le lapin et le canard rôtis, les œufs pochés et le merlu.

11. Un croquis de Holbein pour les portraits de la famille de Thomas More montre un petit singe s'ébattant dans les jupes d'une des figurantes. La comtesse de Guiches, maîtresse d'Henri IV, se faisait escorter jusque dans l'église par son chien barbet et sa guenon. Sans affirmer que la scène soit réaliste, on peut dire que le singe était un animal de compagnie pour les femmes ou les enfants.

12. Le supplice apparaît dans la *Bible*, réservé aux femmes adultères. Le crapaud passait à l'époque pour être aussi venimeux que la vipère, pour mordre les hommes et empoisonner de sa bave et de son urine les fruits et les légumes qu'il polluait.

LE PETIT CHAPERON ROUGE

1. Coiffure portée par les hommes jusqu'à la fin du XVe siècle et que Nicot, dans son *Thresor de la langue françoise* (Paris, 1606) définit ainsi : « C'est une façon d'habillement de tête, que les Français de toutes qualités portaient, qui était façonné communément de drap, et celui des princes couvert d'orfèvrerie (...) façonné à une manche longue et étroite qui faisait plusieurs tours au col, et un bourrelet qui était son assiette et arrêt sur la tête de l'homme, et d'une pièce de drap plissé qui pendait sur l'oreille et servait contre le soleil, et le vent, ores pendant sur une oreille, ores sur l'autre (...) Maintenant les seuls qui sont de robe longue, et aucuns magistrats politiques en usent, le portant sur l'épaule, là où tous Français le portaient indifféremment (...) On appelle aussi *chaperon* l'habillement de tête des femmes de France, que les demoiselles portent de velours à queue pendant, touret (bandeau de lingerie sur le front) levé et oreillettes ornées de dorures, autrement appelé coquille, et les bourgeoises de drap, toute la cornette carrée, hormis les nourrices des enfants du Roi, lesquelles le portent de velours à ladite façon bourgeoise. » Le théologien J. B. Thiers dans son *Traité des perruques* (1690) donne presque un siècle plus tard cette définition : « Les

chaperons étaient autrefois des habits, comme ils le sont encore à présent, servant aux vieilles femmes en certains pays. » Il s'agit donc, à l'époque de Perrault, d'une coiffure féminine, populaire voire bourgeoise, démodée surtout. La chose est naturelle. Le costume des enfants du XVIIe siècle, du moins dans les classes aisées, se caractérisait par son archaïsme et l'emprunt aux modes populaires. Donc ce petit chaperon rouge serait la marque, alors même que l'action met en scène des villageois, du désir de se distinguer socialement, de faire comme les bourgeois : le signe extérieur de l'affection de la grand-mère pour la ravissante petite fille.

2. Lorsqu'elles faisaient du pain, les ménagères du passé prélevaient de la pâte non levée, la délayaient avec beurre, sel, œufs et eau, la pétrissaient, la roulaient pour la feuilleter, lui donnaient sa forme définitive, la décoraient, la doraient et la faisaient cuire pour le régal de la famille.

3. Le mot vient de La Fontaine qui qualifie ainsi certains animaux (le renard, le loup) pour en signaler la débrouillardise et l'absence de scrupules moraux.

4. Ici petite-fille.

5. On peut imaginer la *bobinette* comme une pièce de bois semblable à un pène et qui servirait à tenir la porte fermée ; quant à la *chevillette*, ce serait une sorte de clef de bois, qu'on pourrait manœuvrer de l'extérieur en tirant sur une cordelette. Pour la forme *cherra*, il s'agit du verbe défectif *choir* au futur, équivalant à *tombera*. La formulette, en dépit de sa célébrité, reste obscure car les deux diminutifs — *chevillette* et *bobinette* — ne se rencontrent pas dans d'autres textes pour désigner les éléments d'une fermeture de porte, bien rudimentaire.

Une version orale du conte, recueillie en Gascogne, donne pour cette formulette : « Tire la cordelette et le loquet se lèvera. » Mais on ne peut affirmer qu'elle ne dérive pas du texte de Perrault, qu'elle essaierait alors de traduire en clair.

6. Le manuscrit de 1695 (voir p. 59) note en marge : « On prononce ces mots d'une voix forte pour faire peur à l'enfant comme si le loup l'allait manger. » Les enfants aussi jouaient au loup. Le mathématicien Jacques Le Pailleur narre dans une épître rimée comment vers 1640, Marie-Madeleine de La Vergne, la future romancière madame de La Fayette, excellait à se couvrir la tête de son devanteau (sorte de tablier) et à « faire le loup » pour effrayer la compagnie. Quant à Pierre Larousse, dans son *Grand Dictionnaire universel*, il raconte : « Je me rappellerai toujours — j'avais cinq ans alors — que, monté sur une table, on me faisait déclamer un soir *Le Petit Chaperon rouge*. Arrivé à la dernière péripétie du drame, au moment où le loup dit "C'est pour mieux te croquer, mon enfant", j'ajoutai tellement l'action à la parole, qu'il m'arriva de dégringoler. Si au moins il y avait eu des tapis ! mais c'était dans un pauvre village de la Basse-

Bourgogne ! *Le Petit Chaperon rouge* est aussi un des contes favoris de mon petit bébé, Antonine ; mais quand l'enfant arrive à la ritournelle finale, le papa, instruit par sa propre expérience, songe à sa bosse d'autrefois et avance machinalement la main. »

7. Alphonse Daudet a repris à son compte cette phrase, qui conclut *La Chèvre de Monsieur Seguin* : « Alors le loup se jeta sur la petite chèvre et la mangea » (*Lettres de mon moulin*, Paris, Le Livre de Poche, 1983, p. 43).

LA BARBE BLEUE

1. Cette dame appartient à la noblesse, mais on la devine veuve et pauvre. D'où le choix qu'elle fait de marier une de ses deux filles avec un homme que recommande surtout sa richesse considérable.

2. De l'Italie de la Renaissance, la mode était passée en France d'aménager une propriété à la campagne, qui souvent correspondait au berceau de famille d'un des ascendants. Ainsi les frères Perrault consacrèrent leurs soins à la demeure, léguée par leur mère, de Viry-sur-Orge que fréquentèrent des artistes et des hommes de lettres, leurs amis. La Barbe bleue ne se contente pas d'une maison de plaisance, tant il a accumulé de fortune.

3. Ces malices sont des tours, des farces, des niches que préparaient ensemble les membres d'une société, d'un salon, pour se moquer gentiment d'un des leurs, quand ils ne composaient pas des vers, des portraits, des chansonnettes, ne se promenaient pas dans les bois, ne célébraient pas la mort d'un animal familier.

4. Pièces, en général au dernier étage, où les gens du XVIIe siècle, accoutumés à renouveler chaque saison l'aspect intérieur de leurs appartements, entassaient leur réserve de mobilier. Chez un parlementaire, Jean Dyel, seigneur des Hameaux, comte d'Auffrey, on rencontre dans les garde-meubles de son hôtel parisien de quoi emplir, et décorer, trois ou quatre maisons en mobilier, tapisseries, lustres, statues et bibelots.

5. Appartement du rez-de-chaussée réservé soit au maître de maison, soit à l'intendant, la maîtresse des lieux étant logée au premier étage.

6. La création en 1692 de l'usine de Saint-Gobain avec une nouvelle technique de fabrication (le verre n'est plus soufflé par les artisans ce qui limitait sa hauteur à un mètre maximum, mais coulé sur table métallique) marque un net progrès dans la fabrication des miroirs. Pourtant jusqu'en 1699, la technique encore approximative ne permit qu'à neuf glaces — sur les quatre mille coulées — de parvenir au stade de « grandes glaces », comme celles dont il est ici question. Encore faut-il

ajouter qu'une glace de deux mètres demandait deux mois de doucissage (opération consistant à frotter deux glaces l'une contre l'autre pour en diminuer l'épaisseur, en intercalant entre les deux une matière abrasive), plus douze jours de polissage. En fait seul le roi avait l'usage des grandes glaces et la galerie des Glaces commencée en 1678 avait marqué l'apogée de la technique précédente, celle des glaces cloisonnées (plusieurs sont fixées les unes à côté des autres). Bref ces « miroirs où l'on se voyait depuis les pieds jusqu'à la tête » témoignent de la richesse fabuleuse de leur propriétaire.

7. Argent ou cuivre qu'on dore avec de l'or en poudre dissous par de l'acide nitrique et amalgamé avec du mercure.

8. Le sablon, sable très menu, était utilisé comme abrasif, pour poncer. Le grais, aujourd'hui grès, réduit en poudre s'utilisait de la même manière.

9. Le *Dictionnaire* de Furetière (1694) définit ainsi l'adjectif *fée* : « chose enchantée par quelque puissance supérieure, des armes *fées*, qui ne peuvent être percées ». La clef était enchantée, ensorcelée.

10. Perrault veut dire que la Barbe bleue prétend avoir gagné le procès qui justifiait son déplacement.

11. La sœur de Didon, la reine de Carthage abandonnée par Énée au chant IV de *L'Énéide* de Virgile, se nomme Anna. Toutes deux, ou Didon seule, observent du haut de la citadelle les préparatifs et le départ d'Énée, au désespoir de l'amoureuse.

12. Anne est à la tour, et l'épouse de Barbe bleue dans son appartement du premier étage (voir la note 5 au-dessus).

13. Ce verbe, qui signifie devenir vert, n'était plus en usage à l'époque de Perrault : « *Verd* ne fait plus verdoyer », note La Bruyère dans *Les Caractères* (*De quelques usages*, 1692).

14. Le manuscrit de 1695 ajoute : « en criant de toutes leurs forces : arrête, malheureux, arrête ».

15. Les dragons, à la fois cavaliers et fantassins, portent au XVIIe siècle une baïonnette, une hache, un pistolet et une épée. Leurs missions sont celles des pionniers, et leur rapidité de déplacement leur permet de combattre souvent en première ligne, en fantassins. Le premier régiment de dragons, créé en 1658, s'appela *royal-dragon*.

Les mousquetaires du roi, réorganisés en 1668, formaient deux compagnies, les mousquetaires noirs et les mousquetaires gris, ainsi nommés parce qu'ils étaient armés depuis Louis XIII de mousquets et montaient des chevaux à robe noire ou grise. Le roi était de tradition leur capitaine et leur fournissait leur uniforme, remarquable avec ses quatre grandes croix blanches. Les cadets des plus grandes familles s'enorgueillissaient de servir dans ces compagnies d'élite, dont la réputation, justifiée, de bravoure et de fidélité au roi, l'élégance et la noblesse attiraient admiration et sympathie.

16. On appelait charge sous l'ancien régime, des places, des emplois ou des offices que l'on achetait au roi et dont l'exercice assurait ensuite, outre un titre honorable, des revenus. Le grade de capitaine, chef de compagnie (parfois capitaine-lieutenant si le roi lui-même ou quelque autre grand personnage portait le titre de capitaine) était alors si élevé que les plus grands seigneurs briguaient l'honneur de l'occuper.

17. En fait un mois, voir page 208.

18. Comparez avec ces vers que Molière place dans la bouche d'Arnolphe (*École des femmes*, v. 699 et suivants) : « Votre sexe n'est là que pour la dépendance :/Du côté de la barbe est la toute-puissance. »

LE MAITRE CHAT OU LE CHAT BOTTÉ

1. L'appellation *maître* était utilisée alors familièrement en parlant à des gens de condition sociale peu élevée, ou en parlant d'eux. Mais ici Perrault joue sur d'autres sens, car le chat botté est aussi celui qui instruit, qui est savant, et enfin celui qui commande en fait tous les événements.

2. Fourrure disposée en forme de sac ouvert des deux bouts, dans laquelle on met ses mains pour se garantir du froid. Ces manchons en peau de tigre, de panthère, de loutre, de petit-gris, de castor, etc., attachés à la ceinture par une courroie ou un ruban, et portés par les hommes comme par les femmes, pouvaient être confectionnés, pour une clientèle moins riche, en peau de chien, de lapin ou de chat. L'expression vient de La Fontaine, *Fables*, IX, 3, *Le Singe et le léopard*, v. 7.

3. Chaussures des cavaliers et des chasseurs, ainsi que de certains domestiques. Seul le chat français (si l'on excepte un conte russe collecté au XIXe siècle où figure un chat botté de rouge) porte ces chaussures, difficiles à interpréter. Nous ne suivrons pas D. Soriano qui pense voir là un « cryptage », et propose de « décliner » *Botte, bête, but,* etc., et d'associer ce jeu de mots à l'ambiguïté du mot *chat* pour conclure à l'écriture burlesque de ce conte.

4. Perrault fait allusion à la fable III, 18, de La Fontaine où le chat « Blanchit sa robe et s'enfarine », et « du haut d'un plancher/ Se pend la tête en bas ». Il apprécie l'histoire, qu'il traite deux fois lui-même, en 1675 dans *Le Labyrinthe de Versailles* (V, *Le Chat pendu et les rats*) et dans ses propres fables *(Traduction des fables de Faerne : Les rats et le chat)* en 1699.

5. G. Rouger (édition citée, pp. 134-135) propose plusieurs

explications pour ce nom. Citons un fou du nom de *Carabas* que les habitants d'Alexandrie traitèrent avec les égards dus à un roi pour se moquer du roi des Juifs Agrippa, de passage dans leur ville ; ou mieux, le mot turc *Carabag*, que Perrault avait pu découvrir avant la parution du *Dictionnaire oriental* de Barthélemy d'Herbelot, mot qui désigne « des montagnes (...) dans lesquelles il y avait autrefois des lieux de délices où les sultans mogols et autres princes faisaient leur séjour pendant l'été ».

6. A la fenêtre de la portière du carrosse.

7. Changement de titre, ou titre donné au jeune homme par la princesse amoureuse ?

8. Graphie qui correspond à la prononciation familière du temps.

9. Straparole (*Facétieuses nuits*, VII, 5) montre l'apprenti-sorcier Denis qui se métamorphose en renard pour dévorer son ancien maître Lactance, lui-même transformé en coq.

10. Néologisme dont le jésuite Bouhours (1628-1702), puriste sans concession, écrivait : « Le *savoir-faire* est nouveau : un homme qui a du *savoir-faire* ; il en est venu à bout par son *savoir-faire* ; quoique ce terme exprime assez bien, les personnes qui parlent le mieux ne peuvent s'y accoutumer ; il n'y a pas d'apparence qu'il subsiste, et je ne sais même s'il n'est point déjà passé ; aussi est-il très irrégulier, et même contre le génie de notre langue qui n'a point de pareils substantifs » (1671). Et en 1675, il confirmait la disparition du mot. On voit combien il se trompait.

LES FÉES

1. Pour l'explication de ce titre surprenant, puisqu'aussi bien ce conte ne met en scène qu'une seule fée, voir la notice.

2. Le manuscrit de 1695 proposait un schéma initial comparable à celui de *Cendrillon* : un veuf, qui a une fille, épouse une veuve, mère d'une fille. Perrault préfère donc mettre en scène une mère dénaturée, plutôt qu'une marâtre.

3. Plus de deux kilomètres.

4. Source continue d'eau vive, sans idée d'édifice.

5. Il faut comprendre *à même la source*. Mais si l'on interprète cette expression comme *à même le flacon d'argent*, c'est alors la manière et le ton dont la malgracieuse dit les choses qui fâchent la fée.

6. Voir p. 185, note 12. La bienheureuse Wilbirge, recluse de Haute-Autriche du XIIIe siècle, vomit des crapauds lorsqu'elle est empoisonnée par une voisine.

7. Elle avait, avec ce don, une dot supérieure à toutes celles qu'on peut imaginer.

8. Moralité reprise de la fable II, 12 de La Fontaine, *Le Cygne et le Cuisinier* : « Le doux parler ne nuit de rien. » C'est avec cette arme, « le doux entretien », qu'Ulysse séduit Circé, dans *Les Compagnons d'Ulysse*, fable 1 du livre XII.

CENDRILLON

1. L'édition de 1697 porte bien *verre*, donnée traditionnelle dans le folklore, puisqu'on retrouve des pantoufles de verre ou cristal dans des contes catalans, écossais, irlandais. Il n'empêche que Balzac et Littré voulaient, au nom de la raison, corriger cette graphie en *vair* (petit-gris, écureuil). Cendrillon irait alors danser en chaussures fourrées. Cette correction n'apporte cependant pas toute satisfaction, car outre que l'on ne fourra jamais par le passé de petit-gris des chaussures, de tels souliers ne semblent pas adaptés à la danse. Sagement, il faut conserver ces poétiques et merveilleuses pantoufles de verre.

2. La cendre fut toujours symbole d'humiliation et de pénitence : la *Bible* et l'*Odyssée* nous montrent Jérémie se roulant et Ulysse assis dans les cendres. Quant aux pères de l'Église, ils montrent les pénitents se couvrant la tête de cendres ou vivant dans la cendre.

3. Ornement de batiste, de mousseline ou de dentelle, empesé et ici plissé, que les hommes et les femmes fixaient aux poignets de leur chemise ou de leur robe, à l'aide de boutons ou de rubans.

4. Ornement en passementerie, lacet, ruban, mais ici en dentelle d'Angleterre, utilisé pour embellir la robe : il doit s'agir d'un col et de manchettes.

5. Bande ou petite anse qui arrête le ruban d'un bracelet. Mais ici peut-être le mot désigne-t-il une sorte de barrette ?

6. Le mot *cornette* fait problème. S'agit-il d'une sorte de coiffe de toile ou de dentelle, qu'une coiffeuse et Cendrillon fixent sur la tête des sœurs comme le ferait une modiste ? ou de la coiffure *à la Fontanges*, arrangement complexe des cheveux en étages, séparés sur le front en deux coques élevées, tout ceci recouvert d'une coiffe et de deux *cornettes*, l'inférieure en gaze vitrée, brodée dite *à la Marly*, la supérieure, de gaze brodée d'une fine dentelle plissée, dite *à la jardinière* ? Apparue en 1680, la fontange disparaît en 1699 (voir p. 295, n. 9).

7. Petits morceaux de taffetas noir, environ de la grandeur de l'aile d'une mouche, que les dames de cette époque se mettaient sur le visage par ornement ou pour faire paraître leur teint plus

blanc. Les hommes raffinés en portèrent aussi. Une lettre de prose mêlée de vers donne, en 1661, la parole à « la faiseuse de mouches », qui en explique et l'usage selon les heures, les lieux et les activités, et l'origine. Une chanson courait à l'époque dont le dernier couplet donnait : « Mais surtout soyez curieuse/Et difficile au dernier point,/Et gardez de n'en porter point/Que de chez la bonne faiseuse. » Bref les mouches furent un accessoire qu'on ne laissait pas au hasard : « les longues se doivent mettre au bal le plus souvent parce qu'elles paraissent et se plaisent davantage au flambeau » (*La Faiseuse de mouches,* 1661).

8. On a souvent rapproché cette scène de la scène du bal de *La Princesse de Clèves* de Mme de Lafayette (1678). Jean-Pierre Collinet, dans son édition des *Contes*, fait justice à cette opinion qui ne repose que sur une analogie bien vague.

9. Alors fruits de grand luxe, que l'on offre aux invités lors des collations et des bals. Au siècle précédent Ambroise Paré les recommandait pour les malades. Quand Harpagon, qui désire conduire celle qu'il croit sa future épouse à la foire, feint d'avoir oublié de prévoir une collation, Cléante, son fils, lui répond : « J'y ai pourvu mon père, et j'ai fait apporter ici quelques bassins d'oranges de la Chine *[mandarines]*, de citrons doux et de confitures, que j'ai envoyé quérir de votre part » (*Avare*, III, 7). Le *Dictionnaire* de Furetière (1690) précise : « Il y a les citrons aigres et des citrons doux. Ceux-ci servent à se rafraîchir, à se désaltérer et on en sert aux bals et dans les assemblées. »

10. Trompette. Donc annoncer quelque chose au public, après l'avoir averti par le son d'une trompette.

11. Idée que l'on trouve chez le poète latin Catulle (87 à 54 avant J.-C.), et que La Fontaine a reprise pour décrire Vénus : « Rien ne manque à Vénus. (...) Ni la grâce plus belle encore que la beauté » (*Adonis*, v. 75-78), ou pour expliquer le destin de Psyché : « Ce qui m'a procuré ce bien, ce n'est pas tant la beauté, ce sont les grâces. »

RIQUET A LA HOUPPE

1. Perrault songe ici malicieusement à la famille Riquetti, dont le nom avait été francisé en Riquet. Pierre-Paul de Riquet (1604-1680) fut le promoteur du canal du Languedoc et protégé de Colbert. Quant à Catherine Bernard, l'auteur du premier Riquet, elle était normande ; or Littré, dans son article « Riquet à la Houppe », précise : « Étymologie : on dit qu'en normand riquet veut dire contrefait, bossu. » Certains, enfin, voient dans ce sobriquet le diminutif de Henriquet, petit Henri.

2. De ces jumelles, nécessaires au début du conte et qui se font valoir en se mesurant l'une à l'autre, Perrault ne retient à

la fin que l'aînée. Négligence, ou fait exprès, la cadette disparaît totalement, sans que son destin soit fixé.

3. Vases de porcelaine. Importée d'Asie depuis le XVIe siècle surtout, la porcelaine, rare et coûteuse, fut recherchée avec passion par les princes et les grands. Longtemps on ignora la composition de cette poterie dont on ne fabriqua les premières imitations françaises qu'en 1695, à Saint-Cloud. Et c'est seulement en 1709 que l'alchimiste J. Frédéric Boettcher inventa la fameuse porcelaine dite de Saxe. Bref, à l'époque de Perrault, la porcelaine, comme le miroir, reste un signe extérieur de richesse. On comprend mieux les propos que Molière prête à Chrysale : « A-t-elle pour donner matière à votre haine,/Cassé quelque miroir ou quelque porcelaine ? » (*Femmes savantes*, v. 447-448).

4. L'usage voulait, lors des négociations des alliances princières ou royales, que les ambassadeurs emportent avec eux les portraits des prétendants. Avant que le futur Henri II, alors adolescent, ne rencontrât en octobre 1533 Catherine de Médicis à Marseille, ils se connaissaient par des portraits. Celui de la jeune fille, peint à Florence par Giorgio Vasari avait été remis à Henri cependant qu'un portrait du prince avait été envoyé à sa fiancée. Avant son mariage du 31 août 1679, Marie-Louise, nièce de Louis XIV, avait reçu un portrait, peu rassurant, de Charles II d'Espagne, son fiancé.

5. Le premier tirage donnait *demeura*. Il faut comprendre : *et elle en resta là, ne rajouta rien*.

6. Comparez avec Agnès dans *L'École des femmes* de Molière : « Croit-on que je me flatte, et qu'enfin, dans ma tête,/Je ne juge pas bien que je suis une bête ?/Moi-même, j'en ai honte ; et, dans l'âge où je suis,/Je ne veux plus passer pour sotte, si je puis » (v. 1556-1559).

7. Ces rôtisseurs portaient sans doute un bonnet à queue pendante. En l'absence de référence précise, on peut penser aussi à une coiffure de fantaisie, inventée par Perrault.

8. La construction de *si* avec le conditionnel, fréquente encore au XVIe siècle, se raréfie ensuite. Ici, le conditionnel n'a plus le sens suppositif. Si équivaut à *étant donné que, puisque*.

9. Comparez avec les propos prêtés par Molière à la cousine de Célimène, Éliante : « C'est ainsi qu'un amant dont l'ardeur est extrême/Aime jusqu'aux défauts des personnes qu'il aime » (*Misanthrope*, v. 729-730).

LE PETIT POUCET

1. Les famines furent endémiques dans la France du XVIIe siècle. Les historiens en recensent en 1660, 1661, 1662, 1675. En

1693, l'hiver fut marqué par une famine générale. L'année où il écrit *Peau d'Ane*, en 1694, Perrault publie son *Triomphe de sainte Geneviève*, composé à l'occasion de la famine, aggravée d'une épidémie, qui sévit alors.

2. L'escabeau, pour nous le tabouret. Allusion à la petite taille du héros.

3. Monnaie d'argent ainsi nommée parce que sur une de ses faces elle portait, comme un écu de blason, trois fleurs de lis. L'écu vaut trois livres, soit soixante sous. On l'appelle aussi écu blanc. Ces dix écus, pour donner un ordre de grandeur, correspondent au prix de dix moutons, au salaire de trente jours de travail d'un bon artisan. Il s'agit d'une belle somme.

4. On songe ici, derrière ce qui fut une réalité sociale, à M. Jourdain à qui Dorante emprunte et ne rembourse jamais rien, et à M. Dimanche, le tailleur de Dom Juan, que le grand seigneur met à la porte, sans acquitter ses dettes (voir Molière, *Bourgeois gentilhomme*, III, 4 et *Dom Juan*, IV, 3).

5. La consommation de viande est alors un luxe pour les pauvres, dont l'ordinaire consiste en pain, soupes, laitages, charcuterie, salaisons et parfois volailles. Aller à la boucherie c'est faire la fête. On voit bien que c'est le mari qui en prend la décision.

6. Marc Soriano fait observer que Perrault bâtit tout ce conte sur l'idée de la préférence, qui désavantage le Petit Poucet. Il est « le souffre-douleurs de la maison » ; sa mère aime plus que les autres son aîné, un peu « rousseau », amour quelque peu paradoxal quand on sait tout ce que signifiait dans le folklore cette couleur de cheveux. La moralité enfin rappelle la situation difficile, mais aussi les virtualités, du « petit marmot ».

7. Dans la plupart des versions connues de l'histoire de Poucet, on le voit procéder à un échange entre les enfants de l'ogre et ses frères et lui, échange de bagues, de colliers, de bonnets (rouges contre blancs). Perrault seul imagine ces couronnes qui renvoient au thème de la reine ogresse, thème cher au folklore. (En Auvergne, la comtesse Brayère et la reine Margot, au pays de Guérande, la comtesse Rhéma, passent pour avoir mangé les enfants de leurs vassaux.)

8. Perrault les attribue une première fois, comme moyen de transport rapide, au petit nain messager de la bonne fée de *La Belle au bois dormant*. Les folkloristes, qui rappellent d'abord que Poucet marche nu-pieds, citent des versions du conte où, selon l'époque et la latitude, apparaissent des sandales, des babouches ou des souliers de vitesse qui font du petit héros qui les chausse un nouvel Hermès messager ailé des dieux, un initié. La victoire sur l'ogre symbolise alors le passage à l'âge adulte.

9. Soit près de 900 kilomètres, en vingt-huit pas. Perrault fait

allusion à l'actualité militaire de 1696, l'année où il prend le privilège des *Histoires ou Contes du temps passé*. En effet, Nicolas de Catinat, maréchal de France, vient d'envahir, avec les troupes du duc de Savoie, le Milanais. Quant à la guerre de la Ligue d'Augsbourg, où la France connaît des succès et des revers, elle prendra fin avec la paix de Ryswick, en 1697.

10. Un des expédients trouvés par Louys Phélypeaux de Pontchartrain, contrôleur général des finances, pour remplir les caisses de l'État. A côté d'impôts nouveaux sur le bétail, les actes notariés, le café, le suif, les chapeaux, il vendit des lettres de noblesse et des offices pour des fonctions inutiles. Voilà ce que le Petit Poucet achète, pour assurer à son père et à ses frères une situation dans le monde. Perrault qui avait été pourvu en 1672 de son office de contrôleur général des bâtiments, gratis, par Colbert, fait — avec une pointe de malice — la publicité à ce commerce de vanités, vital pour les finances royales.

Chronologie sommaire

1628. 12 janvier. — Naissance à Paris de Charles Perrault, septième enfant[1] de Pierre Perrault, avocat au Parlement de Paris, et de Pâquette Leclerc. Le lendemain, avec son frère jumeau François qui ne vivra que six mois, il est baptisé à Saint-Étienne-du-Mont.

1634. — Fondation de l'Académie française.

1637. — Charles entre au collège de Beauvais, rue Jean-de-Beauvais, à Paris. Il s'y montre excellent élève.

1638. — Naissance de Louis, futur Louis XIV.

1643. — A la suite d'un différend avec son régent, Charles quitte le collège en classe de philosophie. Il poursuit durant trois ou quatre ans ses études, en autodidacte, avec son ami Beaurain. Ils lisent les auteurs anciens, les historiens et les écrivains contemporains, la *Bible*.
Mort de Louis XIII.

1646 ? — Traduction en vers burlesques du livre VI de

1. Jean, l'aîné, avocat comme son père, meurt en 1669 ; Pierre (1611-1680), receveur général des finances, perd, pour indélicatesse, son crédit auprès de Colbert en 1664 ; Claude (1613-1688), docteur en médecine, membre de l'Académie des sciences et du Conseil des bâtiments, publia des ouvrages d'histoire naturelle et d'architecture ; Nicolas (1624-1662), amateur de mathématiques et théologien, fut exclu de la Sorbonne pour jansénisme en 1656 ; Marie, l'unique fille, mourut à treize ans.

l'*Énéide* de Virgile, en collaboration avec Beaurain et son frère Nicolas Perrault.

1651. 27 juillet. — Charles Perrault, licencié en droit civil et canon, est reçu avocat à l'université d'Orléans.

1652. — Mort de Pierre Perrault, père de Charles.

1653. — Publication des *Murs de Troie ou l'origine du burlesque*, ouvrage de Charles et ses frères.

1654. — Pierre Perrault achète la charge de receveur des finances de Paris et prend comme commis son jeune frère Charles, qui renonce au barreau : l'emploi, peu prenant, laisse à ce dernier le loisir d'étudier, et d'écrire ses premiers vers galants.

1657. — Mort de Pâquette Leclerc, mère de l'écrivain. La maison de campagne des Perrault échoit à Pierre qui l'agrandit, l'embellit et y reçoit des gens de lettres et des artistes que Charles fréquente. Pierre met aussi son frère en relations avec le surintendant des Finances, Nicolas Fouquet.

1659-1661. — Perrault écrit et publie des poésies mondaines ou courtisanes. On trouve deux *portraits* composés par lui dans le *Recueil des Portraits* rassemblés par Huet pour la Grande Mademoiselle (1659). Il compose un opuscule dans le goût précieux, le *Dialogue de l'Amour et de l'Amitié* (1660), un autre galant, *Le Miroir ou la métamorphose d'Oronte* (1661).
Cependant il célèbre par des odes le mariage du roi en 1660, la paix qui suit le traité des Pyrénées et la naissance du dauphin, en 1661.
A la mort de Mazarin (9 mars 1661), commence le règne personnel de Louis XIV.

1663. — Début de la carrière officielle de Perrault : il entre comme commis auprès de Colbert, qui fonde sur ordre du roi la Petite Académie (plus tard Académie royale des inscriptions et belles-lettres), dont Perrault devient secrétaire de séance.

1665. — Perrault devient premier commis des bâtiments, c'est-à-dire le bras droit de Colbert, surintendant des bâtiments.

1666. — Colbert charge Perrault de réunir pour la publication les éloges de Mazarin.

1667. — Nouveaux plans pour le Louvre. Claude Perrault serait l'auteur de la colonnade.
1668. — Perrault, pensionné et rémunéré comme premier commis, célèbre dans ses poèmes le roi et ses artistes (Le Brun surtout dans *La Peinture*) ainsi que la conquête de la Franche-Comté.
1671. 23 novembre. — Perrault entre à l'Académie française.
1672. — Devenu chancelier de l'Académie française, il obtient de Colbert des avantages matériels pour cette institution dont il modifie le règlement : élection au scrutin secret, jetons de présence pour accélérer la rédaction du *Dictionnaire*. Promu contrôleur général des bâtiments (l'office est créé pour lui par Colbert), il épouse le 1er mai une jeune fille de dix-neuf ans, Marie Guichon, fille d'un payeur des rentes, seigneur de Rosières près de Troyes.
1673. — Perrault est réélu chancelier de l'Académie française.
1674. — Perrault défend *Alceste*, opéra français de Quinault et Lulli *(Critique de l'Opéra)*, et célèbre avec Quinault la deuxième conquête de la Franche-Comté *(Deux poèmes à la louange du roi)*.
1675. — Naissance de Charles-Samuel, aîné des fils de Charles Perrault. La mystérieuse Mlle Perrault à qui Mlle Lhéritier dédie son *Marmoisan* était sans doute née en 1673 ou 1674. Le *Recueil de divers ouvrages en prose et en vers* rassemble une trentaine de pièces de Perrault, pour la plupart publiées séparément auparavant.
1676. — Naissance du deuxième fils, Charles.
1678. — Naissance, en mars, du troisième fils, Pierre, à qui sont attribués les *Contes*. En octobre, mort de Marie Guichon.
1680. — Perrault, remplacé auprès de Colbert par le marquis d'Ormoy, fils du ministre, ne touche plus sa rémunération de premier commis.
1681. — Perrault cesse de servir sous Colbert. Il est nommé directeur de l'Académie, et publie le *Poème à la louange de M. Le Brun*.
1682. — Dans son *Banquet des dieux*, Perrault célèbre la

naissance du duc de Bourgogne, petit-fils de Louis XIV.

1683. — Mort de Colbert. Perrault perd sa charge qu'on lui rachète au tiers de sa valeur, est exclu de la Petite Académie et n'est plus inscrit dans la liste des pensionnés royaux. Voici la réaction qu'il affecte dans ses *Mémoires* : « Me voyant libre et en repos, je songeai qu'ayant travaillé avec une application continuelle pendant plus de vingt années et ayant cinquante ans passés, je pouvais me reposer avec bienséance et me retrancher à prendre soin de l'éducation de mes enfants. »

1687. — Lecture devant l'Académie d'un poème de Perrault, *Le Siècle de Louis le Grand* : indignation de Boileau qui marque le début de la querelle des Anciens et des Modernes.

1688. — Publication chez Jean-Baptiste Coignard du premier volume du *Parallèle des Anciens et des Modernes en ce qui regarde les arts et les sciences.*

1690. — Réédition du premier volume du *Parallèle* ; publication du second, « en ce qui regarde l'éloquence ».

1691. — *La marquise de Salusses ou la patience de Griselidis, nouvelle*, d'abord lue à l'Académie française, sort des presses de J.-B. Coignard, sans nom d'auteur.

1692. — *Parallèle des anciens et des Modernes en ce qui regarde la poésie* (troisième volume).

1693. — *Ode au roi*, lue à l'Académie, en réponse à Boileau. Le *Mercure galant* de novembre publie *Les Souhaits ridicules, conte.*

1694. — *Griselidis, nouvelle. Avec le conte de Peau d'Ane et celui des Souhaits ridicules*, sort des presses des Coignard avec la mention « seconde édition ». Une troisième édition est donnée par J.-B. Coignard, avec la préface qui ne figurait pas avant.
Boileau compose et publie, dans ses *Œuvres diverses* de cette année, des textes où il se fait le champion des Anciens, ainsi que sa *Satire X, contre les femmes* : Perrault répond par son *Apologie des femmes.*

1695. — Quatrième édition chez Coignard des contes en vers. Le manuscrit aux armes de Mademoiselle, qui contient les cinq premiers *Contes de ma mère L'Oye*, daterait de cette année-là.

1696. Février. — Le *Mercure galant* donne *La Belle au bois dormant, conte.* Perrault publie le tome I de ses notices sur les plus remarquables de ses contemporains, les *Hommes illustres qui ont paru en France pendant ce siècle avec leurs portraits au naturel.*

1697. — *Les Histoires ou Contes du temps passé* sont publiés chez Claude Barbin. Pierre Perrault Darmancour, à qui l'œuvre est attribuée, blesse mortellement en duel un jeune voisin.
Un quatrième volume vient compléter le *Parallèle*, traitant « de l'astronomie, de la géographie, de la navigation, de la guerre, de la philosophie, de la musique, de la médecine ».

1699. — Publication chez Coignard de la traduction par Perrault des *Fables de Faërne* (fabuliste italien de la Renaissance qui écrivit une centaine de fables que les pédagogues utilisaient beaucoup alors dans leur enseignement). Perrault rédige les *Mémoires de ma vie*[1], à l'intention de ses fils et de ses neveux.

1700. — Mort de Pierre Perrault Darmancour, lieutenant dans le régiment Dauphin, à vingt-deux ans. Publication du second volume des *Hommes illustres.*

1703. — Charles Perrault, qui avait paru à l'Académie le 30 avril, meurt dans la nuit du 15 au 16 mai, dans sa maison sur les fossés de l'Estrapade. Il est inhumé le 17 dans la nef de l'église Saint-Benoît, sa paroisse.

---

1. La première édition, tronquée, sera publiée en 1757.

Table

Composition réalisée par C.M.L., Montrouge.

IMPRIMÉ EN FRANCE PAR BRODARD ET TAUPIN
Usine de La Flèche (Sarthe).
LIBRAIRIE GÉNÉRALE FRANÇAISE - 43, quai de Grenelle - 75015 Paris.
ISBN : 2 - 253 - 05294 - 9 30/6767/5